KB101347

# HANDBOOK
# POWER
## Internal Medicine
### Rheumatology
### Allergy

POWER
MANUAL
SERIES

## 류마티스
## 알레르기

군자출판사

# Power 내과 핸드북 08 ³ʳᵈ ᵉᵈⁱᵗⁱᵒⁿ

| 첫째판 1쇄 발행 | | 2009년 9월 25일 |
|---|---|---|
| 셋째판 1쇄 발행 | | 2020년 9월 21일 |
| 셋째판 2쇄 발행 | | 2024년 4월 17일 |

| | |
|---|---|
| 지 은 이 | 신규성 |
| 발 행 인 | 장주연 |
| 출 판 기 획 | 김도성 |
| 표지디자인 | 김재욱 |
| 발 행 처 | 군자출판사(주) |
| | 등록 제4-139호(1991. 6. 24) |
| | 본사 (10881) **파주출판단지** 경기도 파주시 회동길 338(서패동 474-1) |
| | 전화 (031) 943-1888   팩스 (031) 955-9545 |
| | 홈페이지 \| **www.koonja.co.kr** |

ⓒ 2024년, 파워 내과 핸드북 08 (3판) / 군자출판사(주)
본서는 저자와의 계약에 의해 군자출판사에서 발행합니다.
본서의 내용 일부 혹은 전부를 무단으로 복제하는 것은 법으로 금지되어 있습니다.

\* 파본은 교환하여 드립니다.
\* 검인은 저자와의 합의 하에 생략합니다.

ISBN   979-11-5955-606-7
         979-11-5955-490-2(세트)

정가  10,000원
세트  95,000원

7년 만에 파워내과─핸드북의 세 번째 개정판이 나오게 되었습니다. 그동안 많은 분야에서 진단과 치료에 큰 변화가 있었고, 그에 따라 파워내과 본책은 상당히 두꺼워졌습니다. 핸드북은 휴대가 목적이기 때문에 본책 내용의 일부가 빠지기는 했지만, 각종 시험 준비에는 충분하리라 생각합니다.

최근 의료계는 많은 변화를 겪고 있습니다. 각종 인증 제도를 통해 의료의 질은 점점 향상되고 있고, 전공의법을 통해 인턴/레지던트들의 삶의 질도 많이 향상되었습니다. 다만 사회의 변화에 따라 새로운 문젯거리들도 생겨나는데, 선(善)과 정의를 짓밟는 극우 패륜 사이트에 물든 일부 사람들도 그중 하나일 것입니다. 중요한 의료정책관련 문제가 닥쳤을 때, 그런 일부의 행적들은 오히려 협상력을 약화시키고, 국민들의 지지도 잃게 만들어버렸습니다. 의학은 스펙트럼이 매우 넓기 때문에 전공과, 직종, 병원별로 다양한 이해관계들이 얽혀있고 모두를 만족시키기란 매우 어렵습니다. 의사들끼리도 서로 이해하기 힘든데 어떤 정책을 결정하고 국민들도 이해시키려면 깊은 고민과 성찰, 신중한 접근이 필요할 것입니다. 항상 의사들의 뒤통수만 쳐왔던 복지부는 COVID-19 사태를 틈타 (국민이 아닌) 자신들만을 위한 정책을 획책했습니다. 하지만 기본적인 한계와 일부의 과오들로 인해 또다시 의사만 공공의 적 신세가 됩니다.

가장 유능한 인재로 의대에 들어온 만큼 그에 걸맞은 도덕성과 사회역사적 소양도 갖추어야 올바른 목소리를 강하게 낼 수 있습니다. 패륜 사이비 세력에 동화된 의사의 말은 누구도 귀담아 들어 주지 않을 것입니다. 시험공부만 열심히 하고 이익만 추구하는 삶은 그런 괴물이 될 위험이 있습니다. 파워내과 및 핸드북의 취지는 시험공부의 부담을 조금이라도 덜자는 것이므로, 의학 이외에 다른 인문사회적 학습과 경험에도 더 많은 시간을 투자할 수 있기를 바랍니다.

끝으로 이번 개정판이 나오기까지 애써주신 군자출판사의 장주연 사장님과 김도성 차장님을 비롯한 직원 여러분들 모두에게 감사를 드립니다.

2020년 9월 1일

신 규 성

■ **파워내과 핸드북의 특징**
   1. 내과학의 중요 내용을 간략하게 정리하여 학습의 방향을 제시
   2. 파워내과의 80-90% 정도 분량으로 충실하고 업데이트된 내용
   3. 의사국가고시를 포함한 각종 시험의 마지막 정리용
   4. 항상 가볍게 휴대하면서 참고할 수 있도록 과목별로 분책

■ **안내**
   1. 여러 시험에 출제가 되었거나 출제 가능성이 높은 부분들은
     ★, !, **굵은 글자**, 밑줄 등으로 중요 표시를 하였으니 학습할 때
     꼭 확인을 하시기 바랍니다.
   2. 각종 약자는 군자출판사 홈페이지의 약자풀이를 참고하시기 바랍니다.
     약자나 용어는 대한의협 및 각 학회에서 사용되는 것과 실제 임상에서
     통용되는 것을 함께 사용하여 학습의 편의를 도모하였습니다.

■ 파워내과 핸드북의 본문에는 네이버(NHN)의 나눔글꼴이 사용되었습니다.

# 목차
*contents*

○ 류마티스, 알레르기, 독성학, 기타          *POWER Internal Medicine*

## [류마티스내과]

## [알레르기내과]

## [독성학, 기타]

# 류마티스 내과

# 1 서론

## 정의

• 류마티즘(rheumatism) : 관절과 관절주위의 연골, 뼈, 인대 등에 발생하는 병적인 현상이나 질환 ≒ 결합조직질환(connective tissue dz., CTD), 교원혈관질환(collagen-vascular dz.)

• 류마티스 질환의 발생부위 및 병인 예

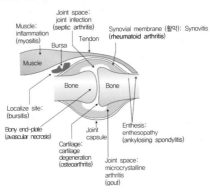

[부위: 병인 (질환 예)] ★

• 결합조직(connective tissue)의 성분

(1) collagen (m/c)

- type Ⅰ : skin, bone, tendon, ligament, aorta ...
- type Ⅱ : cartilage
- type Ⅲ : skin, aorta
- type Ⅳ : basement membrane

 - skin, bone, tendon, ligament의 80~90%는 type I collagen 임

(2) 기타 ; elastin, fibrillin, proteoglycans ...

# 검사실 검사

## 1. Acute phase reactants (APR)

: 다양한 염증반응/조직손상에 반응하여 혈청 농도가 25% 이상 상승(or 하락)하는 물질

### (1) 이용

① RA를 비롯한 염증성 관절질환의 발견(선별)
② 질환의 activity 평가
③ 치료의 monitoring (F/U)
④ 예후의 예측
⑤ 병발 질환의 발견

### (2) 종류

Inflammatory mediators
　Complement components, C-reactive protein (CRP), Plasminogen, Factor VIII,
　Prothrombin, Fibrinogen, Kininogenase (kallikrein), Kininogen
Inhibitors
　$\alpha_1$-Antitrypsin, $\alpha_1$-Antichvmotrypsin, Thiol protease inhibitor, Haptoglobin,
　Antithrombin III, C1 INH, Factor I, Factor H
Scavengers
　Haptoglobin, Serum amyloid A (SAA), CRP, Ceruloplasmin
Cellular immune regulation
　CRP, $\alpha_1$-acid glycoprotein, Ferritin
Repair and resolution
　$\alpha_1$-acid glycoprotein, $\alpha_1$-antitrypsin, $\alpha_1$-antichymotrypsin, C1-INH

- APR의 상승 순서 : CRP > fibrinogen > $\alpha_2$-macroglobulin > ferritin > ceruloplasmin
  > $\alpha_1$-antitrypsin > $\alpha_1$-antichymotrypsin > haptoglobin > $\alpha_1$-acid glycoprotein
  > serum amyloid A (SAA) > immunoglobulins > amyloid P > complement components

- (-) APR : 염증 때 감소되는 것 (e.g., albumin, transferrin [≒TIBC], transthyretin)

- ESR (erythrocyte sedimentation rate, 적혈구침강속도, 혈침속도)
  - 가장 광범위하게 사용, better screening test
  - anemia, immune response, APR, dz. activity 등을 포괄적으로 반영

| Low ESR | High ESR |
|---|---|
| 남성 | 노인, 여성, 임신, 경구 피임약 복용 |
| 측정 전에 오래 세워져있던 검체 | Heparinization된 검체 |
| Polycythemia | Anemia |
| RBC 형태의 변화 | Hypergammaglobulinemia |
| 　Anisocytosis | Monoclonal gammopathy (e.g., multiple myeloma) |
| 　Spherocytosis | Hyperfibrinogenemia |
| 　Poikilocytosis | RA, collagen dz., chronic infections |
| 　Sickle cells | Neoplastic dz. |
| Hypofibrinogenemia (e.g., DIC) | Thyroid disorders : hypothyroid, hyperthyroid |
| Anti-inflammatory drugs | IM 주사 (특히 penicillin) |

- CRP (C-reactive protein)
  - 간에서 합성됨, macrophages 및 T cells에서 분비된 IL-6 가 주로 CRP 합성을 자극
    (c.f., 생리적인 기능은 죽는 세포 표면의 lysophosphatidylcholine에 결합하여 보체 활성화)
  - APR 중 가장 빨리 상승 (염증 시작 4~6시간 이내), 반감기 18시간
  - 염증, 감염, MI (cardiac arrest), 수술/외상 등 때 상승
  - 염증의 정도를 예민하게 반영함 (but, SLE, Sjögren's syndrome에서는 정상이 흔함)
    (∵ type 1 IFN [α, β 등]이 간에서 CRP 합성 억제)
  - high-sensitivity CRP (hsCRP) : 표준 CRP보다 더 낮은 농도에서 예민하게 측정하는 것
    ↳ low-grade inflammation에서 의미 (e.g., atherosclerosis, obesity, type 2 DM, HTN)

## 2. 자가항체(autoantibodies)

### (1) 항핵항체(anti-nuclear antibody, ANA)

- ANA : 핵 성분에 포함된 여러 항원 생성물에 대한 자가항체의 총칭
  (교원병, 자가면역질환 의심시 가장 먼저 시행하는 선별검사)
  - 검사법 : 간접면역형광법(indirect immunofluorescence, IIF)
  - HEp-2 cells (± primate liver cells)을 이용

| ANA가 양성인 경우들 | |
|---|---|
| SLE | 95~100% |
| Drug-induced LE | 100% |
| Sjögren's syndrome | 75% |
| Rheumatoid arthritis | 30~40% |
| Juvenile chronic arthritis (JCA) | 25% |
| Scleroderma | 95% |
| Vasculitis | 5~20% |
| DM/PM | 80~90% |
| MCTD | 95~99% |
| Subacute bacterial endocarditis | 5~20% |
| Mixed cryoglobulinemia, Liver disease, | |
| Primary pulmonary fibrosis, Leprosy, | |
| Infectious mononucleosis, Aging, Drugs | |
| 정상인 | ~5% |

■ 검사기법
1) 간접면역형광법(indirect immunofluorescence)
  - 가장 많이 사용하는 reference method
  - HEp-2 cells를 슬라이드에 코팅하여 검사
    (human epithelial type 2; 후입암세포)
  - 결과는 반정량으로 보고함
    (e.g., 1:40, 1:80, 1:160, 1:320 ...)
  - ANA 염색 패턴은 특정 자가면역질환과의
    관련성이 떨어져 중요하지는 않음
    (c.f., SLE는 대개 homogeneous pattern)
    → anti-ENA or 개별 항체 검사 필요
2) Solid phase assays
  - purified or recombinant autoAg를 활용한
    다양한 면역검사들을 지칭함
    (e.g., ELISA, CLIA, immunoblot, Luminex)
  - IFA보다 간편하지만, 시약에 누락된 autoAg에
    대한 항체는 알 수 없음 → sensitivity ↓

- anti-ENA (extractable nuclear Ag) antibody
  - ENA : 세포에서 PBS or saline washing으로 추출되는 단백군의 총칭
  - ANA 양성인 경우 (특히 speckled pattern) 자가항체의 정체를 규명하기위해 시행 고려
    (보통 임상적으로 중요한 SSA, SSB, Sm, centromere, RNP, Scl-70, Jo-1 등에 대한 항체를
    한꺼번에 검출함, 일종의 screening profile/panel 검사)
  - 검사법 : ELISA (EIA), immunoblot, Western blot, CLIA 등

### (2) 항중성구세포질항체(anti-neutrophil cytoplasmic Ab, ANCA)

- neutrophil의 cytoplasmic granule에 존재하는 특정 단백질에 대한 자가항체
- 검사법 : 간접면역형광법(indirect immunofluorescence, IIF)

- 염색되는 모양에 따라서 c-ANCA (cytoplasmic), p-ANCA (perinuclear) 및
  atypical ANCA로 구분됨
- IIF에서 양성이면 추가적으로 <u>PR3 Ab or MPO Ab</u> 검사 고려
  ↳ ELISA, FEIA (fluorescence EIA) 등
- c-ANCA
  - <u>proteinase-3 (PR3)</u>에 대한 자가항체
  - GPA (Wegener)에 specific (sensitivity 88%, specificity 95%), 질병의 활동성을 반영
- p-ANCA
  - <u>myeloperoxidase (MPO)</u>, elastase, lactoferrin, cathepsin, lysozyme 등에 대한 자가항체
  - PAN (15%), EGPA (Churg-Strauss, 60%), microscopic polyangiitis (70%), RPGN (65%),
    결합조직질환 관련 vasculitis (SLE 20%, RA 25%), UC (70%), CD (30%),
    primary sclerosing cholangitis (70%), drug-induced vasculitis 등에서 양성

| 의심되는 질환 | Test | 질환과의 관련성 (Sensitivity, specificity) | 기타 질환 |
|---|---|---|---|
| CREST syndrome | Anticentromere antibody | CREST (70~90%, high) | Scleroderma (10~15%), Raynaud's disease (10-30%) |
| SLE | Antinuclear antibody (ANA) | SLE (>95%, low) | RA (30~40%), discoid lupus, scleroderma (60%), DIL (100%), Sjögren's syndrome (80%), |
| | Anti-dsDNA | SLE (60~70%, high) | Lupus nephritis, 드물게 RA, 대개 low titer. |
| | Anti-Smith antibody (anti-Sm) | SLE (30%, high) | Interstitial pneumonia (<5%) |
| MCTD | Anti-ribonucleo- protein antibody (anti-RNP) | Scleroderma (30%, low), MCTD (95%, low) | SLE (40%), discoid lupus (20~30%) Sjögren's syndrome (15%), RA (10%), |
| RA | Rheumatoid factor (RF) | Rheumatoid arthritis (80~90%, low) | 기타 rheumatic diseases, chronic infections 등 |
| Scleroderma (SSc) | Anti-topoisomerase1 (= Anti-Scl-70 Ab) | Diffuse SSc (30~40%) | SLE (30%) |
| | Anti-centromere Ab | Limited SSc (60~80%) | Primary Raynaud's |
| Sjögren's syndrome | Anti-Ro(SS-A) antibody | Sjögren's syndrome (60~70%, low) | SLE (30%), RA (10%), subacute cutaneous lupus, vasculitis. |
| GPA (Wegener's granulomatosis) | Anti-neutrophil cytoplasmic antibody (ANCA) | Wegener's granulomatosis (56~96%, high) | Crescentic GN 또는 기타 systemic vasculitis (e.g., polyarteritis nodosa). |

## 관절액/윤활액 검사 (joint/synovial fluid analysis)

| ★ | Noninflammatory (Group I) | Inflammatory (Group II) | Purulent (Group III) | Hemorrhagic (Group IV) |
|---|---|---|---|---|
| Color | 호박색 | 황색~흰색 | 황녹색 | 적색 |
| Clarity | 투명 | 혼탁/흐림 | 불투명 | 불투명 |
| Viscosity | 정상 | 감소 | 감소 | 감소 |
| WBC count/mm³ | <2000 | 2000~50,000 | >50,000 | 다양 |
| Neutrophils % | <25% | >50% | >75% | 다양 |
| Glucose | 정상 | 감소 | 크게 감소 | 정상 |
| Disease 예 | Osteoarthritis<br>Trauma<br>Osteochondritis dessicans<br>Osteonecrosis<br>Amyloidosis<br>Scleroderma<br>SLE<br>Polymyalgia rheumatica<br>Hypertrophic pulmonary osteoarthropathy | RA<br>Reactive arthritis<br>Crystal synovitis, acute (gout, pseudogout)<br>Psoriatic arthritis<br>Viral arthritis<br>Rheumatic fever<br>Behcet's syndrome<br>Lyme disease<br>일부 bacterial infections | 세균감염 (septic arthritis)<br>결핵(TB arthritis)<br>RA (rare)<br>Reiter's (rare)<br>Pseudogout (rare)<br><br>* TB arthritis는 septic arthritis 보다 WBC 낮음 (약 1~2만/mm³) | Trauma<br>Neuropathic joint<br>Hemarthrosis (응고질환; hemophilia, von Willebrand's dz.)<br>Heparin or warfarin<br>Sickle cell disease<br>Chondrocalcinosis<br>Scurvy<br>Tumor, 특히 pigmented villonodular synovitis, hemangioma |

| | Rheumatoid Arthritis | Gout/ Pseudogout | Reactive/Psoriatic Arthritis | Septic Arthritis | Osteoarthritis, Traumatic Arthritis |
|---|---|---|---|---|---|
| Color | Yellow | Yellow~white | Yellow | White | Clear, pale yellow, or bloody |
| Clarity | Cloudy | Cloudy-opaque | Cloudy | Opaque | Transparent |
| Viscosity | Poor | Poor | Poor | Poor | Good |
| Mucin clot | Poor | Poor | Poor | Poor | Good |
| WBC count/mm³ | 3000~50,000 | 3000~50,000 | 3000~50,000 | 50,000~300,000 | <3000 |
| Neutrophils % | >70 | >70 | >70 | >90 | <25 |
| Glucose levels | 10~25% less than serum | 10~25% less than serum | 10~25% less than serum | 70~90% less than serum | 0~10% less than serum |
| Total protein | >3.0 g/dL | >3.0 g/dL | >3.0 g/dL | >3.0 g/dL | 1.8~3.0 g/dL |
| Complement | ↓ | N | ↑ | ↑ | N |
| Microscopic features | "RA cells" | MSU and CPP crystals | "Reiter's cells" | Microbes (Gram stain) | Cartilage fibrils |
| Culture | − | − | − | + | − |

* gout와 septic arthritis는 synovial fluid 검사로 확진 가능

## 관절통의 감별진단 ★

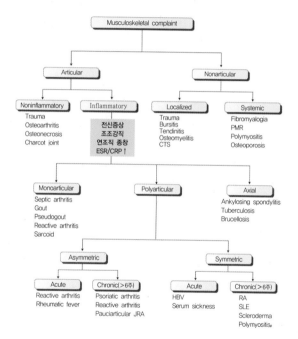

| Inflammation | Present | RA, SLE, gout, septic arthritis |
|---|---|---|
| | Absent | Osteoarthritis |
| 침범관절 수 | Monarticular | Gout, Pseudogout, trauma, septic arthritis, Lyme dz. |
| | Oligoarticular (2~4 joints) | Reactive arthritis, psoriatic arthritis, inflammatory bowel dz. |
| | Polyarticular (≥5 joints) | RA, SLE |
| 침범 부위 | Distal interphalangeal | Osteoarthritis, psoriatic arthritis (RA는 아님) |
| | Metacarpophalangeal, wrists | RA, SLE (osteoarthritis는 아님) |
| | First metatarsal phalangeal | Gout, osteoarthritis |

# 2
# 류마티스 관절염

## 개요

- 관절의 활막염으로 시작하여 연골/뼈의 손상으로 관절 파괴를 초래하는 만성 진행성 전신성 염증질환 (대칭성, 다발성 말초관절염이 특징)
- 유병률 : 0.3~1.0% (우리나라 0.27%), 여자가 남자보다 3배 많음 (우리나라는 남:여 = 1:8)
- 40~70대에 호발 ┌ 여자 : 45세까지 지속적으로 증가, 이후는 비슷하게 유지
  └ 남자 : 젊을 때는 적게 발병하다가, 65세 이후에는 여자와 비슷한 발병률

## 1. 원인 (unknown)

: 유전적 소인이 있는 사람에서 여러 가지 환경적 상호작용에 의해 발병하는 것으로 추정됨

### (1) 유전적 감수성

- 가족력 有 (heritability 약 60%) ; 형제는 발병률 2~4배, 일란성 쌍생아는 발병률 8배
- HLA (MHC)가 가장 중요하지만(약 13% 기여), 다른 여러 유전자들도 발병 및 severity에 관여
- HLA 중에서는 HLA-DRB1 대립유전자가 m/i (약 11% 기여)
  - HLA-<u>DR4</u> serotype (DRB1*04 gene) : dz. activity와도 관련
  - HLA-<u>DR1</u> serotype (DRB1*01 gene) : HLA-DR4 (-) RA 환자의 대부분에서 발견됨
  - RA risk를 증가시키는 DRB1 대립유전자 아형의 인종 간 차이
    ┌ 서양인 : DRB1*04:01 (m/c) or DRB1*04:04
    └ 한국인 : DRB1*04:05 or DRB1*09:01

### (2) 환경요인

- <u>smoking</u> (가장 명백하게 관련) ; relative risk 1.5~3.5배, anti-CCP 생성과 관련
  - anti-CCP (+) RA에서만 위험인자 (우리나라는 anti-CCP 음성에서도 위험인자임)
  - 유전적 소인(e.g., DRB1*04)도 같이 존재하면 RA 발생 위험 20~40배로 증가
- 미생물 감염 ; 유전적 소인이 있는 사람에서 감염에 의해 자가면역반응 유발
  - EBV, parvovirus, rubella, *Mycoplasma*, *Mycobacteria*, *Streptococcus*, *E. coli*, *H. pylori* 등
- 치주염(periodontitis) ; *Porphyromonas gingivalis*가 PAD 효소 발현 → anti-CCP & RA ↑

## 2. 병리

- <u>synovial inflammation</u> & proliferation, focal bone erosions, articular cartilage thinning 등이 특징

- 초기 소견 ; microvascular injury, synovial lining cells의 수 증가
- 진행되면 mononuclear cells의 혈관주위 침윤이 관찰됨
  ; 증상 발생 전에는 주로 myeloid cells, 증상 발생 후에는 T cells이 m/c
- 더 진행되면 synovium의 부종 및 관절강내 돌출 발생
- 만성 염증 : 세포성 면역과 체액성 면역 기전이 모두 작용

## 3. 병인

- 유전적소인 & 환경요인 등 → synovial **T cells** 활성화
  : Ag-presenting cells (APCs)에 의해 CD4+ T cells 활성화, $T_H1$과 $T_H17$ cells로 분화
  - $T_H1$ cells → IFN-$\gamma$, TNF-$\alpha$, lymphotoxin-$\beta$ 등 분비
  - $T_H17$ cells → TNF-$\alpha$, IL-6, IL-17, GM-CSF 등 분비
    (IL-17 : 관절 염증 촉진 및 연골/뼈 파괴에 중요한 역할)
- CD4+ $T_H$ cells : CD40 ligand를 통해 B cells 활성화 → 일부가 autoAb-producing plasma cells
  로 분화 → 관절 내에서 immune complex (RF, anti-CCP 포함) 형성 → complement 활성화 등
- T effector cells : synovial macrophage를 자극하여 IL-1, IL-6, **TNF-$\alpha$** 등 분비 촉진
  (synovial cytokines의 主 공급원은 macrophages, mast cells, fibroblast-like synoviocytes 등임)
- **TNF-$\alpha$** (synovial inflammation에서 m/i cytokine)
  - endothelial cells의 adhesion molecules↑ → 관절 내로 백혈구 모집↑
  - IL-1, IL-6, GM-CSF 등 다른 mediators의 분비 촉진
  - 뼈 파괴 촉진 & 뼈 형성 억제
    - DKK-1↑, Wnt pathway 등에 의해 뼈 형성(bone formation) 억제
    - osteoclast 활성화 : M-CSF, RANK ligand (RANKL) 등도 필요함
      (TNF-$\alpha$, IL-1, IL-6, IL-17 등이 RANKL를 증가시켜 osteoclastogenesis 촉진)

# 임상양상

## 1. 발병(onset)

- 약 2/3는 전구증상으로 서서히 발병
  (fatigue, anorexia, generalized weakness, vague musculoskeletal symptoms)
- 약 10%는 acute onset : polyarthritis가 급속히 발생
  (fever, lymphadenopathy, splenomegaly 등도 동반)
- 약 1/3은 비대칭적으로 몇 개의 관절에서만 증상 발생

## 2. 관절 증상

- <u>bilateral</u> <u>symmetric</u> inflammatory polyarthritis / generalized stiffness (inactivity 뒤 악화)
- **조조경직(morning stiffness)** : 1시간 이상 지속, 활동에 의해 완화 (오후에 호전됨)
- 가동관절(diarthrodial joints)을 주로 침범 : 손, 손목, 무릎, 발목 등

(1) 손 : 손목(wrist), 중수지(MCP), 근위지(PIP) 관절을 주로 침범 <u>(DIP joint는 드묾!)</u>

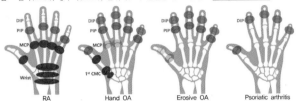

\* **특징적인 변형**

① wrist의 radial deviation, digits의 ulnar deviation, proximal phalanges의
   palmar subluxation ("<u>Z</u>" deformity)

② PIP joints의 hyperextension, DIP joints의 compensatory flexion (<u>Swan-neck deformity</u>)

③ PIP joints의 hyperflextion, DIP joints의 extension (<u>Boutonniere deformity</u>)

▶ 류마티스 관절염의 손 변형 : Z-deformity, Swan-neck deformity, Boutonniere deformity

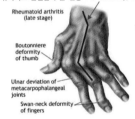
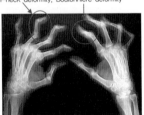

c.f.) 골관절염의 손 변형 : Heberden's node (DIP), Bouchard's node (PIP)

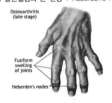
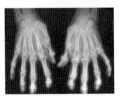

(2) 무릎 : synovial hypertrophy, chronic effusion, <u>Baker's (popliteal) cyst</u>

> ■ Popliteal (Baker's) cyst : 무릎 뒤쪽에 발생한 점액낭으로 대개 관절액으로 차 있음
>   – 위험인자 ; 외상(~1/3), 관절질환(~2/3, OA, RA, meniscal tears 등)
>   – 진단 ; P/Ex, <u>US</u>, X-ray, MRI (internal derangement가 의심되거나 수술 예정시)
>   – 파열되어 종아리 부종/통증 발생시 DVT와 감별 필요 / 치료는 보존적(휴식) or 관절경/수술

**(3) 척추** : 대개 경추만 침범, "<u>atlanto-axial [C1-C2] subluxation</u>" 발생 가능 (5~20%에서)
↳ C-spine lateral view (flexion & extension), open mouth view
: C1-C2의 odontoid process 간격이 2.5 mm 이상이면 비정상

# 3. 관절외 증상/합병증

: RF titer가 높은 환자에서 발생

(1) 전신증상 ; malaise, fatigue, weakness, low-grade fever
(2) rheumatoid nodules (20~35%) : RF(+), severe (e.g., 골미란, 관절파괴) 환자에서 주로 발생
 - periarticular structures, extensor surfaces, 압력을 받는 부위 등에 발생
 - pleura, meninges에도 발생 가능하고, 다른 관절외 증상 동반 흔함 (심혈관/폐/모든 사망률↑)
 - 통증은 없음, 드물게 감염, 궤양을 동반하기도 함
(3) rheumatoid vasculitis : RF titer가 높은 severe RA 환자에서 발생
 - 피부 혈관염 ; 상하지 말단의 경색, 궤양(ischemic ulcer)
 - 내부장기 혈관염 ; 허혈성 장질환, MI 등
 - 신경 혈관염 ; polyneuropathy, mononeuritis multiplex
(4) 호흡기계 증상 (남자에서 흔함)
 - pleural effusion, interstitial fibrosis, pneumonitis        (→ 뒷부분 참조)
 - pleuropulmonary nodules, Carplan's syndrome (nodule, RA, peumoconiosis)
 - cricoarytenoid joint 염증 → 상기도 장애
(5) 심장 증상 ; pericardial effusion, constrictive pericarditis, valve diseases, 심근의 nodules
(6) 신장 침범
 - membranous nephropathy, glomerulitis, vasculitis, 2ndary amyloidosis
 - drug toxicity ; gold, D-penicillamine, cyclosporine, NSAIDs
(7) 신경 증상
 - atlantoaxial or midcervical spine subluxations에 의한 증상
 - proliferative synovitis or joint deformities → nerve entrapment
 - carpal tunnel syndrome (median nerve entrapment)        (→ 뒷부분 참조)
(8) 눈 증상 ; Sjögren's syndrome (dry eye), 공막염(scleritis), 상공막염(episcleritis)
(9) 골다공증 ; 정상인보다 흔함 (유병률 20~30%)
 - 장기간 steroid 사용 or immobility도 골다공증 발생에 기여
 - hip fracture가 호발하여 장애 및 사망률↑ 위험
(10) <u>Felty's syndrome</u>
 - chronic severe RA + hepatosplenomegaly + neutropenia (PMN <1500/$\mu$L)
     (때때로 anemia, thrombocytopenia도 동반)
 - high RF titer, circulating IC, subcutaneous nodules, 다른 전신증상 흔함
 - T-cell large granular lymphocyte leukemia (T-LGL, RA 초기에 발생 가능)와 감별해야 함

## 검사소견

### (1) RF (rheumatoid factor)

- IgG의 Fc portion에 대한 IgM autoantibody
- RA 환자의 75~80%에서 (+) : sensitivity 낮음 → 음성이어도 RA R/O 못함
  - nonspecific ; 정상인의 5%에서도 양성 (나이가 들수록 증가), 다른 류마티스 질환(e.g., SLE) 및 감염(e.g., malaria, endocarditis, HBV, HCV), 예방접종, 수혈 등에서도 양성 가능
  - RA의 유병률이 낮은 편이므로 (+) predictive value도 낮음
- screening test로는 쓸 수 없으나, 증상이 의심스러울 경우 진단에는 도움
- high titer인 경우 예후가 나쁘고, 관절외 증상(e.g., nodules)이 더 많다
- RF의 titer는 dz. activity와는 관련 적음! (→ 진단된 이후의 반복 검사는 별 도움 안됨)

  \* ANA : 약 30~40%에서 (+)이지만, 대개 titer 낮음

### (2) anti-CCP (cyclic citrullinated peptide) Ab. [ACPA]

- 현재 3세대 anti-CCP ; sensitivity는 RF와 비슷하면서(~80%), specificity 매우 높음 (96~98%)
- RF 음성 환자의 약 40%에서 (+) → RF (−) RA 환자의 진단에 도움
- RA 증상이 나타나기 전부터도 (+) 가능 → 초기 RA 환자의 진단에 도움
- anti-CCP titer↑ ⇨ 관절파괴가 심하고, 예후 나쁨! (but, dz. activity와는 관련 적음!)
- 흡연자나 RA 관련 HLA-DRB1 allele 있는 환자에서 (+) 더 흔함
- 정상인의 약 1.5%에서도 (+)이므로, RF처럼 RA 발병을 예상하는 인자로는 사용할 수 없음

### (3) Acute phase reactants (APR)

- ESR (거의 모든 환자에서 증가됨), CRP, ceruloplasmin, ferritin 등 증가
- dz. activity와 관련!

### (4) 혈액학검사

- normocytic normochromic anemia (m/c) : 염증 정도와 비례
- anemia & thrombocytosis → ESR/CRP 상승과 비례 (dz. activity와 관련!)
- WBC count는 대부분 정상 / eosinophilia → severe systemic dz. 시사

### (5) Synovial fluid analysis

- inflammatory arthritis의 확인 및 다른 원인의 R/O에 유용 (RA의 진단에는 보조적)
- yellow, turbid, viscosity↓, protein↑, glucose N or↓
- WBC : 5,000~50,000 cells/$\mu$L, neutrophil이 50~70% 이상
  (c.f., synovial tissue에서는 T lymphocytes가 m/c)
- RF, anti-CCP, IC 등도 발견됨
- total hemolytic complement, C3, C4 : ↓↓ (serum complement는 감소 ×)

\* dz. activity를 반영하는 것
  ① arthralgia, morning stiffness, fatigue
  ② ESR, CRP
  ③ 기타 ; anemia (Hb↓), thrombocytosis, albumin↓

# 진단/분류

### Rheumatoid Arthritis의 진단 기준 (1987, 미국 류마티스학회) ★

1. 조조경직(morning stiffness) : 1시간 이상 지속되는 관절 및 주위의 경직
2. 3 관절 이상의 관절염 : soft tissue swelling or joint effusions
3. 수지관절의 관절염 : 손목관절, 중수지절(MCP)관절 or 근위지(PIP) 관절
4. 대칭성 관절염
5. 류마티스 결절(rheumatoid nodules)
6. 혈청 Rheumatoid factor (RF) 양성
7. 영상검사 소견 : 손과 손목의 전형적인 RA의 소견 (위 참조)

* RA의 진단을 위해서는 7개 criteria중 4개 이상이 필요
* Criteria 1~4는 반드시 6주 이상 지속되어야 함
* Criteria 2~5는 반드시 의사에 의해 관찰되어야 함

| | Rheumatoid Arthritis의 classification criteria (2010, ACR/EULAR) ★ | |
|---|---|---|
| 관절침범 (synovitis) | 1 large joint (어깨, 팔꿈치, 고관절, 무릎, 발목 관절) | 0 |
| | 2~10 large joints | 1 |
| | 1~3 small joints (MCP[2~5번째], PIP, 엄지 IP, MTP, 손목 관절) | 2 |
| | 4~10 small joints | 3 |
| | >10 joints (최소 하나는 small joint) | 5 |
| 증상기간 | 6주 미만 | 0 |
| | 6주 이상 | 1 |
| 혈청검사 | RF & anti-CCP (−) | 0 |
| | RF or anti-CCP low(+) : UNL의 3배 이하 | 2 |
| | RF or anti-CCP high(+) : UNL의 3배 초과 | 3 |
| ESR/CRP | ESR & CRP 정상 | 0 |
| | ESR or CRP 상승 | 1 |

* ACR (American College of Rheumatology), EULAR (European League Against Rheumatism)
* 관절침범(synovitis) : 진찰시 부어있거나 압통이 있거나 영상검사(MRI, US)에서 synovitis의 소견이 있는 경우
  (SLE, psoriatic arthritis, gout 등 활막염의 다른 원인이 없어야 됨) / DIP, 1st CMC, 1st MTP 관절은 제외함
* 최대 10점, 6점 이상이면 "definite RA"
* 조기 진단 & disease-modifying therapy 대상 환자를 빨리 구분하는 것이 목적 (∵ 이미 발생한 관절손상은 치유×)
* RA가 오래 진행되었을 때 나타나는 류마티스결절이나 관절손상 소견은 제외되었음

# 영상검사 소견

## 1. plain X-ray

- 초기 ; 정상 or soft tissue swelling, periarticular osteopenia (관절주위 골 감소/흡수)

- 진행되면
  - symmetric joint space narrowing : <u>even, regular</u> ↔ OA (uneven, irregular)와의 차이
  - <u>bone erosions</u> (골의 미란성 파괴), articular cartilage 소실,
    └ 손목과 손(MCP, PIP), 발(MTP)에서 잘 관찰됨
  - deformities (e.g., joint subluxation, collapse), secondary degenerative changes

## 2. US
- X-ray보다 연부조직 관찰에 유리 → synovitis (e.g., vascularity↑), bone erosion 조기 진단 가능
- 간편하고, 방사선 노출이 없어 점점 많이 이용됨, 특히 손발가락 관절 관찰에 매우 유용

## 3. MRI
- US처럼 연부조직 관찰에 유리 → synovitis, effusions, bone erosion, BM changes 조기 발견 가능
- 비싸고 US보다는 불편하므로 많이 이용되지는 않음

# 치료

## 1. 일반 원칙
- 거의 대부분 지속적 & 점진적인 dz. activity를 보임, 대부분 완치(complete remission)는 불가능함
- 치료 목표 ; 관해(remission) 또는 질병활성도(dz. activity) 최소화가 목표
  (통증↓, 염증↓, 관절의 보호 및 기능유지, 전신증상↓)
- 금연 : 질병의 경과도 지연 가능

\* physical therapy ; rest, splinting, exercise, orthotic & assistive devices, heat
  ┌ 휴식 → 일반적인 전신 염증반응↓ (→ 증상 호전)
  └ 적당한 운동 → 근력 및 관절운동성 유지

## 2. 내과적 치료

### (1) 1st line
- NSAIDs, aspirin, simple analgesics
- 국소 염증의 Sx & signs을 경감시킴 (질병의 경과에는 영향×)

### ■ Nonsteroidal Anti-Inflammatory Drugs (NSAIDs)
- RA의 증상개선을 위한 1차 치료 or DMARDs의 보조제로 사용
- traditional NSAID의 기전 : COX-1 & COX-2 모두 억제
- 부작용
  - GI toxicity (m/c) ; ulceration, perforation, hemorrhage
  - nephrotoxicity (MGN, azotemia), platelet dysfunction, allergic rhinitis or asthma 악화
    (→ 소화기내과 I -5장, 신장내과 9장 도 참조)
  - rash, 간기능 이상, BM depression

- 어떤 NSAIDs도 aspirin보다 더 효과적이지는 못하다
- 사용상 주의점
  - 경구 및 비경구 모두 GI toxicity를 일으킴, 병합요법은 피한다 (부작용만 증가될 뿐)
  - 항응고제와 병용시 항응고제의 용량을 줄여야 됨, NSAID는 항고혈압제의 작용을 방해함

* specific cyclooxygenase 2 (COX-2) inhibitors (e.g., Coxibs 제제)
  - GI toxicity와 platelet dysfunction 부작용이 적다!
  - but, nephrotoxicity는 동일, cardiovascular risk가 높음!
  - UGI bleeding 고위험군에서 권장
    (e.g., 65세 이상, PUD 과거력, steroid 또는 항응고제 복용, 고용량의 NSAID 필요)

## (2) 2nd line : steroid

- 염증의 Sx & sign을 급격히 경감시키고, bone erosion의 발생 및 진행을 지연시킴
  (but, 질병의 경과에는 영향×)
- 부작용 때문에 대개 단기간 사용 후 빨리 tapering 해야 됨
- 대개 증상의 조절을 위해 다른 치료제에 보조적으로 사용!
  ① DMARDs의 완전한 치료 효과가 나타나기 전까지의 (몇 주~몇 개월) 증상 조절
    : low~moderate dose ("bridging therapy")
  ② 증상이 심한 acute flares에서 1~2주 high-dose glucocorticoid burst
    (e.g., neuropathy, vasculitis, pleuritis, pericarditis, scleritis)
  ③ DMARDs의 반응이 부족할 때는 low-dose (5~10 mg/day) prednisone 장기간 투여 가능
    : X선 상 관절 손상 진행을 지연시킬 수 있지만, 부작용(골다공증)의 위험을 고려해야 됨
  ④ intra-articular intermediate-acting glucocorticoid (e.g., triamcinolone) injection
    - 소수의 관절에서 일시적인 기능 향상을 유도 (bone erosion 지연의 증거는 없음)
    - DMARDs에 반응이 좋아도, 일부 관절에서 염증이 지속되면 사용 가능
    - 1년에 4회 이상, 동시에 2 관절 이상은 안 됨
- prednisone (≥5 mg/day) 3개월 이상 사용 시에는 bisphosphonate로 골다공증 예방 권장
- 적은 용량이라도 정기적 골밀도검사 및 하루에 칼슘 1,500 mg, 비타민 D 400-800 IU 섭취
- 기타 부작용 ; Cushing syndrome, HTN, CHF, 여드름, 월경불순, 발기부전 ...

## (3) 3rd line : nonbiologic DMARDs (Disease-Modifying Anti-Rheumatic Drugs)

- 약제 ; methotrexate[MTX] (DOC), leflunomide[LEF], sulfasalazine[SSZ], hydroxychloroquine[HCQ]
  - sulfasalazine, hydroxychloroquine : MTX보다 효과 적어서 early mild RA 또는
    다른 DMARDs와의 병합요법으로만 사용
  - leflunomide (Arava®) ; pyrimidine 합성을 억제하여 T cells 증식 억제, MTX 만큼 효과적임!
    c.f.) gold, D-penicillamine, cyclosporine, azathioprine 등이 과거에 사용되었으나 현재는 안 씀
- RA의 경과를 변화시킬 수 있음 (but, 완전관해는 드묾)
  - 약 2/3에서 임상적인 호전을 보임, bone erosions의 발생 지연 및 치유 촉진 효과도 있음
  - dz. activity marker (CRP, ESR) 및 RF titer도 감소됨
- RA로 확진된 모든 환자에게 초기부터 사용!!
  - mild RA : sulfasalazine or hydroxychloroquine
  - moderate~severe RA : MTX or leflunomide (부작용 등으로 MTX를 사용 못하면)

- 간질환의 MTX를 사용 못하는 경우에는 LEF도 금기 → SSZ or TNF-α inhibitor 사용
- dz. activity가 매우 높고 기능장애도 있는 경우 → 처음부터 TNF-α inhibitor 고려
• 처음부터 2가지 이상의 DMARDs 병합요법도 사용 가능 (∵ 부작용 비슷하면서 효과↑)
• 진통이나 항염증 작용은 적으므로 NSAIDs ± steroid를 반드시 병용
• 대개 투여 1~6개월 뒤에 최대 효과가 나타남, 부작용이 많으므로 careful monitoring 필요

\* <u>methotrexate</u> (folic acid antagonist)
- 가장 흔히 사용! (∵ 상대적으로 작용이 빠르고, 반응 좋고, 부작용 적음)
- 매주 7.5~25 mg 정도 투여(oral or SC), 치료 6개월 후에 최대 효과가 나타남
- 부작용 : 소화기계 불편함, 구강 궤양, 간기능 이상, 간 섬유화, 피부 혈관염 및 결절,
  BM 억제, 신세뇨관 독성(AKI), 간질성 폐렴(pneumonitis, 발생시 재투여 금기),
  폐 섬유화(용량 무관), teratogenic effect (임신 원하는 남여는 절대 금기) ...
  (→ 2~3개월 마다 CBC, Cr, LFT 검사 / 투여 전에는 viral hepatitis marker도 검사)
- 부작용 예방 위해 <u>folic acid</u> (매일 1 mg)나 folinic acid (매주 5 mg)도 같이 투여함!
  (pulmonary toxicity나 rheumatoid nodules은 예방 못함)

(4) 4th line : biologic DMARDs (anti-cytokine agents)
• 증상의 지속적 완화에 매우 효과적 & 관절손상의 진행속도도 지연시키고 장애를 감소시킴
• 보통 MTX 등의 nonbiologic DMARDs에 반응이 없거나, 매우 심한 RA에서 사용
• 단독 또는 MTX와 복합요법으로 사용 (biologic DMARDs 만의 복합요법은 보통 추천 안됨)
• TNF-α inhibitors ★
- etanercept (Enbrel®) : soluble TNF II receptor fused to IgG1
- infliximab (Remicade®) : chimeric mouse/human anti-TNF Ab (결핵 재활성화 더 위험)
- adalimumab (Humira®), golimumab (Simponi®) : recombinant fully human anti-TNF Ab
- certolizumab pegol (Cimzia®) : anti-TNF-α Ab의 pegylated Fc-free fragment
- psoriatic arthritis, psoriasis, spondyloarthritis, IBD (CD) 등의 치료제로도 사용됨
- 부작용
  ① 감염(m/i) ; 특히 <u>결핵 재활성화</u>, 진균 ...
  ② 기타 ; pancytopenia, demyelinating disorder, drug-induced lupus (anti-dsDNA Ab+),
    CHF 악화, influenza-like syndrome, 주사시 과민반응 or 주사부위 부작용 ...
- C/Ix ; 임신/수유(상대적), active infection, 1년 이내 septic arthritis, <u>CHF (NYHA III~IV)</u>,
  multiple sclerosis or demyelinating dz. 병력, SLE, 5년 이내 lymphoproliferative dz. ...
• 기타 biologic DMARDs : 대개 기존의 DMARDs or TNF-α inhibitors에 실패한 경우 고려
- anakinra (Kineret®) : recombinant <u>IL-1</u> receptor antagonist, TNF-α inhibitors보다 효과가
  효과가 떨어져 RA 치료에 잘 안 쓰임, 특히 다른 DMARDs와 병용시 감염 위험 크게 증가
- <u>abatacept</u> (Orencia®) : T cell co-stimulation inhibitor (CTLA4 + IgG1 Fc fusion protein)
- rituximab (Rituxan®, MabThera®) : anti-CD20 mAb (CD20+ B cells 파괴), lympho-
  proliferative dz. or solid organ malignancy 병력시 다른 biologic DMARDs보다 선호됨
- <u>tocilizumab</u> (Actemra®), sarilumab (Kevzara®) : humanized mAb to IL-6 receptor

- targeted DMARDs … small molecule JAK inhibitors
  - 약제 (모두 경구제) ; <u>tofacitinib</u> (Xeljanz®), <u>baricitinib</u> (Olumiant®), **upadacitinib, peficitinib**
  - 여러 cytokines의 receptors의 신호전달을 억제 → T & B cells 활성화 및 염증 억제
  - 단독 및 MTX와의 병합요법으로 기존의 biologic DMARDs보다 더 효과적
  - arterial & venous thrombosis 발생 증가 위험이 있으므로 thrombosis 고위험군에서는 주의
- 모두 감염이 주요 부작용이므로, 감염 위험이 있는 수술 전후 1주에는 중단하는 것이 권장됨
  (MTX는 수술기간에도 계속 투여 /
- 모두 active TB 때는 사용 불가, 잠복결핵감염(LTBI) 확인을 위해 투여 전 <u>PPD skin test</u> or
  <u>IGRA</u> 시행, (+)면 INH 300 mg 9개월 예방요법 필요! (biologic DMARDs 치료 1개월 전부터)

---

**Mild RA** ⇨ NSAID ± steroid, DMARD (sulfasalazine or hydroxychloroquine)
  ⇨ 반응 없으면 : MTX로 변경 or MTX를 추가한 병합요법
  ⇨ 반응 없으면 : 병합요법 (아래 참조)

**Moderate~Severe RA** ⇨ NSAID ± steroid, DMARD (<u>MTX</u>)
  * MTX를 사용할 수 없거나 부작용이 있으면 leflunomide (더 효과적) or sulfasalazine 사용
  ⇨ 반응 없으면 병합요법 : MTX + sulfasalazine + hydroxychloroquine (triple therapy)
     *or* MTX + leflunomide
  ⇨ 반응 없으면  MTX + <u>TNF-α inhibitor</u>
  ⇨ MTX + TNF-α inhibitor에 반응이 없거나 부작용 등으로 사용할 수 없으면
     다른 biologic DMARDs (abatacept, tocilizumab, sarilumab, tofacitinib, or baricitinib)로 교체

* 보통 3~6개월마다 치료반응을 평가해서 치료지속(or 감량) or Step-up therapy

---

### (5) 기타

- DMARDs와 다른 경험적 치료제의 병합 사용 (combination therapy)
  c.f.) sinomenine : 방기(*Sinomenium acutum*)에서 추출한 한약제, MTX와 병합치료시 효과적
- omega-3 fatty acid (eicosapentaenoic acid) ; fish-oil에서 발견됨, 증상 완화에 효과적
- 수술 → 관절 손상이 심한 환자 (질병의 진행을 막지는 못함)
  ; arthroplasty, total joint replacement, reconstructive hand surgery, arthrodesis …

## 3. 특수한 경우

### (1) 임신

- RA 환자가 임신을 하면 약 75%는 증상의 호전을 보임 (but, 분만 후에는 flare 흔함)
- 임신 중 flare 발생시 대개 low-dose prednisone으로 치료
- DMARDs 중에서는 sulfasalazine과 hydroxychloroquine이 가장 안전함
  - <u>MTX</u>와 leflunomide는 절대 금기!
  - NSAIDs, aspirin, steroids, TNF-α inhibitor 등은 비교적 안전
  - JAK inhibitors 등의 다른 biologic DMARDs는 아직 근거가 부족하므로 임신 중 권장×

### (2) 노인에서 처음 발생한 RA

- dz. activity가 더 오래 지속되고, 예후 나쁨 (기능의 감소가 더 빠름)
- 관절외 합병증이 더 흔하고, 방사선 소견의 악화도 더 흔하다
- RF이 음성인 경우에는 대개 덜 심하고, 자연 치유되는 경우가 많다
- conventional (nonbiologic) 및 biologic DMARDs는 젊은층과 노인에서 효과와 안전성은 동일함

- 동반질환 때문에 감염의 위험은 증가함
- 신기능 저하 때문에 NSAIDs 및 일부 DMARDs (e.g., MTX)의 신독성 위험 증가
  → serum Cr 2 mg/dL 이상이면 대개 MTX는 사용 안함

### (3) 심혈관질환 동반

- RA 환자의 사망률을 높이는 m/c 원인 (2nd m/c 원인인 감염)
- RA의 만성염증 (→ 동맥경화↑), 기능장애(→ 활동↓), NSAID/steroid 치료 ⋯⋯ CVD risk↑
- RA 질병기간 >10년, RF or anti-CCP (+), 관절외 증상 중 2가지 이상에 해당하면
  CVD risk 점수 모델에 1.5를 곱함
- RA를 더 빨리 철저히 치료하면 (e.g., MTX, TNF-α inhibitor) CVD risk도 감소함

### (4) 간질성폐질환(RA-ILD)

- RA 환자의 10~50%에서 ILD 발생, 조직학적으로는 UIP와 NSIP가 m/c
- RA-ILD의 발생 위험인자 ; 고령, 남성, 흡연, RF or anti-CCP titer↑, severe RA, 관절외 증상,
  DMARDs (methotrexate, leflunomide, TNF-α inhibitor 등)
  ↳ ILD를 유발할 수도 있지만, RA 치료에 따른 수명 증가로 ILD 발생↑ 가능하므로 인과관계는 불명확함
- 치료 ; high-dose steroid, 면역억제제(e.g., azathioprine, mycophenolate mofetil, rituximab)
- \* 다른 관절외 증상들은 대부분 기저 RA를 치료하면 호전됨
  (RA를 조기에 빨리 치료해 관절외 증상의 발생을 예방하는 것이 더 우선)

# ■ 경과/예후

- RA의 경과는 매우 다양하여 예측하기 어렵다
- 약 10%의 환자는 6개월 이내에 회복되기도 함 (특히 seronegative 환자)
- 약 1/2의 환자에서 10년 이내에 관절 장애가 발생함 (최근에는 치료의 발전으로 감소 추세)
- 예후가 나쁜 경우 (관절 이상/장애 발생 위험이 큼) ≒ aggressive RA ★
  ① 20개 이상의 관절 침범
  ② ESR, CRP, haptoglobin 등이 크게 or 지속적으로 증가
  ③ 심한 방사선 소견 (e.g., bone erosion, cartilage loss)
  ④ high RF or anti-CCP titer
  ⑤ 관절 외 전신증상 존재, rheumatoid nodules의 존재
  ⑥ persistent inflammation : 1년 이상 지속
  ⑦ functional disability 존재
  ⑧ 장기간의 steroid 사용
  ⑨ 다른 질환의 동반 (e.g., 심폐질환), 고령에서 발병
  ⑩ 사회경제적 지위나 교육 수준이 낮은 경우
  ⑪ HLA-DR4 (-DRB1*0401, 0404, 0405)

- RA 환자의 평균 기대수명은 일반인보다 3-11년(女), 7-10년(男) 짧음, 사망률 약 2배 높음
- but, 최근 연구 결과로는 과거에 비해 사망률이 지속적으로 감소하여, 거의 일반인 수준에 도달함 (특히 조기에 진단되어 조기에 DMARD 치료를 받을수록)
- 주요 사인 ; 허혈성 심장질환 (m/c), 감염, 위장관 출혈, 약물 부작용

## Juvenile Idiopathic Arthritis (JIA) = Juvenile Chronic Arthritis (JCA), JRA

- 소아기에 시작한 만성 관절염으로 그 원인이 뚜렷하지 않은 경우
- RF는 음성인 경우가 많음
- ANA 양성인 경우는 예후가 나쁨
- 대부분 20세 이후의 관절 기능은 비교적 잘 유지됨
- 소수관절형 (m/c) ; 큰 관절을 잘 침범, 1~3세와 8~12세에 호발,
  - chronic uveitis 발생 위험 (실명 가능) → 6세 이하에서 ANA 양성이면 안과검진 필요!
  - pericarditis나 serositis가 관찰될 수 있음

| 구분 | 다관절형 (Polyarticular type) | | 소수관절형 (Pauciarticular type) | | 전신형 (Systemic type) |
|---|---|---|---|---|---|
| | Rheumatoid factor | | I형 | II형 | |
| | 음 성 | 양 성 | | | |
| 빈도 | 20~25% | 5~10% | 35~40% | 10~15% | 20% |
| 성별 | 90%가 여아 | 80%가 여아 | 80%가 여아 | 90%가 남아 | 남≒여 |
| 발병 연령 | 전 소아기 | 소아 후기 | 소아 초기 (대개 4세 이전) | 소아 후기 (대개 8세 이후) | 전 소아기 (5세 이전에 호발) |
| 침범관절 | 어느 관절이나 | 어느 관절이나 | 큰 관절 : 무릎, 발목, 팔꿈치 | 큰 관절 : 고관절, 하지의 큰 관절 | 어느 관절이나 |
| Sacroiliitis | (−) | 드물다 | (−) | 흔히 온다 | (−) |
| Iridocyclitis | 드물다 | (−) | 30%, 만성 | 10~20%, 급성 | (−) |
| RF | | 100%(+) | (−) | (−) | (−) |
| ANA | 25% | 75% | 90% | (−) | 10% |
| HLA | ? | DR4 | DR5, DRw6 | B27 (75%) | ? |
| 최종 증상 | 심한 관절염 10~15% | 심한 관절염 >50% | 눈의 손상: 10% 다발성 관절염: 20% | spondyloarthropathy | 심한 관절염 : 25% |

■ 성인형 스틸병(adult onset Still's disease, AOSD)
- 성인기(대부분 20~30대)에 발병하는 전신형 JIA, 남늑여 (우리나라는 남<여)
- high spiking <u>daily (quotidian) fever</u>가 특징 (흔히 ~40℃까지)
- evanescent salmon-colored<sup>분홍색</sup> rash : 몸통과 사지 근위부에 호발 (<u>발열과 함께</u>), 소양증은 드묾
- **arthralgia** (m/c), myalgia, sore throat, lymphadenopathy, hepatosplenomegaly, polyserositis
- Lab. ; leukocytosis (주로 PMN), thrombocytosis, ESR↑, <u>ferritin↑↑</u>  (RF와 ANA는 음성)
- 진단기준 (Yamaguchi criteria) : Major criteria 2개 이상을 포함하여 총 5개 이상 만족시 진단

| Major criteria | Minor criteria |
|---|---|
| 1. 발열 : >39℃ 이상, 1주 이상 지속<br>2. 전형적인 연어색 피부발진 (스틸 발진)<br>3. 관절통/관절염 : 2주 이상 지속<br>4. WBC >10,000/mm³ (neutrophil >80%) | 1. 인후통(sore throat)<br>2. Lymphadenopathy<br>3. Hepatomegaly or splenomegaly<br>4. 간효소 상승 (특히 AST, ALT, LDH)<br>5. ANA & RF 음성 |

(감염, 종양, 류마티스 질환 등은 없어야 됨)

- 치료
  ① mild ⇨ high-dose (anti-inflammatory dose) NSAIDs
     (but, 20%에서만 효과적) → 반응 없으면 glucocorticoids 2주
  ② moderate~severe ; 고열, 심한 관절통, 간효소 상승, 내부장기(e.g., 폐, 심장) 침범시
            ⇨ glucocorticoids (e.g., prednisone, 매우 심하면 high-dose or pulse IV steroid)
     – 약 2개월 이후 steroid에 반응이 없거나 감량이 어려우면 ⇨ MTX (or 다른 DMARDs)
     – 약 2개월의 MTX 치료에도 반응이 없으면 ⇨ TNF-α inhibitor 추가
     – 관절염보다 전신증상이 훨씬 심한 경우 ⇨ 처음부터 MTX 대신 anakinra 권장
        (anakinra에 반응 없으면 tocilizumab, canakinumab, or TNF-α inhibitor로 대치)
- 전체적인 예후는 좋음
  – 대부분 완전 회복됨(self-limited), 약 1/3은 recurrent episodes를 보임
  – 만성경과(>1년)의 위험인자 ; polyarthritis (4 관절 이상 침범), 어깨 or 고관절 침범
  – poor Px ; 소아기 때의 발병 병력, systemic steroid 2년 이상 필요


c.f.)

# 수근관 증후군 (Carpal tunnel syndrome, CTS)

- 정의 : carpal tunnel 내의 median nerve가 압박되어 나타나는 증상
- 40~60세 여성에서 호발
- 원인
  – 반복적인 손의 과다 사용 (e.g., 타이핑, 손빨래)
  – tenosinovitis with arthritis
  – infiltrative d/o (e.g., amyloidosis, acromegaly)
  – 기타 ; pregnancy, edema, trauma, <u>RA</u>, OA, hypothyroidism, DM ...

• 증상
 − 엄지[1st]~약지[4th]1/2 까지의 nocturnal paresthesia (numbness & tingling) & pain
 − thenar eminence[모지구/엄지두덩] (abductor pollicis brevis)의 weakness, atrophy
• 진단
 − <u>Tinel's test</u> : 손바닥쪽 손목을 손가락으로 압박하면 median nerve 분포 영역에 paresthesia 발생

Median nerve
in carpal tunnel
Tapping 시
paresthesias 발생
(Tinel's sign)

**Carpal tunnel syndrome**
median nerve의 압박으로 pain and/or paresthesia 발생 (진한 부분)

 − <u>Phalen's test</u> : 양쪽 손등을 서로 맞대고 1분 경과 후 median nerve 분포 영역에 pain and/or
   paresthesia 발생

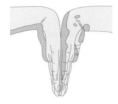

 − 전기진단검사(electrodiagnostic testing)
   ① NCS (nerve conduction study) ; carpal tunnel을 통과하는 median nerve의 전도 속도 감소
   ② EMG (electromyography) ; chronic denervation 소견
      → 주로 polyneuropathy, plexopathy, radiculopathy 등 다른 원인 R/O위해
• 치료
   ① 휴식, simple brace (wrist splinting)
   ② aspirin, NSAIDs, steroid 주사 (or oral steroid)
   ③ 운동
   ④ 외과적 수술 (m/g)


c.f.) Allen's test : ABGA 시행 전 손 동맥의 측부 혈류(collateral flow)를 확인하는 검사

# 3
# 골관절염 (Osteoarthritis, OA)

## 개요

- 정의 : 관절 연골의 degeneration과 반응성 신생골 형성을 특징으로 하는 가동관절(diarthrodial joints : movable, synovial-lined)의 질병
  - 침범 관절은 압력이나 힘이 가해지는 부위와 관련 (e.g., 발레 dancer는 ankle, 투수는 elbow…)
  - minimal inflammation
- 동의어 = 퇴행성 관절염(degenerative arthritis), 퇴행성 관절질환
  (but, 노화에 의한 변화와는 다르므로 부적합한 용어임)
- 가장 흔한 관절 질환, 선진국에서 장애를 초래하는 m/c 원인 질환
- 나이가 들수록 발생 증가, 특히 50세 이후로 (age - most powerful risk factor)
  - 55세 이전 ; 남녀여, 침범 관절의 분포도 남녀 비슷함
  - 55세 이후 ; 남<여, 남자는 hip joint / 여자는 interphalangeal joint, thumb base, knee에 호발
- 분류/원인

  > I. Idiopathic
  >   Localized OA ; hands, feet, knee, hip, spine, and other single sites
  >   Generalized OA : 3개 이상을 침범시
  >
  > II. Secondary
  >   외상
  >   선천성/발달 이상
  >   대사 질환 ; ochronosis, hemochromatosis, Wilson's dz., Gaucher's dz.
  >   내분비 질환 ; acromegaly, hyperparathyroidism, DM, obesity, hypothyroidism
  >   Calcium deposition disease (e.g., CPPD disease)
  >   기타 골관절 질환 ; avascular necrosis, RA, osteoporosis, Paget's dz.,
  >       osteochondritis
  >   Neuropathic arthropathy (Charcot joints)

## 병인

- 기본적으로 두 가지 기전으로 OA 발생
  ① cartilage와 subchondral bone은 정상이나, joint에 가해지는 힘이 과도할 때
  ② 가해지는 힘은 정상이나, cartilage와 bone의 상태가 열악한 경우

- articular cartilage의 변화
  - 초기에는 정상보다 두꺼워짐 (hypertrophic repair)
  - 진행됨에 따라 joint surface가 얇아지고, cartilage가 약해지고, surface의 integrity가 파괴되어 vertical clefts (fibrillation) 발생
  - deep cartilage ulcers도 발생할 수 있음
- bone의 remodeling & hypertrophy
  - appositional bone growth → bony "sclerosis"
  - osteophyte (spur) : joint margin의 cartilage와 bone의 성장으로 발생

* cartilage (OA의 primary target!)
  - 관절 보호 기능 ; 두 뼈가 부드럽게 움직일 수 있는 표면 제공, 충격 흡수
  - 2가지 주요 macromolecules로 구성됨
    ① type 2 collagen : 인장강도(tensile strength) 제공 ⋯ 잡아당기는 힘에 저항
    ② aggrecan (proteoglycan) : 음전하, 압축강성(compressive stiffness) 제공 ⋯ 누르는 힘에 저항
  - 연골세포(chondrocyte) : 기질 구성성분 합성, 기질을 분해하는 효소 생산, 기질분자의 합성을 조절하는 여러 cytokines과 growth factors 생산(e.g., IL-1, TNF-α)
  - 정상 cartilage에서는 기질의 대사가 느리나, 손상을 받거나 early OA에서는 대사가 활발해짐 (c.f., MMP-13은 type 2 collagen을 분해, ADAMTS-4와 ADAMTS-5는 aggrecan을 분해)
  - OA cartilage의 특징 type 2 collagen과 aggrecan이 감소되어 손상에 취약해짐

| Osteoarthritis의 위험인자 ★ |
| --- |
| **고령** (m/i) |
| **여성**, 유전적 소인, 인종 |
| **과체중(비만)** |
| 직업 ; 농부, 광부, 직조공, 기계공업근로자, 천공기 사용자, 운동선수 등 |
| 선천성 골 및 관절 질환 |
| 관절 외상/손상 ; 전방십자인대(anterior cruciate ligament, ACL) 손상 등 |
| 비정상적인 관절 역학 구조(joint malalignment) ; 관절을 보호하는 |
| 관절주변 근력 저하, 관절 테두리 파괴, 무릎 반월상연골판 손상 등 |
| 이전의 염증성 관절질환 |
| 내분비/대사질환 (앞 표의 secondary OA 원인 참조) |

* 흡연, 골다공증 ⇨ 위험 감소!! (BMD가 높을수록 OA 위험은 증가함)

# 임상양상

## 1. 관절통

- deep ache, localized (비대칭적) → RA, SLE 등과의 차이
- 활동/운동시 심해지고, 쉬면 완화됨 (휴식 후 대부분 30분 이내에 개선됨)!
  - knee - 계단을 오르내릴 때, 의자에 앉았다 일어설 때 pain 발생
  - weight-bearing joint - 걸을 때 pain 발생
  - hand - 부엌일을 할 때 pain 발생

- 서서히 악화됨 (진행될수록 pain은 지속적이 되며, 말기에는 nocturnal pain도 발생 가능)
- morining or inactivity 후 <u>stiffness</u> (심하지 않고, 지속시간 짧음 <u><30분</u>)

## 2. 진찰소견

- localized tenderness (joint line 따라), soft tissue swelling (염증성 관절염처럼 심하지는 않음)
- <u>bony crepitus</u> (비빔소리/마찰음/염발음)
- 관절의 따뜻한 감각, 관절 주위 muscle atrophy
- advanced stage : gross deformity, bony hypertrophy, subluxation, 관절운동의 심한 감소

## 3. 특정 부위별 OA

(1) interphalangeal joint
- <u>Heberden's node</u> (**DIP joint**)원위지(절간)관절 - m/c idiopathic OA, 심한 기능 손상은 없는 편임
- <u>Bouchard's node</u> (PIP joint)근위지(절간)관절 ···→ 앞 장의 그림 참조

(2) <u>thumb base</u> (<u>1st carpometacarpal [CMC] joint</u>)수근중수관절/손목손허리관절 - 2nd m/c joint
- swelling, tenderness, crepitus, 기능손상 심함
- osteophyte → "squared" appearance of thumb base
- hyperextenstion of 1st MCP joint, swan-neck deformity

(3) foot (남<여) : 엄지발가락의 MTP (metatarsophalangeal joint)에 호발 (ankle은 대개 침범 안함)

(4) <u>knee</u> (남<여) : 45세 이상에서 만성 knee pain의 m/c 원인
- osteophytes, tenderness, crepitus, shrug sign (patella를 누르면 pain 발생)
- medial OA → varus deformity (bow-leg) : 안짱다리
- lateral OA → valgus deformity (knock-knee) :외만슬 (X자 무릎)

(5) hip (고관절)
- 통증이 서혜부 및 대퇴부 앞쪽과 무릎까지 뻗칠 수 있다
- <u>int. rotation</u> → extension → adduction → flexion 순으로 운동 기능 상실

(6) spine (L3~4가 m/c)
- apophyseal joint, intervertebral disk, paraspinous ligament 등을 침범
- spondylosis : degenerative disk disease
- diffuse idiopathic skeletal hyperostosis (DISH) : variant of OA

(7) generalized OA
- 3개 이상의 joint 침범시 (DIP, PIP는 하나의 group으로 센다)
- ESR↑, RF (-)

* OA에서 침범 안 하는 관절 ; wrist, elbow, ankle

### Rheumatoid arthritis와 Osteoarthritis의 감별

|  | Rheumatoid arthritis (RA) | Osteoarthritis (OA) |
|---|---|---|
| 발생 연령 | 소아와 성인 | 고령 |
| 위험인자 | HLA-DR4, DR1 | Trauma, hereditary |
| 조조강직(morning stiffness) | 1시간 이상 지속 | 30분 이내 호전 |
| 활동에 의해 관절 통증 | 완화 | 악화 |
| 침범 관절 | MCP, PIP, wrist | DIP, thumb, knee, hip |
| 대칭성 | + | -/+ |
| 진찰 소견 | Soft tissue swelling, warmth | Crepitus |
| 영상 소견 | Periarticular osteopenia<br>Periarticular soft tissue swelling<br>Periarticular/marginal erosion<br>Symmetric joint space narrowing<br>장기지속시 2ndary OA 동반 흔함 | Osteophyte, Subchondral sclerosis<br>Central subchondral erosion<br>  Gull-wing appearance<br>  Sawtooth ± subluxation<br>Asymmetric joint space narrowing |
| 검사 소견 | RF, anti-CCP, ESR↑, anemia | 정상 |

## 검사소견

### 1. 영상 소견

① osteophytosis (골극 형성)

② joint space narrowing : uneven, unilateral, irregular

③ subchondral bone sclerosis, cyst

④ central subchondral erosion ("erosive OA")

  ; gull-wing appearance (deformity), sawtooth (± subluxation)

• 대개 plain X-ray로 진단 가능, 초기에는 정상일 수 있음

• 영상 소견의 심한 정도와 증상의 심한 정도는 일치하지 않음!

  (X-ray에서 OA 소견이 있어도 증상은 없을 수 있음)

• MRI or US는 진단에 필수는 아니지만, 조기 진단에 도움

  - MRI 초기 소견 ; cartilage defects, marrow change 등

  - US ; synovitis, effusion, 골극 등을 발견 가능

### 2. primary OA

: ESR, serum chemistry, CBC, U/A 등은 보통 정상임 (RF 음성)!

### 3. synovial fluid analysis

: 맑고 투명, 점도 정상, mild leukocytosis (<2000/$\mu$L, 대부분 mononuclear cells)

# ■치료

- 목표 : 통증 감소, 관절기능 유지 (장애 예방), 삶의 질 향상
- mild → 교육/안심(reassurance), joint protection, 필요시 진통제
- severe (특히 knee or hip) → programmed Tx.

## 1. 비약물 치료

: 가장 먼저 & 기본적으로 시행, 약물 치료보다 더 중요함

### (1) 관절 부하 줄이기(joint protection)

- 과도한 동작/활동을 줄이고, 오랜 시간 서있거나 쪼그리고 앉아있는 것을 피함(knee/hip)
- 관절보호대, 지팡이 등 → 관절에 가해지는 비정상적/과도한 하중 감소
- 비만한 사람은 체중 감량
- 운동(e.g., 유산소운동, 스트레칭) → 체중↓, 관절 유연성↑, 관절 주위 근육 강화 등의 효과
- 과도한 휴식(complete immobilization)은 오히려 나쁨! (∵ 근육 약화, stiffness 유발 가능)

### (2) 물리치료(physical therapy)

- heat : pain과 stiffness 감소 (e.g., hot shower or bath)
- 운동 : ROM을 유지하고, 관절주위 근육 강화
  - 자전거 타기, 산보(천천히 걷기), 수영 등이 좋다
  - 다른 심한 운동은 오히려 해로움

## 2. 약물 치료 (palliative)

- acetaminophen : mild pain에 가장 먼저 사용, 효과는 NSAIDs보다 떨어짐
  (c.f., warfarin의 반감기를 연장시킴 → 출혈↑)
- NSAIDs (e.g., oral naproxen, salsalate, ibuprofen)
  - moderate~severe pain에 사용, AAP보다 pain 30% 더 감소, 기능 호전 15%
  - 처음에는 부작용을 줄이기 위해 필요할 때에만 사용("as needed"), 식사 직후 복용
  - UGI 부작용 많음(e.g., ulcer, bleeding) → 고위험군은 PPI/misoprostol 병용 or Cox-2 inhibitor
  - 기타 부작용 ; 신기능↓, 혈압↑, 혈소판기능 억제로 인한 출혈 위험
  - 약물상호작용으로 aspirin의 심혈관계 예방효과를 감소시킬 수 있음
- selective Cox-2 inhibitors (e.g., celecoxib, rofecoxib, valdecoxib)
  - UGI 부작용 고위험군에서 권장 (e.g., 고령, 동반질환, 전신 건강상태 악화, 흡연, 알콜,
    steroid or 항응고제 병용, PUD or UGI bleeding의 과거력 등)
  - Cox-2 inhibitors와 일부 conventional NSAIDs (e.g., diclofenac)은 혈소판응집억제 효과가 없어
    (혈관내피세포에서 $PGI_2$ 생성 억제, 혈소판에서 thromboxan $A_2$ 생성차단×) 심혈관질환 위험이
    높아질 수 있음(e.g., MI, stroke) → 노인(특히 고위험군)에서는 장기 복용을 피함
  - NSAIDs 중에서는 naproxen 만이 심혈관질환 위험이 없음

- topical NSAIDs (e.g., diclofenac Na 1% gel)
  - oral NSAIDs보다 효과는 아주 조금만 떨어지지만, 부작용은 훨씬 적음
  - 관절이 피부와 가까운 knees, hands OA에서 선호됨 (hip은 ×)
  - 약 40%에서 국소 피부 자극 증상 발생이 단점 (e.g., 발적, 화끈거림, 가려움)
- <u>intra/periarticular glucocorticoid 주사</u> : 2~4주 정도만 효과적임
  - 일부에서 hyaline cartilage에 나쁜 영향을 줄 수 있고, OA 진행을 가속화할 수도 있음
  - knee OA에서 통증이 심하거나 다른 치료에 효과 없을 때 추가적으로 단기간만 고려
  * systemic glucocorticoid는 효과 없음!
- intraarticular hyaluronic acid[HA] 주사 : knee/hip OA에 사용 가능하지만, 효과는 미미하고 비쌈
- duloxetine : 뇌간과 척추에서 serotonin & NE reuptake를 선택적으로 억제해 진통 효과
  - 다발성 OA 환자에서 기저질환/부작용으로 인해 NSAIDs를 사용할 수 없을 때 고려
  - knee OA 환자에서 다른 치료에 반응 없을 때 고려
- capsaicin cream : 감각신경 말단부의 substance P를 고갈시켜 통증 완화, 작열감으로 비선호됨
- 마약성 진통제(weak opioid) ; tramadol, ultracet (tramadol + AAP), codeine ...
  - AAP나 NSAIDs로 pain control이 안되거나, 부작용으로 인해 NSAIDs를 사용할 수 없을 때
  - 부작용이 흔한 것이 문제 ; 약 25%에서 N/V, 변비, 어지러움, 졸림, 중독 등 발생

## 3. 정형외과적 수술

- osteotomy, arthroscopic removal of loose cartilage fragments, arthroplasty ...
- total hip or knee replacement surgery : 적극적인 내과적인 치료에도 반응 없는 advanced OA에서
  증상과 기능 향상에 매우 효과적임 (인공관절의 수명은 15~20년 정도)
- arthroscopic surgery (e.g., partial meniscectomy, debridement & lavage) ; 한때 인기를 끌었으나
  knee OA에는 효과가 없는 것으로 결론 / hip OA에서의 효과는 논란 (일부에서 효과 가능)

## 4. 기타

- DMOAD (disease modifying osteoarthritis drug)
  - 연골 보호/재생 효과 & 진통 효과가 기대되는 약물들
  - glucosamine sulfate, chondroitin sulfate, diacerein, avocado & soybean unsaponifiables (ASU),
    S-adenosyl methionine 등 (but, 대부분 효과가 미미하거나 없음)
- 연골세포 자가이식, 연골성형술, 줄기세포이식술 등도 연구 중이지만 효과는 불확실

# 4
## 척추관절염(Spondyloarthritis)

## 정의

- spondyloarthritis (SpA) : 아래의 질환들을 모두 포함하는 만성 염증성 류마티스 질환으로 임상양상이 비슷하고, HLA-B27과 연관성이 있고, ANA/RF/anti-CCP는 대개 음성임

| Spondyloarthritis의 종류 |
| --- |
| Ankylosing spondylitis[AS] |
| Reactive arthritis[ReA] (Reiter's syndrome) |
| Psoriatic arthritis[PsA] |
| Enteropathic arthritis[EA] (UC, CD) |
| Juvenile-onset spondyloarthritis[JSpA] (JCA pauci-articular type II) |
| Undifferentiated spondyloarthritis[U-SpA] |

┌ 축성척추관절염(axial SpA, axSpA) : spine, pelvis, thoracic cage 등을 주로 침범 ; AS
└ 말초척추관절염(peripheral SpA, pSpA) : 사지 관절을 주로 침범 ; ReA, PsA, EA 등

- 특징
  1. axial arthritis (sacroiliitis<sup>천장관절염</sup>, spondylitis<sup>척추염</sup>)
  2. **asymmetrical oligoarthritis**<sup>소수관절염</sup> : 1~3개, 무릎, 발목에 호발
  3. seronegative arthritis : **RF, anti-CCP, ANA 음성**
  4. <u>enthesitis</u><sup>부착부위염</sup> (enthesopathy) : 건, 인대, 근막 등이 **뼈에 부착하는 부위에 발생한 염증** (e.g., Achilles tendinitis, plantar fascitis, dactylitis)
  5. HLA-B27과 관련, 가족력

## 강직척추염(Ankylosing spondylitis<sup>AS</sup>, Axial SpA)

### 1. 개요

- 주로 axial skeleton을 침범하는 염증질환 (prototype of spondyloarthritis)
- 남:여 = 2~3:1, 주로 10~20대에 발병 (40세 이후엔 드묾), 유병률 0.2~1.2%
- <u>HLA-B27과의 연관성이 매우 큼</u> : AS 환자의 91%에서 HLA-B27 (+)
  - but, 정상인도 양성일 수 있으므로 (3~8%), AS의 진단에는 보조적임, <u>dz. severity와는 관계없음!</u>
  - HLA-B27을 가진 사람의 1~2%에서 AS 발생
  - AS 환자의 1차 친족의 10~30%가 HLA-B27 (+), 일란성 쌍생아에서는 약 65%의 일치율

- B27 이외에 *ERAP1, IL-23R, TNFSF15, TNFSF1A, STAT3, ANTXR2, IL1R2* 등 유전자도 관련
- inflammatory bowel diseases (CD, UC)와도 관련 (→ AS의 risk factor)
- 대부분 수명은 정상이며, 일상생활에도 큰 지장은 없음

## 2. 임상양상

### (1) 관절 증상

① sacroiliitis<sup>천장관절염</sup>로 시작 (symmetric) → 요추 부위로 ascending

 ┌ 허리/엉덩이의 둔통(dull pain) : 점진적으로 발생 → 지속적, 야간(중간 1/2)에 악화되어 깸
 └ 조조강직(morning stiffness) 동반 → 몇 시간 지속

  → 운동/활동시 호전, 휴식(inactivity) 후에는 악화됨

 - bony tenderness, neck pain & stiffness

② peripheral arthritis : 대개 asymmetric, 1~3개 관절에서 발생

 ; ankles (40%), hips (36%), knees (29%), shoulders (19%), TMJ (14%)

③ 경추 침범에 의한 neck pain & stiffness : 비교적 늦게 발생

④ enthesis<sup>부착부위염</sup> (~30%) ; 발뒤꿈치가 m/c (e.g., Achilles tendon), 통증, 압통, 종창

⑤ dactylitis (~6%) ; 손가락 or 발가락 전체가 붓는 것 (sausage digits)

\* 가장 심각한 합병증은 척추 골절 ; 골절 위험 2배, lower cervical spine이 m/c

### (2) 관절 외 증상

① acute anterior uveitis<sup>포도막염</sup> (AAU, 25~35%) … 모든 AAU의 1/2 이상이 류마티스 질환과 관련

 - HLA-B27(+) & 오래 진행된 AS에서 호발 (but, spondylitis보다 선행할 수도 있음)

 - unilateral, pain, photophobia, 눈물 증가, 1~2달 내에 회복, 재발 가능 (대개 반대쪽에서)

 - cataract, secondary glaucoma 등의 후유증도 드물지 않게 발생

② colon/ileum의 염증 (~50%) : 대개는 무증상, 5~10%에서는 frank IBD 발생

③ psoriasis (~10%) : psoriasis 동반시 AS는 좀 더 심하고, 말초관절 침범이 흔함

③ aortitis, aortic insufficiency (→ CHF), 3rd-degree AV block

④ IgA nephropathy

⑤ 오래 진행시 upper lung fibrosis

### (3) 진찰소견

① 척추 운동성의 상실 : 척추의 ant./lat. flexion 및 extension, chest expansion 등의 제한

 - Schöber test : 서있는 상태에서 lumbosacral junction의 5 cm 아래와 10 cm 위에 점을
  찍은 후 허리를 최대한 굽혔을 때 늘어나는 길이를 잼 (정상 ≥5 cm, AS <4 cm)

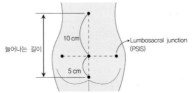

- finger to floor distance (FTF) : 개인별 차이가 심해 치료 경과 파악에만 이용 가능
- <u>chest expansion test</u> : 남자는 4th ICS (여자는 유방 바로 아래)에서 최대 흡기와 호기시의
  가슴둘레 차이 (정상 ≥5 cm, 성별/나이에 따라 다양함, AS는 대략 <1 inch)
- 흉부 후만증(thoracic kyphosis)
- 목이 앞으로 구부러짐 ⇨ <u>occiput-to-wall distance (OWD)</u> ↑
  : 벽에 등을 대고 섰을 때 벽과 뒤통수 사이의 거리 (정상은 0)

② 천장골(SI joint)의 압통/통증
- SI direct compression teset : 환자를 옆으로 눕히고 위에서 ilium을 압박
- SI distraction test : 환자를 똑바로 눕히고 양쪽 ASIS를 압박하면서 벌림
- Gaenslen's test : 누워서 한쪽 무릎은 가슴으로 당겨 잡고 있고, 반대쪽 다리를 침대 모서리
  아래로 내리면서 누르면 SI joint에 통증 발생
- FABER (Flextion, ABduction, External Rotation)/Patrick's test

* 질병 경과(진행정도)의 측정 ; 키, chest expansion, Schöber test, occiput-to-wall distance
* 질병 활성도 평가 – BASDAI (Bath Ankylosing Spondylitis Disease Activity Index)
* 일상 활동 제한도 평가 – BASFI (Bath Ankylosing Spondylitis Functional Index) ; CRP와도 관련

## 3. 검사소견

- HLA-B27 : 약 90%에서 양성
- RF, anti-CCP, ANA 등은 음성임
- ESR & CRP↑ (50~70%에서, 정상이어도 AS R/O 못함), ALP↑ (severe dz.), serum IgA↑
- mild normocytic normochromic anemia
- PFT : restrictive pattern (∵ chest expansion의 제한으로)

c.f.) nonradiographic axSpA (nr-axSpA) : sacroiliitis의 전형적 X-ray 소견이 없는 axSpA
- MRI (e.g., BM edema) 및 SpA의 임상양상으로 진단 (→ 다음 axSpA의 ASAS 진단기준 표 참조)
- 약 20%는 5년 뒤 AS (axSpA)로 진행, AS에 비해 여성의 비율이 높음(>50%)
- 척추 운동성의 상실은 AS보다 덜함, 관절 외 증상은 AS와 비슷한 편 (enthesitis는 더 흔함)
- ESR & CRP는 약 30%에서만 상승, HLA-B27 양성률은 AS와 비슷

## 4. 영상소견

### (1) <u>Sacroiliitis (pelvis/SI joint X-ray)</u>

- spine의 변화 중 가장 먼저 나타남, 진단에 필수적!
- subchondral bone의 cortical margins의 blurring → <u>erosion & sclerosis</u>
  → "pseudowidening" of joint space → bony ankylosis (obliterated joint)
- <u>dynamic MRI</u> : X선에서 나타나지 않는 초기 sacroiliitis (e.g., BM edema)도 진단 가능!
  - 기법 : fat saturation STIR (short tau inversion recovery) or gadolinium-enhanced
    T1-weighted image (T1/Gd-DTPA) or T2-weighted turbo spin-echo sequence
  - 초기에 active or acute inflammation 진단하는데 기존 X-ray보다 sensitivity 훨씬 높음
  c.f.) AS 환자는 골밀도도 감소됨 (spine DEXA)

## (2) Lumbar spine (spondylitis)

- 대개 질병이 진행된(advanced) 경우에 나타나며(→ poor Px), 진단에 필수적이지는 않음!
- 척추체(vertebral bodies)의 erosion, sclerosis, or squaring (사각화), disk의 골화(ossification)
- 척추체 사이를 연결하는 섬유륜(annulus fibrosus) 바깥쪽의 골화 → 인대골극(<u>syndesmophyte</u>)
  형성 → 진행되면 전 척추체가 인대골극들로 연결됨(bridging)/융합 : "<u>bamboo spine</u>"
  (* bamboo spine 보이는 환자에서 갑자기 요통 발생시 → spondylodiscitis, fracture)
- lordosis의 소실 → straightening

# 5. 진단

| AS의 Modified New York Criteria (1984) |
|---|
| 1. Inflammatory back pain의 병력 (3개월 이상 지속, 운동에 의해 호전) |
| 2. Lumbar spine의 움직임 제한 |
| 3. Chest expansion의 제한 |
| 4. Sacroiliitis의 전형적 X-ray 소견 (pelvis)* : bilateral grade ≥2 or unilateral grade 3~4 |
| ■ 진단 : 4 + 1~3중 하나 (→ 초기 or 경미한 AS의 진단에는 sensitivity 떨어짐) |

| *Sacroiliitis의 방사선 소견 (pelvis x-ray) |
|---|
| Grade 0: 정상 |
| Grade 1: 변화 의심 |
| Grade 2: 경미한 이상 ; small localized erosions or sclerosis (관절간격은 정상) |
| Grade 3: 분명한 이상 ; erosions, sclerosis, joint-space widening, narrowing, or 부분강직(partial ankylosis)을 동반한 moderate~advanced sacroiliitis |
| Grade 4: 심한 이상 ; 관절의 완전강직(total ankylosis) |

| Axial Spondyloarthritis (axSpA)의 진단기준 (2009, ASAS) ★ |
|---|

- 3개월 이상의 back pain & 45세 미만에 발병
- 영상검사에서 sacroiliitis + SpA 특징 1개 이상
  *or* HLA-B27 양성 + SpA 특징 2개 이상

### 영상검사에서 sacroiliitis
- MRI에서 SpA-associated sacroiliitis를 시사하는 active/acute inflammation 소견
  (STIR or gadolinium-enhanced T1 image 상에서 BM edema and/or osteitis)
  *and/or*
- Modified New York Criteria에 의한 sacroiliitis의 방사선 소견 (위 참조)

### Spondyloarthritis (SpA) 특징
- **Inflammatory back pain*** (아래 참조)
- Arthritis
- Enthesitis : 아킬레스건 or 발바닥근막의 발꿈치뼈 부착 부위의 통증/압통
- Anterior uveitis (앞포도막염)
- Dactylitis (가락염, 손발가락염)
- Psoriasis (건선)
- CD or UC
- NSAIDs에 좋은 반응 : full-dose 투여 24~48시간 뒤 back pain 크게 감소
- SpA의 가족력 : 1,2차 친족 중에 AS, psoriasis, uveitis, ReA, IBD 환자 존재
- HLA-B27 (+)
- CRP↑ : CRP가 상승될 수 있는 다른 원인 R/O 이후

(ASAS: Assessment of Spondyloarthritis International Society)

---

**\*염증성 등통증(inflammatory back pain)** ; 다른 원인들과 감별되는 특징

① 40세 이전에 발병
② 증상이 서서히 발생 (3개월 이상 지속)
③ 운동/활동에 의해 증상 호전 (쉬면 호전 안 됨)
④ <u>야간</u>에 통증으로 잠이 깸, 아침에 일어나면 호전됨
⑤ 조조(아침) 강직 (morning stiffness), 양쪽 엉덩이가 번갈아가며 아픔

---

## 6. 치료

### (1) 일반 원칙

- 완치는 불가능하지만 비교적 양호한 질병 → 증상 조절, 진행 방지, 관절기능 보존이 치료 목적
- 규칙적인 운동 (수영이 좋음), 바른 자세 유지, 물리치료, 반드시 금연
- 일반인보다 척추 골절, 특히 경추 골절 위험이 높으므로 안전사고(e.g., 미끄러짐)에 주의

### (2) 내과적 치료

① 1st ; NSAIDs (e.g., indomethacin, naproxen) or COX-2 inhibitors (e.g., celecoxib)
  - '필요시 복용'보다는 지속적으로 복용하는 것이 영상검사 상의 진행을 지연시킴
  - 통증을 감소시켜 운동성을 향상시킴 (but, 대부분 증상이 지속되고, 관절 변형이 발생됨)
  - 대개 최대 용량까지 사용, 2~4주 뒤에도 효과 없으면 다른 NSAID 제제로 교체 (중복은 ×)

② TNF-α inhibitors ; 가장 효과적 (비싼 것이 단점)
  ↳ 약제 ; infliximab (IV), etanercept (SC), adalimumab (SC), golimumab (SC)
  - Ix ; active AS (axial SpA) 환자에서 2가지 이상의 NSAIDs를 사용해도 효과 없을 때
  - AS의 증상, 검사 소견, MRI 소견, dz. activity 등의 호전에 매우 효과적이며 질병의 진행도 지연시킴 (remission 흔함), 효과가 빨리 나타나고 오래 지속됨, 골밀도도 증가됨
  - C/Ix ; 활동성 감염, 감염 고위험군, 암 or 전암, SLE 병력, multiple sclerosis 및 관련 자가면역질환 (임신, 수유는 relative C/Ix)
  - 부작용 ; 심한 감염(e.g., 결핵), pancytopenia, demyelinating d/o., CHF 악화, SLE의 양상, 과민반응 or 주사부위반응, 심한 간질환 (AS 환자에서는 아직 암↑ ×)
    - 투여 전 PPD skin test or IGRA 시행, (+)면 INH 300 mg 9개월 예방 치료하면서 사용!

③ IL-17 inhibitors ; secukinumab, ixekizumab
  - TNF-α inhibitors에 반응이 없거나 사용 못하는 경우 (TNF-α inhibitors 만큼 효과적임)
  - psoriasis 등이 동반된 경우에는 TNF-α inhibitors 대신 처음부터 사용 가능
  - 부작용 ; 진균 감염, IBD 악화 (→ IBD 동반 되었나 확인/monitoring 필요)

④ 기타 ; thalidomide (TNF-α 억제 기전으로 효과적), JAK inhibitor (e.g., tofacitinib)

★ axial SpA (염증성 요통, 허리통증)에 nonbiologic DMARDs 및 oral steroids는 효과 없음!!

### (3) 말초관절염

- NSAIDs, low-dose oral glucocorticoids
- intraarticular glucocorticoid injection ; 1~3개의 말초관절염에서 단기간 효과
- 위 치료에 반응 없으면 nonbiologic DMARDs (sulfasalazine, methotrexate)
  ; 말초관절염에서 중등도 효과 (leflunomide는 효과 없음)

- TNF-α inhibitors ; 위 치료에 반응이 없거나, axial SpA 증상도 동반한 경우
- \* **Enthesitis** (e.g., Achilles tendinopathy, plantar fasciitis) → NSAIDs → 효과 없으면 일부에서 peritendinous glucocorticoid injection (c.f., Achilles tendon은 파열 유발 위험으로 금기) → 효과 없으면 TNF-α inhibitors

### (4) Uveitis

- 대부분 local glucocorticoid + mydriatic agents가 효과적
- 심한 경우는 systemic glucocorticoid, 면역억제제(e.g., MTX, azathioprine, MMF, cyclosporine)
- 모두 반응이 없거나, axial SpA 증상도 동반시 TNF-α inhibitor (e.g., <u>adalimumab</u>)

### (5) 수술

- 적응 ; 심한 고관절염 (통증이 심하거나 움직임이 크게 제한된 경우), 신경 증상을 동반한 atlantoaxial subluxation, 심한 척추 변형(e.g., 앞을 못 봄), acute spine fracture 등
- 고관절 전치환술(total hip arthroplasty/replacement) : 심한 고관절염의 증상을 크게 호전시킴
- 교정 쐐기 절골술(corrective wedge osteotomy) : 척추 변형의 교정

## ■ 반응성 관절염 (Reactive arthritis[ReA], Reiter's syndrome)

### 1. 정의

- 위장관 or 비뇨생식기 감염 뒤 후유증(면역반응)으로 발생한 acute nonpurulent arthritis를 특징으로 하는 류마티스 질환 (드문 편임)
- Reiter's syndrome의 clinical tetrad : conjunctivitis (uveitis), urethritis (cervicitis), aseptic arthritis, mucocutaneous lesions

**Reactive arthritis의 원인균**

| Enteric Pathogens | Urogenital Pathogens |
|---|---|
| *Shigella flexneri, S. sonnei, S. dysenteriae* | *Chlamydia trachomatis* |
| *Salmonella* spp. | *Chlamydia psittaci* |
| *Yersinia enterocolitica* | *Ureaplasma urealyticum* |
| *Yersinia pseudotuberculosis* | *Neisseria gonorrhoeae* |
| *Campylobacter jejuni* | *Mycoplasma genitalium* |
| *Campylobacter coli* | |
| *Clostridioides difficile* | **Respiratory Pathogens** |
| 일부 toxigenic *E. coli* | |
| | *Chlamydia pneumoniae* |

### 2. 역학

- HLA-B27 : 30~70%에서 (+), 양성인 사람은 음성인 사람보다 ReA 발생 위험 약 50배
- HLA-B27 (+)인 사람이 arthritogenic bacterial infection (*e.g., S. flexneri*) 이후 약 ~20%에서 ReA 발생 (보통은 감염 뒤 1~4%의 환자에서 ReA 발생, *Chlamydia*는 4~8%에서 발생)

- 18~40세에 젊은 성인에서 호발, 남:여 = 3:1

  (장관감염에 의한 ReA의 성비는 거의 1:1이지만, 성접촉에 의한 ReA는 대부분 남성에서 발생)

## 3. 임상양상

: 위장관 or 비뇨생식기 감염 후 며칠~6주 (보통 1~4주) 뒤에 증상 발생

(1) 전신증상 ; fatigue, malaise, fever, weight loss

(2) 관절증상 (대개 acute onset)

- arthritis : asymmetric, additive
  - 주로 하지의 관절(knee, ankle, subtalar, MTP, toe IPJ)에 호발
  - 매우 아프고, tense joint effusions도 드물지 않다 (특히 knee에서)
- dactylitis ("sausage digit") : 소수의 손/발가락에서 diffuse swelling
- enthesitis (tendinitis, fasciitis) : 특히 Achilles insertion, plantar fascia, axial skeleton에서
- spinal & low back pain (e.g., sacroiliitis) 동반도 흔하지만, 단독 증상인 경우는 드뭄

(3) 관절 외 증상

- 고름각질피부증(keratoderma blennorrhagicum) : 5~10%, 손/발바닥에 호발, ReA에 특징적!
- 원형귀두염(circinate balanitis) : ReA 남성 환자의 20~40%, 귀두 끝 부분의 작은 무통성 궤양
- 비뇨생식기 ; 남성 urethritis, prostatitis / 여성 cervicitis, salpingo-oophoritis, cystitis ...
- 눈 ; conjunctivitis (m/c, ~30%), ant. uveitis, episcleritis, keratitis
  - ↳ 대개 관절염보다 선행, 양측성이 많음, 보통 1~4주 뒤 호전
- painless oral mucosal ulcers
- nail changes (PsA와 비슷) ; onycholysis, distal yellowish discoloration, hyperkeratosis
- 심장 (드물, 만성화된 경우에서) ; proximal aortitis (1~2%), 판막질환 (특히 aortic insufficiency)

(4) 경과/예후

- 관절염은 보통 3~5개월 지속 (2년까지도 가능), 대부분은 6~12개월 뒤 완전히 호전됨
- 15~20%는 관절증상이 만성적으로 지속됨 → 일상생활 장애도 흔함 (만성 발꿈치 통증이 m/c)
- low-back pain, sacroiliitis, frank AS 등도 흔한 후유증임
- HLA-B27 (+) ⇨ poor Px., 만성화↑, spondylitis & uveitis↑
- *Shigella*가 원인인 경우 *Yersinia* or *Salmonella*보다 만성화 가능성 높음

## 4. 검사소견

- ESR & CRP↑, mild anemia, neutrophilia (ANA와 RF는 음성)
- HLA-B27 : 30~70%에서 (+)
- synovial fluid : nonspecific inflammation (→ septic or cystal-induced arthritis R/O에 유용)
- ReA 발병시 선행 감염이 처음 감염부위에서 지속되는 경우는 드뭄
  - (→ culture/serology/PCR 등으로는 감염의 증거 발견 가능)
- 영상검사 (일부에서, nonspecific)
  - 초기 ; 정상 or soft tissue swelling, juxtaarticular osteoporosis 정도
  - 후기(만성화) ; marginal erosions, joint space narrowing, reactive new bone formation 등

## 5. 진단

- 임상적으로 진단 (확립된 진단기준이나 확진 검사는 없음)
- D/Dx
  - disseminated gonococcal disease : 상지와 하지 모두 침범, back pain 無
    (ReA : 주로 하지를 침범, back pain 동반 흔함)
  - psoriatic arthritis : gradual onset, 주로 상지를 침범, mouth ulcer/urethritis 無

## 6. 치료

- high-dose NSAIDs (e.g., naproxen, diclofenac, indomethacin)
  → 반응 없으면 intraarticular glucocorticoids
  → 반응 없으면 low~moderate dose oral glucocorticoids
- nonbiologic DMARDs (sulfasalazine, methotrexate) → 반응 없으면 anti-TNF-α
  ; chronic refractory (>6개월) ReA, 특히 HLA-B27 양성인 경우, 재발한 경우
- uveitis → aggressive Tx with glucocorticoid
- 피부병변 → 대증적 치료만 시행 (topical steroids 등) → 심하고 반응 없으면 DMARDs 고려
  (c.f., HIV 환자는 피부병변이 심하지만 ART에 잘 반응)
- 원인 감염의 항생제 치료

# ■ 건선 관절염 (Psoriatic arthritis, PsA)

## 1. 개요

- 건선(psoriasis)과 동반하여 발생하는 chronic inflammatory arthritis
- 건선 환자의 5~30% (우리나라 9~14%)에서 PsA 발생
- 남≒여, 30~40대에 호발, 가족력 有
- HLA-B27 : spondylitis (axial dz.)의 50~70%에서 (+), 말초만 침범한 경우에는 20% 이하만 (+)
- 60~70%는 건선이 선행, 15~20%는 1년 이내에 병발, 15~20%는 관절염이 선행

* 건선(psoriasis) ; 비교적 흔한 염증성 피부질환 (우리나라 유병률 0.5~1%)
  - 겨울철에 심해지는 scaling^(인설/비늘) erythematous skin lesion
  - 남≒여, 모든 연령에서 발생 가능하지만 30대와 50~60대에 호발
  - 유전적 요인이 발병에 중요 / 다른 질환 동반 위험↑(e.g., 비만, MS, DM, HTN, 동맥경화)
  - 병변이 1개인 경우는 모르는 수가 있으므로, arthritis가 발생하면 피부병변을 자세히 찾아봐야 됨

## 2. 임상양상

- 관절염 ; 75%는 피부증상이 선행, 10%는 동시에 발생, 15%는 관절염이 피부증상보다 선행
  - 초기에는 주로 소수관절염(oligoarthritis) → 진행하면서 다발관절염(polyarthritis) 양상
  - RA와 달리 비대칭적으로 침범, 통증이 덜함(→ 진단 늦어짐, 진단시 이미 관절 손상/변형 흔함)

- 관절염은 5가지 형태로 분류 가능 (Moll & Wright classification), 서로 중복 및 전환 흔함
  (1) DIP에만 국한된 distal arthritis : 5~15%
  (2) asymmetric oligoarthritis : 30~70%
     - 남:여 = 3:1, psoriasis 발생 수년 후에 arthritis 발생, 대개 조조강직 동반
     - 무릎 등의 큰 관절과 소수의 작은 관절 침범
     - 예후 좋음 (1/4 만이 progressive destructive dz.로 진행)
     - ocular Cx (conjunctivitis, iritis, episcleritis) : 1/3에서 발생
  (3) symmetric polyarthritis : 15~40%
     - 남:여 = 1:2, 대개 psoriasis와 동시에 arthritis 발생, 조조강직 동반
     - RA와 관절염 양상이 비슷 (압통만 덜 심함)
     - 1/2 이상에서 destructive arthritis 발생, ocular Cx은 드묾
  (4) arthritis mutilans (단절성관절염) : 5%
     - highly destructive form, 손발가락이 광범위하게 짧아짐(telescoping)
  (5) axial arthritis : 40~50%
     - spine or SI joint를 비대칭적으로 침범, idiopathic AS와 비슷 (but, 경추 침범이 더 흔함)
     - psoriasis 발생 수년 후에 arthritis 발생, 천천히 진행 (AS에 비해 mild)
- 손/발톱의 변화 : 80~90% (건선만 있는 환자는 40%에서 동반)
  - PsA의 특징, 다른 관절질환(e.g., RA, AS)과의 감별에 도움
  - 6가지 형태 ; 오목증(pitting), 가로/세로줄(ridging), 손발톱박리증(onycholysis), 가장자리가
    노란색으로 변색, 손발톱밑과다각화증(subungual hyperkeratosis), 위 소견들의 combination
- 다른 관절질환과 구별되는 PsA 관절 침범의 특징
  - 손발가락염(dactylitis, sausage digits) 흔함! (30~50%) ; 발가락에 더 흔함, 다른 SpA들도 가능
    ↳ 골미란(bone erosion)도 더 잘 발생 (→ poor Px)
  - 부착부염(enthesitis) & 건초염/힘줄윤활막염(tenosynovitis) 흔함 ; 거의 모든 환자에서 존재
  - 손발가락이 짧아짐 (∵ osteolysis)
- 눈 침범 (conjunctivitis or uveitis) : 7~33%  (AS의 uveitis와 차이점 ; 흔히 bilateral, 만성, 후방)

## 3. 검사소견

- ESR & CRP↑, complement↑, immunoglobulin (특히 IgA)↑
- RF는 2~10%, anti-CCP도 8~16%에서 양성 (주로 erosive and/or symmetric polyarthritis에서)
- ANA : 약 50%에서 low titer (≤1:40)로 양성, 14%는 ≥1:80 (anti-dsDNA도 3%에서 양성)
- HLA-B27 : axial arthritis의 50~70%에서 양성 (말초관절염만 있는 경우에는 <20%에서)
- 영상검사 소견 (RA, AS와 구별되는)
  - DIP의 PsA : 비대칭적, 말단골용해(acro-osteolysis), "pencil-in-cup" 변형, "opera-glass" 변형
  - axial PsA : asymmetric sacroiliitis, paravertebral ossification, "comma"-모양 syndesmophytes
  - MRI ; plain X-ray보다 sensitive, 병변 주위 BM (osteitis) & soft tissues의 심한 염증,
    enthesitis, sacroiliitis (BM edema, erosions, sclerosis, new bone formation 등)

## 4. 진단

> ### CASPAR (CIASsification of Psoriatic ARthritis) 진단기준 (2006)
>
> ■ Established inflammatory articular disease (joint, spine, or entheseal) +
> ■ 아래 항목에서 3점 이상
>   1. 현재의 건선 [2], 건선의 과거력 [1], 건선의 가족력 [1]
>   2. 전형적인 건선의 손발톱 변화(onycholysis, pitting, hyperkeratosis) [1]
>   3. Rheumatoid factor 음성 [1]
>   4. 손발가락염(dactylitis) 존재 or 과거력 [1]
>   5. Juxtaarticular new bone formation의 방사선 소견* [1]

\* 손/발 X-ray에서 관절 경계부의 ill-defined ossification (osteophyte는 제외)

- CASPAR criteria ; 진단 sensitivity & specificity 90% 이상
- 피부증상(건선)이 없거나 불명확할 때는 진단이 어려울 수 있음 → 건선의 과거력, 가족력 Hx 중요
- DIP의 Heberden's node나 PIP의 Bouchard's node가 건선과 동반시에는 osteoarthritis가 더 의심됨

## 5. 치료/예후

- mild PsA ⇨ NSAIDs (e.g., naproxen, celecoxib), intraarticular glucocorticoids 등
- active persistent/moderate~severe peripheral PsA (nonerosive)
  ⇨ nonbiologic DMARDs (MTX, leflunomide, sulfasalazine 등) or
     주사제를 싫어하면 효과는 떨어지지만 apremilast (selective PDE4 inhibitor, TNF-α도 억제)
        ↳ erosive dz.에서는 금기 (∵ 관절손상 예방 불확실)
- 골미란(erosion)이나 심한 기능장애를 동반한 severe or axial PsA
  ⇨ TNF-α inhibitors (DOC) : 관절염 및 피부병변 호전에 매우 효과적 (RA 때보다 더 효과 큼)
    or 다른 biologic DMARDs (secukinumab, or ustekinumab)
                        ↳ IL-17 inhibitor    ↳ IL-23/IL-12 p40 subunit inhibitor
     (MTX와 sulfasalazine은 erosive joint dz.의 진행을 지연시키지 못함)
- 위 치료들에 반응 없는 resistant PsA
  - JAK inhibitors ; tofacitinib, filgotinib (selective JAK1 inhibitor)
  - brodalumab (IL-17 inhibitor), guselkumab (anti-IL-23 mAb)
  - 기타 ; vitamin D₃, bromocriptine, MMF, extracorporeal photochemotherapy, balneotherapy
- 피부병변 ⇨ retinoic acid 유도체, PUVA (psoralen + UV)
- 경과/예후 (과거에는 mild dz.로 여겼으나, 실제로는 훨씬 severe dz.임)
  - 약 50%에서 2년 이내에 골미란 발생, 10년 뒤 55%에서 5개 이상의 관절 변형 발생
  - 완전관해는 치료를 받아도 일부에서만 가능하고, 재발이 흔함
  ┌ good Px ; 남성, 젊은 연령, 침범 관절 ↓, HLA-B22 등
  └ progressive joint damage의 위험인자 (poor Px) ; 침범 관절 수↑ (≥5개), ESR & CRP↑,
     약물치료 실패, joint damage 존재, 기능 손상, 낮은 삶의 질, HLA-B39 & B27 등

# 장병성 관절염 (Enteropathic arthritis), 기타

## 1. Inflammatory bowel disease

- IBD 환자의 약 10~20%에서 발생, UC보다 CD에서 약간 더 호발, 남≒여
  - peripheral arthritis 10~30%, axial arthritis 2~20%, enthesopathy 7%, uveitis 25% ...
  - HLA와의 관련성은 약하고 일관성이 없음 ; IBD & AS 환자의 HLA-B27 양성률은 ~70%지만, IBD ± peripheral arthritis 환자의 양성률은 15% 이하
  - *NOD2/CARD15* gene ; sacroiliitis를 동반한 CD, 만성염증성장병변을 동반한 SpA와 관련
- peripheral arthritis : activity는 IBD의 dz. activity와 비례
  - type Ⅰ (acute)$^{m/c}$ : 비대칭적으로 5개 미만의 관절을 침범(주로 무릎, 발목), 급성 발작, IBD의 재발 때 동반되는 경우가 흔함 (c.f. 최근에는 딱히 type Ⅰ, Ⅱ를 구별하지는 않음)
  - type Ⅱ (chronic) : 대칭적으로 5개 이상의 관절을 침범, IBD와 무관하게 만성 경과
  - 일반적으로 erosion이나 deformity는 드묾
- axial arthritis : 임상양상은 idiopathic AS와 유사함, IBD보다 선행하는 경우가 많음, IBD의 심한 정도와 비례하지 않음
- 치료 : 일반적인 IBD의 치료에 대개 반응함
  - NSAIDs : 일반적으로는 도움이 되지만, IBD의 증상 악화를 유발할 수도 있음
  - CD에서 동반된 경우는 TNF-$\alpha$ inhibitors가 매우 효과적 (c.f., etanercept는 CD의 장 증상에 효과가 없고, 드물게 UC를 유발할 수 있어 사용 안함)
  - 다른 IBD 치료제(e.g., steroid, DMARDs)도 대개 peripheral arthritis에 효과적 (c.f., secukinumab 등의 IL-17 inhibitors는 효과 불확실하고 장 질환을 악화시킬 수 있어 주의)

## 2. Intestinal bypass arthritis

- 비만의 치료로 intestinal bypass surgery 받은 환자의 8~36%에서 발생
- tenosynovitis (knee, wrist, ankle 등), Raynaud's Sx (1/3에서) 발생
- RF, ANA, HLA-B27 등은 대개 음성 / immune complex, cryoglobulin은 대개 양성
- pathogenesis : intestinal blind loops 내의 bacterial proliferation
- Tx ┌ joint Sx ↓ : NSAIDs, glucocorticoids
  └ bacterial load ↓ : rifaximin (± neomycin), surgery (reanastomosis, blind loop resection)

## 3. Juvenile-onset spondyloarthritis (JSpA)

- 7~16세 사이에 발병, 남:여 = 2~4:1 (연령이 높아지면 비슷해짐)
- HLA-B27은 약 80%에서 (+)
- asymmetric, 하지의 oligoarthritis와 enthesitis가 주 증상, axial arthritis (관절외 증상은 없음)
- 다수에서 나중에 AS 발생

## 4. Undifferentiated spondyloarthritis (U-SpA)

- 한 개 이상의 spondyloarthritis의 일부 특징을 가지지만, ASAS의 axial SpA or peripheral SpA 등의 진단기준에는 해당 안되는 경우
  (c.f., 과거 New York Criteria에 해당되지 않는 IBP의 대부분은 현재 nr-axSpA에 해당됨)
- 주로 젊은 성인, 약 1/2에서 HLA-B27 (+)

---

**참고: Peripheral Spondyloarthritis (pSpA)의 진단기준 (2009, ASAS)**

Arthritis or Enthesitis or Dactylitis가 있으면서

| 다음 SpA의 특징 중 한개 이상 존재 | OR 다음 SpA의 특징 중 2개 이상 존재 |
|---|---|
| • 건선(psoriasis) | • Arthritis |
| • 선행 감염 | • Enthesitis |
| • 포도막염(uveitis) | • Dactylitis |
| • IBD (CD or UC) | • IBP (inflammatory back pain)의 과거력 |
| • HLA-B27 | • SpA의 가족력 |
| • 영상검사에서 sacroiliitis 소견 | |

---

| | Rhematoid arthritis | Ankylosing Spondylitis | Posturethral Reactive Arthritis | Postdysenteric Reactive Arthritis | Enteropathic Arthritis | Psoriatic Arthritis |
|---|---|---|---|---|---|---|
| 성비 (남:여) | 1:3 | 2~3:1 | 9:1 | 1:1 | 1:1 | 1:1 |
| Sacroiliitis | − | +++++ | +++ | ++ | + | ++ |
| Spondylitis | (경추 아탈구) | ++++ | +++ | ++ | ++ | ++ |
| Peripheral arthritis | ++++ | + | ++++ | ++++ | ++ | ++++ |
| Articular course | Chronic | Chronic | Acute/chronic | Acute>chronic | Acute/chronic | Chronic |
| HLA-B27 | − | 85~95% | 60% | 30% | 20% | 20% |
| 기타 HLA | DR4, DR1 | B60, DR1, DR8 | | | | Cw6, B38, B39 |
| Enthesopathy | − | ++ | ++++ | +++ | ++ | ++ |
| Extra-articular manifestations | Vasculitis, Skin, Lung | Eye, Heart | Eye, GU Oral/GI, Heart | GU, Eye | GI, Eye | Skin, Eye |

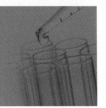

# 5
# 결정유발성 관절염

■ **Crystal-Associated(induced) Arthropathies(Arthritis)**
- 결정(crystal)들이 관절이나 관절 주위에 침착해 다양한 증상을 나타내는 질환
- MSU (monosodium urate), CPP (calcium pyrophosphate dihydrate), calcium apatite, calcium oxalate (CaOx) 등 microcrystals의 축적으로 인한 관절 질환은 모두 비슷한 증상 및 생화학적 소견을 나타내지만 polarizing microscopy 등으로 형태학적으로 감별할 수 있음
- calcium apatite만 예외적으로 polarizing microscopy로 발견 불가능 (→ EM으로 진단)

## 통풍 (MSU Gout)

### 1. 개요

- **hyperuricemia**에 이차적으로 발생하는 <u>MSU (monosodium urate)</u> crystal의 조직침착에 대한 염증반응으로 초래되는 증상들의 증후군
- **hyperuricemia**가 gout 발생의 전제 조건이기는 하지만, 모든 hyperuricemia 환자의 15~20%에서만 gout가 발생함
- **역학(gout)** ; 유병률 약 2~8% (우리나라는 0.7~0.8%)
  - 꾸준히 증가 (∵ 고령화, 고혈압, 대사증후군, 비만, 이뇨제/aspirin 사용, 액상과당 섭취, 신질환)
  - 남:여 = 3~4:1, 남자는 30~50대에, 여자는 50~60대(폐경) 이후에 호발
  - 연령이 증가함에 따라 증가하지만, 70세 이후에는 정체
- **hyperuricemia의 정의** = uric acid >6.8~7.0 mg/dL (남녀 모두)
  - 참고치 ; 남자 3.4~7.0 mg/dL, 여자 2.4~6.0 mg/dL
    (여성호르몬에 의한 urate 배설 증가로 남성보다 1~1.5 낮게 유지되다가, 폐경 이후에는 비슷해짐)
  - uric acid ; 매일 800~1,200 mg이 체내에 축적, 2/3는 신장으로, 1/3은 장으로 배설됨

| Hyperuricemia의 원인 - <u>Urate and/or purine 생산 증가</u> ··· 통풍 원인의 10% | |
|---|---|
| 식이, 약물 | Ethanol (특히 맥주), Purine 과다섭취 (e.g., 붉은 고기, 내장육, 조개류), 운동, 액상과당(fructose), 췌장추출물, Vitamin $B_{12}$ deficiency, Cytotoxic drugs |
| Urate and/or purine 과다생산 질환 | Myeloproliferative & lymphoproliferative neoplasms, Hemolytic disorders, Obesity, Psoriasis, Tissue hypoxia, Rhabdomyolysis, Down syndrome |
| 유전적 purine 과다생산 | Hypoxanthine–guanine phosphoribosyltransferase deficiency<br>Phosphoribosylpyrophosphate synthetase overactivity<br>Glycogen storage dz, type I (Glucose–6–phosphatase deficiency), III, V, VII<br>Fructose–1–phosphate aldolase deficiency<br>Myoadenylate deaminase deficiency, Carnitine palmitoyltransferase II deficiency |

| Hyperuricemia의 원인 - Urate 배설 장애 ··· 통풍 원인의 90% | | |
|---|---|---|
| 약물, 식이 | Cyclosporine/tacrolimus, Alcohol, Nicotinic acid, Thiazides, Lasix ["can't leap"], Ethambutol, Aspirin: low-dose (<2 g/day), Pyrazinamide | Levodopa, ACEi, β-blockers, Nicotinic acid, Salt restriction, Laxative abuse (alkalosis) |
| Urate 배설 장애 질환 | GFR 감소 (CKD 등), Volume depletion (e.g., 체액 소실, 심부전), Insulin resistance (대사증후군), Diabetic or starvation ketoacidosis, Lactic acidosis, Lead nephropathy (saturnine gout), HTN, Obesity, Hyperparathyroidism, Hypothyroidism, Sarcoidosis, Chronic beryllium dz. | |
| 유전적 urate 배설 장애 | Uric acid transportasome mutations (e.g., *GLUT-9, ABCG2, URAT1*) ··· Familial gout, AD tubulointerstitial kidney dz. (과거 medullary cystic kidney dz.: *UMOD, MUC1* mutations) Glomerulocystic kidney dz. | |

## 2. 임상양상 (hyperuricemia의 합병증)

: serum uric acid level이 높을수록 gout가 잘생기며
동반되는 합병증도 hyperuricemia의 기간/정도와 연관성이 있음

### (1) 급성통풍관절염(acute gout attack, gout flares)

- 1st attack의 80%는 monoarticular arthritis (이후에는 polyarticular도 증가)
- 침범부위
  - 엄지발가락(1st MTP joint)[m/c] ; 1st attack의 50%, 모든 attack의 70%에서
  - 기타 ; 발등, 발목, 뒤꿈치, 무릎, 손목, 손가락, 팔꿈치 등 (spine은 거의 침범 안함)
- serum urate level이 갑자기 상승/감소할 때 attack 유발, 1st attack은 대개 밤이나 새벽에 발생
- 유발인자 ; 알콜(특히 맥주), 스트레스, 외상, 감염, 입원, 수술, 급격한 체중감량, 탈수, 단식, 과식, drugs (e.g., thiazide diuretics, low-dose aspirin, allopurinol) ...
- 매우 심한 통증, 발적, 부종, 열감 (→ 8~12시간 동안 강도 증가) / WBC↑, CRP↑도 흔함
- 초기에는 보통 3~10일간 지속하다가 완전히 자연 호전됨(self-limited)

* atypical gout (약 5%) ; 25세 이전에 증상 발생, 대개 유전적 원인, 빠르게 진행

### (2) 간헐기 통풍(intercritical gout)

- acute attack과 acute attack 사이의 기간으로 전혀 증상이 없는 시기
- 아무 치료 없이 관찰하면 1st attack 2년 이내에 78%에서 2nd attack 발생
- 아무런 치료도 하지 않으면 chronic gouty arthritis로 진행
  (일반적으로 attack interval은 짧아지고, 더 오래 지속되며 polyarticular로 진행)

c.f.) 간헐기가 있는 관절염 ; gout, Behçet's dz., palindromic rheumatism

### (3) 만성결절통풍관절염(chronic gouty arthritis, tophaceous gout)

- 보통 acute attack 이후 10년 이상 지난 경우에 발생 (평균 11.6년 이후)
- 다발성 관절염(polyarticular arthritis), 심하지 않은 지속적인 통증 (증상 없는 간헐기가 사라짐)
- 통풍결절(tophi)이 만져짐 : urate crystals의 침착, 불규칙하고 단단
  - gout를 치료하지 않고 20년이 경과하면 약 75%의 환자에서 발생
  - 발생부위 ; 윤활막, 연골하골, 주두$_{\text{(olecranon)}}$, 무릎 아래, 아킬레스건, 피하, 관절주위, 귀 둘레
  - 합병증 발생 가능 (e.g., 염증, 궤양, 관절파괴, 심장침범)

- RA와의 차이점 ; 비대칭적, 발생 시기, 결절에서 urate 관찰, bone erosion에 돌출된 모서리 (overhanging edges) 존재, 초음파에서 double contour sign (DCS)
- gout flare 없이 통풍결절로 처음 발현되는 경우 ; 주로 노인 여성, 손가락을 흔히 침범, osteoarthritis, CKD, HTN 동반, 소염제 or thiazide 이뇨제 복용 중인 경우 많음,

### (4) 관련 질환
- 신 질환
  ① nephrolithiasis (renal stone) ; uric acid stone, calcium stone
  ② urate nephropathy (urate nephrosis) → CKD 유발
  ③ uric acid nephropathy ; reversible cause of AKI
    - renal failure 환자의 1% 이하에서 gouty arthritis가 생김
    (∵ gouty arthritis가 생길 만큼 오래 hyperuricemia가 지속되지는 않기 때문)
    - polycystic disease : 24~36%에서 gout 발생
- 고혈압 : gout 환자의 25~50%에서 HTN 존재
- 비만 : gout 발생 위험 2~3배 증가, BMI와 uric acid level은 비례
- 고지혈증 : 80%에서 TG↑

## 3. 진단
- 전형적인 갑작스런 하지의 inflammatory arthritis 때 의심
  → septic arthritis 등과 감별 (synovial fluid<sup>관절액</sup> culture 등으로)
- 영상검사
  ① plain X-ray ; 초기 통풍 진단에는 별 도움 안됨, 침범 부위 연조직 부종 정도 (뼈의 이상 無)
    - 만성 통풍에서는 통풍결절(tophi)에 의한 bone erosions, subcortical bone cysts 관찰
    - bone erosions : 경계가 분명하고, 얇게 돌출된 모서리(overhanging edges)가 특징
    - advanced dz.에서는 관절의 변형 및 파괴
  ② dual-energy CT (DECT) ; urate와 calcium을 다른 색상으로 구별하여 시각화 가능
    ( ㄴ 조직 특이 영상 감식법으로 urate와 calcium의 원자번호에 따른 감식 차이를 영상화)
    - 통풍(urate)결절의 위치와 모양을 입체적으로 보여줘 쉽게 파악 가능
    - 통풍결절이 거의 없거나 적은 초기 통풍 진단에는 효과 부족
  ③ 관절초음파 … 초기 진단에도 유용하고, 간편/저렴해서 많이 이용 (but, 숙련된 경험 필요)
    - hyperechoic linear density (double contour sign<sup>DCS</sup>) : 연골 표면에 쌓여있는 urate crystal
    - 숨겨진 통풍결절도 찾을 수 있고, 결절 발견시엔 FNA로 urate crystal을 뽑아 확진도 가능
  ④ MRI ; 피부 깊은 곳이나 척수 등 드문 부위의 통풍결절을 찾는데 도움
- synovial fluid 소견 ; 혼탁, 점도↓, WBC 2,000~60,000/μL (대부분 neutrophil)
  - 급성 통풍에서는 노란색 윤활액과 흰색 urate crystals이 섞여 불투명한 노르스름한 색을 보임
  - 만성 통풍에서는 액체 성분은 줄어들고, 요산의 양이 많아 하얀 치약(or 연고)처럼 보임
- <u>확진 (편광 현미경)</u> : synovial fluid 또는 neutrophils 내에 포식된 monosodium urate (MSU) crystals을 관찰 … 바늘 모양의 bright <u>negative</u> birefringent crystals
  (MSU crystals은 침범되지 않은 1<sup>st</sup> MTP or 무릎 관절에서 발견되는 경우도 흔함)

### 2015 ACR/EULAR gout classification criteria

| Criteria | | Categories | Score | |
|---|---|---|---|---|
| **Clinical** | 관절 침범의 양상 | 발목 or 발등 | 1 | 관절액이나 조직 채취가 곤란한 경우를 고려하여 고안되었음 |
| | | 엄지발가락(1st MTP) | 2 | |
| | 증상의 임상적 특징 | 해당 수 | | |
| | (a) 침범 관절 위의 erythema | 1개 | 1 | |
| | (b) 침범 관절의 압통 | 2개 | 2 | |
| | (c) 보행장애 or 관절 사용 불가 | 3개 | 3 | |
| | 통풍 발작의 시간에 따른 경과 | | | |
| | 최대 통증까지 <24시간 | 1회의 전형적 발작 | 1 | |
| | 14일 이내에 증상 호전 | 여러 번의 발작 | 2 | |
| | 발작 사이의 무증상 기간 | | | |
| | 통풍결절(tophus)의 임상소견 | 존재 | 4 | |
| **Laboratory** | 혈청 uric acid (uricase method) | <4 mg/dL | -4 | |
| | 첫 발작 후 4주 이상 경과 & | 6~<8 mg/dL | 2 | |
| | 요산저하제 복용 안할 때 권장 | 8~<10 mg/dL | 3 | |
| | | ≥10 mg/dL | 4 | |
| | 관절액검사 | MSU negative | -2 | (총 23점 만점) |
| **Imaging** | Urate deposition 소견 | 존재 (초음파 or DECT) | 4 | 총 **8점** 이상이면 Gout로 진단 가능 |
| | Gout-related joint damage 소견 | 존재 | 4 | |

American College of Rheumatology (ACR), European League Against Rheumatism (EULAR)

## 4. 치료

### (1) Asymptomatic hyperuricemia

- 치료 가능 원인의 파악/교정 ; 약물, HTN, dyslipidemia, DM, obesity, leukemia/lymphoma 등
- 식이요법 및 생활습관 개선
  - 과체중이면 체중감량 (칼로리 섭취↓, 적절한 운동 등), 금연, 충분한 수분 섭취
  - 피해야할 음식 ; purine 함량이 많은 췌장, 신장, 간 등의 내장류, 과자, 청량음료 등
  - 적게 먹는 것이 권장되는 음식 ; 소/양/돼지고기, purine 함량이 많은 정어리류나 조개류,
    자연 과일주스, 설탕이 많이 함유된 음료/음식, 고염식, 맥주 등 알코올
  - 권장되는 음식 ; 저/무지방 낙농식품(우유, 요구르트, 치즈), 야채 등
- asymptomatic hyperuricemia는 요산저하(약물)치료는 안 하는 것이 원칙임!
- 치료를 고려하는 경우 ; tumor lysis 위험 (e.g., RTx, CTx), recurrent uric acid urolithiasis,
  지속적 hyperuricemia & 소변 uric acid >1100 mg/day (→ hydration, allopurinol)

### (2) Acute gouty arthritis (Gout flares)

- 침범된 관절은 가능한 움직이지 말고 절대 안정
- self-limited이지만 심한 통증을 빨리 완화시키기 위해 치료, 빨리 치료할수록 효과적
- 약물 치료는 대개 NSAIDs, glucocorticoid, colchicine 등을 사용함
  - ① oral NSAIDs : 약 90%에서 효과적
    - 약제 : naproxen, indomethacin, ibuprofen, diclofenac 등의 반감기가 짧은 것
    - NSAIDs가 colchicine보다 더 효과가 빠르고 부작용 적음
    - 대개 젊고(<60세), active GI dz., renal insufficiency, CVD가 없는 경우에 사용

② **oral glucocorticoids** (e.g., prednisone, prednisolone) : NSAIDs 만큼 효과적이며 작용 빠름
  - NSAIDs의 금기인 경우(e.g., 고령, 신기능 저하, 소화성 궤양) 사용
  - C/Ix ; uncontrolled DM, glucocorticoid intolerance, active infection, 최근의 수술 등
  * **intraarticular glucocorticoids injection** (e.g., triamcinolone acetonide, methylprednisolone)
     ; 1~2개의 큰 관절에 발생한 경우 사용하면 효과적 (or 경구 약제를 복용 못하는 경우)
  * **parenteral glucocorticoids** (e.g., IV methylprednisolone, IM triamcinolone acetonide)
     ; 경구 약제를 복용 못하고 intraarticular glucocorticoids injection의 대상이 아닌 경우
③ **oral colchicine** : 증상 발생 24시간 이내에 사용하면 ~85%에서 효과적
  - NSAIDs & glucocorticoids 불내성(intolerance)이거나 금기인 경우 사용
    (기전 : microtubule 형성 억제 → neutrophil의 activation 억제)
  - 진단이 확실치 않은 ambulatory pt.에서 진단적 의도로도 사용 가능
  - GI toxicity (A/N/V/D)가 흔하므로 묽은 변을 보이면 즉시 (임시적이라도) 중단
  - C/Ix ; colchicine allergy, BM 기능 감소, 신부전, 심한 간질환, sepsis
④ **IL-1β inhibitors** : 위 약제들을 사용할 수 없거나 relapsed/refractory case
  - anakinra, canakinumab 등 : 매우 효과적일 수 있지만, 비싼 것이 문제
  - 특정 상황(e.g., CKD, DM, 간질환)에서는 유용할 수 있음
⑤ cooling (ice pack) application도 도움
• 혈청 uric acid level에 변화를 주는 약물을 사용하거나 끊거나, 용량을 변경하면 안됨!!
  (∵ 관절 내 uric acid 농도 변화로 증상이 악화될 수 있음)
• aspirin은 절대 금기
  ┌ low dose : uric acid 배설 억제
  └ high dose : uric acid 배설 촉진

c.f.) uricosuric activity를 가지는 약물 (⇨ 통풍의 치료에 도움)
  ; acetohexamide, ACTH, amlodipine, ascorbic acid (vitamin C), atorvastatin,
    benzbromarone, calcitonin, chlorprothixene, citrate, dicumarol, estrogens, fenofibrate,
    glucocorticoids, glycopyrrolate, halofenate, losartan, meclofenamate,
    phenolsulfonphthalein, phenylbutazone, probenecid, sulfinpyrazone, tetracycline,
    방사선조영제, aspirin (high-dose; >3 g/day) ...

## (3) Intercritical & Chronic gout
◇ 요산저하치료(urate lowering therapy, ULT)의 적응
  ① recurrent or disabling gout flares (attacks)
  ② chronic gouty arthritis ; 통풍결절(tophi) or structural joint damage 존재
  ③ renal stone or CKD ($C_{Cr}$ <60)를 동반한 gout

■ **Colchicine**
  • urate-lowering therapy 수일 전부터 gout flare 예방을 위해 low-dose colchicine 투여 시작
    (0.5~0.6 mg PO once or twice daily) (or 사용 못하면 oral NSAIDs)
  • 투여 기간 : uric acid level 정상 & 6개월간 gouty attack 없을 때까지
    or tophi가 존재하는 동안 (보통 6~12개월 투여하게 됨)

- 감량이 필요한 경우 ; 신기능 저하 (투석 환자는 금기), P-glycoprotein (PGP) inhibitors or cytochrome P-450 3A4 (CYP3A4) inhibitors 병용 (∵ colchicine toxicity↑)

| P-glycoprotein (PGP) inhibitors | | | |
|---|---|---|---|
| Amiodarone | Indinavir | Propafenone | Tamoxifen |
| Clarithromycin | Itraconazole | Quinidine | Verapamil |
| Cyclosporine | Ketoconazole | Ritonavir | |
| Diltiazem | Nelfinavir | Saquinavir | |
| Erythromycin | Nicardipine | Tacrolimus | |

## ■ 요산저하제 (Urate-lowering agents)

- 유지요법에 사용, acute attack (gout flare) 때는 쓰면 안됨!
- urate-lowering agents를 쓰기 전 모든 염증의 징후가 없어야 하고, colchicine or NSAIDs의 예방적 투여가 시작되어야 됨 (∵ acute attack 발생 위험)
- 치료 목표 : serum uric acid level 정상화
  - 통풍결절(tophi)이 없는 경우 <6.0 mg/dL (<357 μmol/L)
  - 통풍결절(tophi)이 있는 경우 <5.0 mg/dL (<297 μmol/L)

### 1 Allopurinol (요산합성억제제)

- xanthine oxidase inhibitors (XOIs), 대부분에서 첫 번째 요산저하제로 고려
- 특히 renal insufficiency ($C_{Cr}$ <80) or renal stone 동반시에는 allopurinol을 사용
  - ↳ $C_{Cr}$ <60이면 감량해서 투여 시작, 반응을 보며 용량을 조절
- Cx : 치료 초기에는 gout flares 유발 위험, rash, leukopenia, thrombocytopenia, diarrhea
  - 드물게 severe cutaneous adverse reactions (SCARs), DRESS syndrome 등 발생 가능
  - severe hypersensitivity (e.g., SCARs)는 중국/대만/한국인 중 HLA-B*5801 (+)시 호발
  - azathioprine or 6-MP 치료 중인 환자는 allopurinol 금기 (febuxostat도 마찬가지)
    - ↳ xanthine oxidase에 의해 대사되므로, allopurinol과 병용시 작용↑↑

* febuxostat : 새로운 (nonpurine) selective XOI, allopurinol보다 더 효과적 (FDA허가[2009년])
  - allopurinol에 반응이 없거나 부작용 때문에 사용을 못하는 경우 고려
  - allopurinol과 대사가 달라 신기능 저하 때도 감량 없이 사용 가능 (~CKD stage 5까지)
  - 비싸고, allopurinol보다 CVD 및 간독성 위험으로 많이 사용되지는 않음 (시장의 약 10%)

### 2 Uricosuric agents (요산배설촉진제)

- 대개 allopurinol을 사용 못하는 경우 두 번째 요산저하제로 고려
- probenecid, benzbromarone, sulfinpyrazone, lesinurad ...
  - ( ↳ 일부 환자에서의 치명적인 간독성 위험 때문에 미국 FDA에서는 허가×)
- 사용조건 (아래를 모두 만족시켜야 됨)
  - (1) uric acid excretion 장애로 인한 hyperuricemia
    - 24-hr urinary uric acid (∵ uric acid 배설량이 많으면 uric acid stone 발생 위험)
      - <800 mg (general diet)
      - <600 mg (purine-restricted diet)
  - (2) 신기능이 좋아야 ($C_{Cr}$ >80 mL/min) : benzbromarone은 신기능 저하시도 사용 가능
  - (3) renal stone의 과거력이 없어야 됨

- probenecid는 serum Cr 2 mg/dL 이상이면 효과 없음 ⇨ allopurinol or benzbromarone
- lesinurad (Zurampic®) ; 새로운 uricosuric agent  (FDA허가2016년)
  - 기전 : URAT1 (urate transporter 1) & organic anion transporter 4 (OAT4) 억제
  - XOIs와 병용만 가능 : 기존의 XOIs (allopurinol or febuxostat) 만으로 uric acid level 목표치에 도달 못하는 경우 lesinurad 추가, allopurinol과 복합제도 있음 (Duzallo®)
- 기타 다른 질환의 치료제 중 uricosuric activity를 가지는 것
  : losartan (ARB), fenofibrate, atorvastatin, amlodipine 등

### 3 Recombinant uricase (urate oxidase)

- uricase : 사람에는 없는 효소로, uric acid를 5-hydroxyisourate (→ allantoin)로 분해함
  (c.f., 사람과 일부 대형 영장류를 제외한 대부분의 생물에는 존재함)
- pegloticase (Krystexxa®) : PEGylated recombinant uricase (2주마다 1V로 투여),
  위의 경구약제들보다 더 효과적이고 작용 빠름, gout 치료에 2010년 FDA허가
  → 치료 실패, 자주 재발, 크고 많은 통풍결절, chronic refractory gout 등에 유용
- rasburicase : nonPEGylated recombinant uricase, gout에서는 효과 별로
  → 주로 tumor lysis syndrome 치료에 사용

## CPPD (calcium pyrophosphate crystal deposition) 질환

- CPP (calcium pyrophosphate dihydrate) crystal의 관절 침착으로 인한 질환
  - 노인에서 가장 흔한 결정 침착 질환 (대부분이 60세 이상)
  - 골관절염으로 오인되거나 겹치는 경우가 많기 때문에 진단 안 된 경우가 더 많을 것으로 추정됨
- 임상양상 ; 다양한 관절질환의 양상
  (1) asymptomatic CPPD dz. (m/c) ; 영상검사에서는 chondrocalcinosis 등이 관찰됨
  (2) acute CPPD arthritis
    - 증상이 gout와 매우 비슷해 "pseudogout"로 불림, self-limited
    - 대개 큰 관절을 침범 ; 무릎(m/c), 손목, 어깨, 발목, 팔목, 팔꿈치, 손관절, MCP ...
      (gout보다는 polyarticular attacks 흔함)
    - ~50%에서는 미열 동반, 때때로 ~40℃ 고열도 발생 가능
      → septic arthritis R/O 위해 반드시 synovial fluid 검사 시행
    - 보통 자연적으로 발작이 발생하나, 유발요인이 있을 수도 있음
      (e.g., 외상, 수술, 관절경, hyaluronate 주사, 혈청 calcium 농도의 빠른 감소)
  (3) 특이한 부위의 골관절염 (osteoarthritis^OA with CPPD, pseudo-OA)
    - symptomatic CPPD 중에서는 m/c, 다발성 관절염 양상
    - OA에서 잘 침범 안하는 손목, 어깨, 발목, 팔꿈치, MCP 등도 침범
  (4) chronic inflammatory arthritis ; symmetric proliferative synovitis (pseudo-RA)
  (5) 관절의 심한 변형/파괴 ; neutropathic arthritis와 유사
  (6) 척추 침범 ; AS or diffuse idiopathic skeletal hyperostosis (DISH)와 유사

- 진단
  (1) 확진 ⋯ 관절액 or 관절조직에서 <u>CPP crystal</u>의 확인 (편광현미경)
    - smaller rod-, square- or rhomboid-shaped weak <u>positive</u> birefringent crystals
    - 기타 관절액 소견 ; WBC 수천~100,000/$\mu$L (평균 24,000), neutrophils 90%
  (2) 영상검사
    - plain X-ray ; <u>연골석회화(chondrocalcinosis)</u>, degenerative changes (osteoarthritis 비슷)
    - 초음파 ; bone cortex를 따라 얇은 띠 관찰 (gout의 double contour sign$^{DCS}$과 비슷하지만
        얇고 반점(punctate) 양상으로 보임 ↔ gout는 부드럽고 두꺼운 띠), chondrocalcinosis
- 치료 : acute attack 때의 치료는 gout와 비슷
    - 관절에 침착된 CPP crystal을 효과적으로 제거하는 치료법은 없음
    - 지속적인 synovitis 때는 antimalarial agents or MTX가 도움
    - 큰 관절의 진행성 파괴관절병 환자는 인공관절치환술이 필요할 수도 있음

# Basic calcium phosphate (BCP) crystal arthritis

- BCP crystals ; carbonated hydroxyapatite (= calcium phosphate, **hydroxyapatite**$^{HA)m/c}$,
  octacalcium phosphate, tricalcium phosphate 등
    - 매우 작음 → MSU or CPP crystals과 달리 편광현미경(polarized microscopy)에서 보이지 않음
    - 골관절염 관절액의 약 50%에서 발견되지만, BCP 침착에 의한 질환 자체의 유병률은 잘 모름
- 임상양상
  (1) osteoarthritis with BCP crystals (m/c) ; 대부분 고령, 남<여
    - OA 환자의 무릎 관절액의 약 50%에서 BCP crystals 발견 → OA가 더 심하고 빨리 진행
    - 임상적으로는 typical OA와 구별 불가능
  (2) Milwaukee shoulder syndrome (MSS) ; 대부분 고령, 남<여
    - 어깨의 만성 관절염 및 기능 소실 (destructive arthritis), 무릎에서도 발생 가능
    - BCP crystals을 함유한 large, bloody, noninflammatory effusions
  (3) acute calcific periarthritis ; 대개 젊은~중년 여성
    - 관절주위 조직의 BCP crystals 침착 ; 어깨, hip, 손목, 발목, 손가락 등 (effusion은 無)
  (4) acute inflammatory arthritis ; gout/pseudogout와 비슷 (pseudo-pseudogout로 불림)
  (5) diffuse idiopathic skeletal hyperostosis (DISH) ; 고령 남성, 흉추에 호발
  (6) systemic rheumatic dz. (e.g., scleroderma), CPPD dz., CKD (ESRD) 등에서도 동반 가능
- 진단
  (1) 관절액검사 ; WBC <2000/$\mu$ (mononuclear cells이 主), MSU or CPP crystals이 없음
  (2) 영상검사 (비특이적) ; intra/periarticular calcifications, erosive/destructive/hypertrophic 변화
- 치료 (conservative)
    - acute inflammatory arthritis or periarthritis → oral AAP (or NSAIDs, colchicine),
        심하면 steroid (triamcinolone acetonide) 관절내 주사, 반응 없으면 tidal lavage
    - MSS의 large effusion → aspiration
    - 기저 calcium 및 phosphate 대사 이상의 교정 (e.g., ESRD)

# 6
# 전신홍반루푸스(SLE)

## 개요

- pathogenic autoAb & immune complex에 의해 세포와 조직이 손상을 받아 인체내 여러 장기에 병변을 일으키는 전신적인 만성 자가면역질환
- 유병률 약 100명/10만, 발생률 4~7명/10만/yr (우리나라 26.5명/10만, 2.5명/10만/yr)
- 남:여 = 1:9, 주로 가임 연령의 여성에서 호발 (15~40세), estrogen 때문?
  → 소아는 남:여=1:3, 노인은 남:여 = 1:8
- 원인은 모름, multifactorial

## 병인

### 1. 비정상적인 면역반응(autoimmunity)

- polyclonal & antigen-specific T & B lymphocyte hyperactivity
- 위의 hyperactivity의 inadequate regulation
- apoptosis 때 핵산 물질들이 세포 표면에 노출되어 autoAb를 생산하는 면역반응을 활성화
⇨ pathogenic autoAb & immune complex 생성

### 2. Autoimmunity 발생에 관여하는 인자들

#### (1) 유전적 소인

- 일란성 쌍생아에서 동시 발생 확률 14~57% (이란성 쌍생아는 3%)
- SLE 환자의 1차 친족 중에서 발생 확률 5~17% (일반인의 30~100배 위험도)
- 여러 다양한 유전자들이 SLE 발생 위험 증가와 관련 (but, 다 합쳐도 전체 기여도는 18~24%)
  - HLA gene이 가장 흔히 관련 ; 특히 HLA-DR2, -DR3 → SLE 발생 위험도 2배↑

#### (2) 성호르몬

- SLE는 대부분 초경~폐경 전 여성에서 발생
- sex hormones이 발생에 일부 역할을 하는 것으로 추정됨
- 남성호르몬인 DHEA는 대부분의 SLE 환자에서 감소되어 있음

**(3) 환경 요인**

- UV-B (특히 피부 병변에 기여), 흡연, silica dust 등 (개를 키우는 경우도 SLE 발생 약간 증가)
- 감염 : 인체와 cross-reaction을 일으키는 면역반응 자극 가능 (e.g., EBV)
- 약물 : spontaneous lupus와 drug-induced lupus는 임상양상, autoAb가 다름
- SLE 환자는 일반인보다 약물(특히 항생제) 알레르기도 흔함
- 음주, 염색약, solvent, 살충제 등은 관련 SLE와 관련 없음

# 임상양상

## 1. 전신증상

- 발열(>50%), 피곤(m/c, 80~100%), 권태(malaise), 식욕부진(anorexia), 체중감소 등
- 발열 ; active dz. (lupus flare)의 증상일 수 있음 (but, 다른 원인에 의한 발열과 감별 어려움)
  → NSAIDs, AAP, steroid 등에 반응이 없으면 다른 원인(e.g., 감염)을 의심

## 2. 장기특이증상

### (1) 근골격계 증상 (95%)

- arthritis/arthralgias (76~100%); symmetric/migratory/polyarticular (대부분 ≥2개)
  - 대개 초기에 발생, 어느 관절에나 발생 가능하지만 PIP, MCP joint, wrist, knee 등에 호발
  - 조조강직(morning stiffness)은 짧음(<30분)
  - RA와 달리 이동성(migratory)이고, 골미란(erosion)과 관절변형은 드묾
  - joint effusions은 드묾, 대개 소량, 관절액은 투명하고 염증소견은 미미함(WBC <1000/$\mu$L)
- osteonecrosis (AVN, 5~10%); femoral head에 호발, 오랜 기간의 SLE 및 steroid 치료와 관련
- 근육통/근육압통/근력약화 (~70%) ; 심한 근력약화나 myositis (CK↑)는 드묾(7~15%)

### (2) 피부점막 증상 (80~90%)

- 급성(acute cutaneous LE, ACLE) ; 30~60%, 대개 경계 불분명, 소양감 無, 코입술주름 침범×
  - <u>malar rash ("butterfly rash")</u> : 나비모양의 코 상부를 포함한 대칭성 발진 … 가장 특징적!
  - 기타 ; <u>photosensitive rash</u>, bullous lupus, toxic epidermal necrolysis, maculopapular rash
- 아급성(subacute cutaneous LE, SCLE) ; 7~27%, 주로 상체에 구진, 인설홍반, 환상홍반
- 만성(chronic cutaneous LE, CCLE)
  - <u>discoid rash</u> (m/c, 15~30%) ; 경계 비교적 분명, 가장자리 융기, 표면에 약간의 인설 有, 얼굴, 귀 뒤, 귓바퀴, 두피, 목 등에 호발
  - 기타 ; 탈모(alopecia), hypertrophic (verrucous) lupus, lupus panniculitis
- 점막증상 (12~45%) ; <u>구강</u>(m/c), 코, 항문, 생식기 등
                        ↳ plaques, erythema, erosions, or <u>ulcers</u> (painless! ↔ Behçet와 차이)
       (구강궤양이 첫 증상일 수도 있지만, systemic dz. activity와 명확한 관련성은 없음)
- 혈관염 (11~36%) ; 두드러기, 자반, 손톱주름, 손가락 궤양, 홍반성 구진 등

### (3) 혈액학적 증상 (85%)

- anemia (m/c) ; ACD (normocytic normochromic, m/c), IDA (약 1/3에서 철결핍 동반), <u>hemolytic anemia</u> (갑자기 발생 가능 ; <u>AIHA</u> (~10%), <u>MAHA, TMA, TTP</u>등으로 발생 가능
- leukopenia (50%) ; lymphopenia and/or secondary neutropenia, 대개 dz. activity와 비례
- thrombocytopenia ; 대부분은 mild, 약 10%만 <50,000/μL, 대개 ITP (SLE보다 선행 가능), drugs, splenomegaly, TMA, APS 등이 원인 일 수 있음
- lymphadenopathy (50%), splenomegaly (10~46%) ··· dz. flare가 흔한 원인

### (4) 뇌신경 증상 (60%)

- CNS ; 인지장애(m/c), 두통, 발작, 정신병$^{Psychosis}$ (steroid 유발 정신병과 감별해야!) ...
- 기타 ; peripheral neuropathies, movement disorders, cranial neuropathies, myelitis, meningitis

### (5) 심혈관/폐 증상 (50%)

- 심장 ; pericarditis ± effusion (m/c, 25%), myocarditis, endocarditis, MI, arrhythmia ...
- 동맥경화성 혈관폐쇄 ; TIA, CVA, MI 등의 발생위험 증가 (일반인의 5~10배)
  - 위험인자 ; 고령, 남성, HTN, dyslipidemia, DM, aPL, dz. activity↑, steroid 누적용량↑
- Raynaud phenomenon (~50%)
- 폐 ; pleuritis ± pleural effusion (m/c), pneumonitis (pul. infiltrates), interstitial fibrosis, intraalveolar hemorrhage (폐혈관염 때문), pulmonary HTN ...
  (c.f., SLE 환자에서 pul. infiltrates의 m/c 원인은 infection 임)

### (6) 신장 증상 : lupus nephritis (25~75%)

- proteinuria (m/c), hematuria (대부분 microscopic), <u>신기능 저하</u>, <u>HTN</u> → 신장내과 8장 참조
- 심한 nephritis → aggressive immunosuppression으로 치료 (→ biopsy 필요!)
  - 위험인자 ; 지속적인 U/A이상, anti-dsDNA↑↑, circulating IC↑, anti-Ro (SS-A)↓, anti-Ra (SS-B)↓, complement↓
- 감염, 심혈관질환과 함께 SLE 사망의 주요 원인

### (7) 위장관 증상 (~40%)

- dysphagia (m/c), epigastric pain, A/N/V/D 등 ··· 대부분은 약물 부작용 or 감염 때문
- esophagitis, intestinal pseudo-obstruction, protein-losing enteropathy, lupus hepatitis, acute pancreatitis, mesenteric vasculitis/ischemia, peritonitis 등 다양하게 발생/합병 가능

### (8) 혈전색전증 (15%)

- 동맥혈전색전증(ATE)이 정맥혈전증(VTE)보다 약 2배 흔함, 대부분 antiphospholipid Ab와 관련
- **antiphospholipid Ab** ; SLE의 30~40%에서 발견 → thrombosis 위험↑
  ↳ SLE with APS (2ndary APS) ; thrombocytopenia, recurrent venous or arterial thrombosis (e.g., DVT, PE, MI, <u>CVA</u>), <u>recurrent fetal loss</u>, valvular heart dz.
  (→ 혈액종양내과 9장도 참조)

### (9) 눈 증상 (15%)

- keratoconjunctivitis sicca (m/c, 2ndary Sjögren's syndrome), retinal vasculopathy (면화반)
- 기타 ; optic neuropathy, choroidopathy, episcleritis, scleritis, anterior uveitis 등은 드묾

* SLE에서의 major organ involvement
  ; glomerulonephritis, myocarditis, pneumonitis, CNS dz., TTP, 심한 hemolytic anemia,
  심한 thrombocytopenia, mesenteric vasculitis ...
  → aggressive Tx (steroid + 면역억제제 ± plasmapheresis) 필요

* 질병악화(flare)의 유발인자 ; 감염, 신체적/정신적/정서적 스트레스, 햇빛(UV)에 노출, 수술,
  임신, 약물(e.g., sulfonamide, oral contraceptive, penicillin) ...

# 검사소견

• 자가항체(autoantibody)의 출현 빈도는 임상증상 발현과 예후 인자 추적에 중요함

| 항체 | 빈도(%) | 임상적 의미 |
|---|---|---|
| ANA | 98 | 진단에 가장 sensitive, 음성이면 SLE의 가능성 떨어짐 |
| Anti-dsDNA | 70 | SLE에 specific (high-titer 일 때)<br>Dz. activity, nephritis, vasculitis 등과 관련 |
| Anti-Sm (Smith) | 25 | SLE에 specific (dz. activity와는 관련×). 대부분 anti-U1 RNP도 동반함 |
| Anti-U1 RNP | 40 | SLE는 low~moderate titer (myositis, Raynaud, 덜 심한 lupus 등과 관련)<br>Scleroderma, MCTD 등에서는 high titer |
| Anti-Ro (SS-A) | 30 | Sjögren's syndrome, subacute cutaneous lupus (SCLE),<br>ANA(-) lupus, neonatal lupus & congenital heart block, 노인의 lupus<br>등과 관련 (nephritis와는 역관계) |
| Anti-La (SS-B) | 10 | 대개 anti-Ro와 관련 (nephritis와는 역관계) |
| Antihistone | 70 | DIL와 관련(95%) |
| Antiphospholipid (aPL) | 50 | Recurrent abortion, venous & arterial thrombosis (e.g., DVT, 허혈성 CVA),<br>thrombocytopenia, valvular heart dz. 등과 관련 |
| Antineuronal | 60 | Active CNS lupus와 관련 (CSF) |
| Antiribosomal P | 20 | CNS lupus에 의한 우울증 또는 정신병과 관련 |
| Antierythrocyte | 60 | Direct Coombs' test로 확인 (일부에서는 실제 용혈 발생) |
| Antiplatelet | 30 | Thrombocytopenia와 관련 있지만, sensitivity & specificity 안 좋음 |
| RF | 30 | RA (SLE에서는 low titer) |

• ANA (antinuclear Ab, 항핵항체) ≒ FANA (fluorescent ANA) test
  - best screening test : 가장 sensitive (95% 이상에서 양성)
  - specific하지는 않음 (다른 류마티스 질환 및 정상도 약 5%도 양성임)          → 1장 참조
  - ANA titer는 dz. activity와는 관련 없음! (SLE 치료 후에는 감소 가능)
  - SLE가 의심되나 ANA 음성인 경우 ⇨ anti-dsDNA, anti-Sm, anti-Ro 등 다른 자가항체 검사!
• anti-dsDNA Ab, anti-Sm Ab ⇨ SLE에 specific!
• 질병 활성도(dz. activity)와 관련있는 검사 ★ … 임상증상과 함께 판단해야 됨, 3~4개월마다 F/U
  - 일반검사 ; UA (혈뇨, 단백뇨, cellular cases), WBC↓, Hb↓, platelet↓, sCr↑, albumin↓ 등

- ESR과 CRP도 일부 관련 (CRP는 acute SLE에서 대부분 정상, 감염이 동반시 증가 가능)
- anti-dsDNA↑, complement (C3, C4, CH$_{50}$)↓
  (c.f., anti-dsDNA 이외의 특정자가항체와 ANA 검사는 F/U 필요 없음)
- SLE flare (특히 lupus nephritis) 관련 ; anti-dsDNA↑, complement↓ (특히 C1q), anti-C1q
• antiphospholipid (aPL) Ab 검사 ★
  ① lupus anticoagulant (LA) ; dilute Russel viper venom test (dRVVT), kaolin clotting time,
    aPTT or LA-sensitive aPTT ⋯ mixing test에서 교정 안 됨 & 과량의 인지질 첨가시 교정
  ② anti-cardiolipin (aCL) Ab ; IgG (혈전증과 가장 관련), IgM, IgA
  ③ anti-$\beta_2$-glycoprotein (GP) 1 Ab                      → 혈액종양내과 9장도 참조

FANA 강양성 (homogeneous)

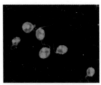

CLIFT (anti-dsDNA) 양성

# 진단기준

| 1997 ACR (American Rheumatism Association) ★ | |
| --- | --- |
| 1. 협부(뺨) 발진(malar rash) | 협부(뺨)의 나비 모양 홍반 |
| 2. 원판상 발진(discoid rash) | Keratotic scaling이 붙어있고 follicular plugging을 동반한 융기된 홍반, 오래되면 위축성 반흔이 생길 수 있음 |
| 3. 광과민성(photosensitivity) | 햇빛(UV)을 받으면 발진(rash) 발생 |
| 4. 구강궤양(oral ulcers) | Oral or nasopharyngeal ulcers (의사에 의해 확인됨) |
| 5. 비미란성 관절염 (nonerosive arthritis) | 2개 이상의 peripheral joints 침범 (tenderness, swelling, or effusion 등이 특징) |
| 6. 장막염(serositis) | Pleuritis, pleural effusion or pericarditis, pericardial effusion |
| 7. 신장 이상 | Proteinuria 0.5 g/day (or 3+) 이상 or cellular casts |
| 8. 신경학적 이상 | 다른 원인이 없는 Seizures or Psychosis |
| 9. 혈액학적 이상 | Hemolytic anemia with reticulocytosis or Leukopenia (<4000/μL) or Lymphocytopenia (<1500/μL) or Thrombocytopenia (<100,000/μL) :원인이 될 만한 약물 복용력 없이 |
| 10. 면역학적 이상 | Anti-dsDNA or Anti-Sm Ab or Antiphospholipid Ab [anticardiolipin Ab (+) or LA(+) or 매독검사(VDRL, RPR) 위양성] |
| 11. 항핵항체(ANA) 양성 | ANA 양성을 일으킬 수 있는 약물의 복용력이 없어야 함 |

* 4개 이상의 criteria 만족시 SLE 진단

## 2019 EULAR/ACR classification criteria for SLE ★

| Entry criteria |
| --- |
| Antinuclear antibodies (ANA) titer ≥1:80 |

+ Additive criteria : 최소 1개 이상의 clinical criteria & 총점 10점 이상이면 SLE로 진단

| Clinical domains (7개) & criteria | 점수 |
| --- | --- |
| Constitutional | |
| Fever (>38.3℃) | 2 |
| Hematologic | |
| Leukopenia | 3 |
| Thrombocytopenia | 4 |
| Autoimmune hemolysis | 5 |
| Neuropsychiatric | |
| Delirium | 2 |
| Psychosis | 3 |
| Seizure | 5 |
| Mucocutaneous | |
| Nonscarring alopecia | 2 |
| Oral ulcers | 2 |
| Subacute cutaneous or discoid lupus | 4 |
| Acute cutaneous lupus | 6 |
| Serosal | |
| Pleural or pericardial effusion | 5 |
| Acute pericarditis | 6 |
| Musculoskeletal | |
| Joint involvement | 6 |
| Renal | |
| Proteinuria >0.5 g/day | 4 |
| Renal biopsy Class II or V lupus nephritis | 8 |
| Renal biopsy Class III or IV lupus nephritis | 10 |

| Immunologic domains (3개) & criteria | 점수 |
| --- | --- |
| Antiphospholipid antibodies | |
| Anti-cardiolipin (aCL) Ab or | |
| anti-$\beta_2$-GP1 Ab or | |
| Lupus anticoagulant (LA) | 2 |
| Complement proteins | |
| Low C3 or low C4 | 3 |
| Low C3 & low C4 | 4 |
| SLE-specific antibodies | |
| Anti-dsDNA Ab or | |
| Anti-Smith Ab | 6 |

* 각 domains에서는 가장 높은 점수 하나만 총점에 계산함
* 각 criteria는 한 번 이상 발생했으면 충분함. 동시에 나타나지는 않아도 됨
* Clinical criteria의 정의(내용)은 SLICC와 비슷함

▷ ANA를 진입 기준으로 사용. 각 항목에 가중치 반영, 계층 구조적으로 영역 구분
  → 기존 기준들보다 민감도 & 특이도 향상

# 치료

: 완치는 불가능함, 급성증상 경감 및 만성합병증 예방이 치료 목표 (관해 or 낮은 dz. activity 유지)

## 1. 일반 원칙

• 햇빛(UV)에 노출되지 않도록 하고(e.g., 자외선차단제, 모자), photosensitizing drugs를 피함
• 금연, 균형 잡힌 식사, 칼슘과 vitamin D 보충, 규칙적인 운동, 충분한 휴식
• sulfonamide, penicillin, 경구피임약(estrogen) 등은 피함
• 예방접종 ; influenza 백신, pneumococcal 백신 등
• 치과 및 기타 invasive procedure 시에는 예방적 항생제 투여
• 무증상의 serologic tests (+) 환자는 치료할 필요 없다

## 2. 내과적 치료

| Mild disease 예 | Severe disease 예 ★ | |
|---|---|---|
| Fever<br>Arthritis<br>Rash<br>Fatigue<br>Headache<br>Mild serositis<br>　(pleuritis, pericarditis) | Steroid에<br>흔히 반응 | Heart ; Coronary arteritis, Myocarditis, Cardiac tamponade<br>Lung ; Pulmonary HTN, Alveolar hemorrhage, ILD<br>Renal ; Proliferative GN (class Ⅲ, Ⅳ)<br>CNS ; 뇌전증, 급성혼동, 척수염, 정신병, 신경염, 탈수초질환<br>GI ; Mesenteric vasculitis, Pancreatitis<br>Polymyositis, Necrotizing vasculitis<br>AIHA, TTP, Severe cytopenias (WBC <1000, platelet <5만) |
| | Steroid에<br>흔히 반응× | Thrombosis, ESRD, Membraneous GN (class Ⅴ),<br>SLE와 직접 관련이 없는 정신병(e.g., steroid-유발 정신병) |

### (1) Mild disease (약 25%)

• NSAIDs
  - fever, headache, myalgias, arthralgias, arthritis, serositis 등의 증상 경감
  - 일반인에 비해 약물 부작용(e.g., NSAID-induced aseptic meningitis, AST-ALT↑, HTN, 신부전, MI) 발생 위험은 높지만, 증상 조절에 효과적이므로 사용함 (70% 이상이 사용)
• antimalarials (e.g., hydroxychloroquine [HCQ]<sup>국내허</sup> or chloroquine)
  - 증상 조절에 효과적이고, SLE의 악화 지연, flare↓, thrombosis↓ 등의 효과 → survival↑
    → 금기가 아닌 한 모든 SLE 환자에게 투여 (non-organ-threatening SLE의 80%가 관해됨)
  - 망막 부작용 발생 위험이 있으므로, 반드시 매년 안과검사를 받아야 됨
• 반응이 없으면 low-dose glucocorticoids
  → 대개 steroid-sparing 면역억제제(e.g., azathioprine, methotrexate)도 필요하게 됨
  → 반응이 없으면 MMF or belimumab (anti-BLyS/BAFF) [Benlysta®] 추가적 병합요법

  > ■ Belimumab : BLyS (=BAFF)를 억제하는 mAb (SLE에 허가된 첫 번째 biologic agents)
  > ⇨ 면역억제제 포함 기존 치료에 반응 없는 피부 및 관절 침범에 사용 (severe SLE는 아직 연구 부족)

### (2) Severe (life/organ-threatening) disease ⇨ 고강도 면역억제치료

• 특히 active nephritis, CNS dz., or systemic vasculitis의 경우
• **high-dose glucocorticoids**가 기본! (24시간 이내에 효과)
  - oral prednisone 0.5~1 mg/kg/day (or IV methylprednisolone 0.5~1 g/day 3일 이후 oral)
  - 단기간(4~6주) 투여 이후 빨리 tapering, 이후 low-dose 유지요법 필요 (대개 몇 년 동안)
  - acute ill lupus (proliferative GN 포함) : IV pulses of methylprednisone
• 면역억제제 … severe SLE에서 steroid에 추가해 사용
  - cyclophosphamide or MMF : induction therapy (치료 시작 3~16주 이후부터 효과)
    └ cyclophosphamide보다 독성 낮음, proliferative GN에서 1차 약제로 사용
  - MMF or azathioprine : 대개 maintenance therapy에 사용 (∵ induction만 하면 재발↑)
  - 반응하지 않는 것 : 응고장애, 일부 행동장애, 말기 GN (glomerulonephritis)
• 반응 없으면 calcineurin inhibitors<sup>CNI</sup> (e.g., cyclosporine) or rituximab (anti-CD20 Ab) 고려
  - rituximab : relapsed/refractory lupus nephritis에서 약 70% 효과, AIHA/ITP에도 효과적
  - cyclosporine : membranous GN, refractory 피부병변, BM hypoplasia 때 고려

- plasmapheresis
  - pathogenic Ab와 immune complexes를 직접 제거 → 매우 심한 경우에서 단기간 효과
  - 근거는 부족하지만 일부 환자에서 효과적 ; TTP, cryoglobulinemia, neuromyelitis optica, pulmonary hemorrhage, hyperviscosity syndrome 등

## 3. 각 증상에 따른 Specific Tx.

- **Fever, fatigue 등** ; NSAIDs → antimalarials → low-dose steroids
- **Arthralgia/Arthritis** ; NSAIDs (or acetaminophen) → antimalarials → low-dose steroids
  - → methotrexate (or methotrexate 금기면 leflunomide)
  - → 3~6개월 뒤에도 반응 없으면 azathioprine → 반응 없으면 belimumab
- **Skin rashes** ; sunscreens (SPF ≥30) 및 topical steroids (e.g., fluocinolone, clobetasol)
  - → topical CNIs (e.g., pimecrolimus cream, tacrolimus ointment) ··· steroid-induced atrophy
  부작용 위험시에도 유용함
  (장기간 사용 가능)
  - → intralesional corticosteroid injections
  - → systemic agents (antimalarials)
  - **Oral ulcers** ; topical steroids or CNIs 등 (이후 skin rash 치료와 동일)
  - **Raynaud phenomenon** → 7장 참조
- **Serositis (e.g., pleuritis, pericarditis)** ; NSAIDs (e.g., naproxen) ± antimalarials
  - → oral steroids (low~moderate) / active SLE에서 심하게 동반되면 다른 면역억제제들
  - **Myocarditis** ; high-dose steroids + cyclophosphamide + antimalarials
  - **Nonbacterial thrombotic endocarditis (NBTE)** ; 항응고제(heparin) + 기저 SLE 치료
  - **Acute lupus pneumonitis** ; high-dose ssteroids + 면역억제제(e.g., cyclophosphamide, rituximab, IVIG) + 광범위항생제
  - **Pulmonary hemorrhage** ; high-dose steroids + 면역억제제(e.g., cyclophosphamide, rituximab, MMF, azathioprine) ± plasma pheresis (exchange)
- **Renal disease** ; high-dose ssteroids + cyclophosphamide (or MMF) / class V는 ± cyclosporine
- **CNS disease** ; high-dose steroids + cyclophosphamide (± MMF) ± antiepileptic drug (AED)
- **Thrombocytopenia/AIHA** ; steroids → anti-CD20 mAb (rituximab, ofatumumab), MMF, danazol, IVIG 등 → splenectomy
- **Antiphospholipid Ab syndrome (APS)** ; thrombosis 병력 → 평생 항응고제(warfarin) 치료 필요
  - venous thrombosis 한번 → INR 2.0~2.5 유지
  - recurrent venous thrombosis or arterial thrombosis (특히 CNS) → INR 3.0~3.5 유지
- **Coronary heart disease (CHD)** ··· 일반인보다 동맥경화에 의한 심뇌혈관질환 발생 위험 5~10배
  - 전통적인 위험인자도 흔하지만, active SLE 및 steroid 치료도 CHD의 강력한 위험인자임
  - 예방/치료는 비슷함; 금연, 운동, lipid 조절, 혈압 조절, low-dose aspirin, steroid↓ 등
    (c.f., hydroxychloroquine은 thrombosis↓, lipid 개선, DM↓ 등으로 CHD 예방 효과 有)
  - 혈압조절 : DM or CKD 수준으로 강력하게 조절 권장 (<130/80 mmHg)
  - 항고혈압제는 동반 질환에 따라 선호될 수 있음 ; Raynaud phenomenon → CCB (nifedipine), 신장질환 → ACEi or ARB 등

■ 임신과 SLE

• 임신율/수정률(fertility rate)은 거의 정상임! (남녀 모두)
• miscarriage (유산, 사산)↑ (2~3배) : dz. activity↑, aPL (특히 aCL), HTN, nephritis 등 때
• 조산(premature delivery)도 증가 (50%↑), preeclampsia 위험도 일반인보다 4~6배 증가
• 임신 전 위험도 평가
  - dz. activity, 주요 장기 침범 여부, hypercoagulability, 동반 질환, 과거 임신력 등 평가
    (e.g., CBC, 신기능, 간기능, 폐기능, 심혈관계, anti-dsDNA, complement)
  - active SLE (특히 nephritis) → 6개월 이상 관해를 이룬 뒤에 임신 연기 권장
  - antiphospholipid Abs (aPLs) 및 <u>anti-Ro/SSA, anti-Ra/SSB</u> 검사도 필수임
    ↳ neonatal lupus & congenital heart block과 관련
• SLE 임산부의 치료
  ① 모든 임산부에서 hydroxychloroquine<sup>HCQ</sup> (∵ flare↓), low-dose aspirin (∵ preeclampsia↓)
    - 합병증 과거력 없는 aPL(+) 임산부는 HCQ + aspirin 치료가 혈전 및 사산 예방에 도움
    - 합병증(유산, 사산 등) 과거력 있는 aPL(+) 임산부는 추가로 heparin (e.g., LMWH)도 투여
      ⇨ <u>low-dose aspirin + heparin</u> (분만 후 4~6주까지 투여 → 모유 수유 끝나면 warfarin으로 대치)
  ② 기타 선택적 사용 가능 약물 ; NSAIDs, steroids, azathioprine, cyclosporine, tacrolimus 등
    - NSAIDs ; 1st trimester의 안정성은 논란, 이후 ~30주까지는 괜찮음, 30주 이후는 금기
    - cyclophosphamide, MMF, MTX, leflunomide, ACEi/ARB 등은 금기임

■ Neonatal lupus

• SLE 임산부의 약 30%에서 anti-Ro/Ra Ab (+)
• anti-Ro/Ra Ab (+) 산모의 1~5%에서 neonatal lupus 발생 (∵ 태반을 통과)
• UV 노출 뒤 특징적 skin rash 발생, skin rash는 수개월 내에 사라지고 이후 재발은 드묾
• congenital heart block (CHB) : 드묾(~2%), <u>anti-Ro/La</u>, HLA-DR3인 산모와 관련
• anti-Ro/La (+)면 주의 깊게 태아 심박수 monitoring, 심초음파 등 시행 (위험하면 즉시 분만)

## 예후

• 생존율 ; 2YSR 90~95%, 5YSR 82~90%, 10YSR 71~85%, 20YSR 63~75%
• 예후가 나쁜 경우
  ① serum creatinine 상승 (>1.4 mg/dL), NS (24hr urine protein >2.6 g)
  ② HTN (→ 적극적으로 치료해야)
  ③ 심한 CNS 침범
  ④ hypoalbuminemia, hypocomplementemia, antiphospholipid Ab
  ⑤ anemia, thrombocytopenia
  ⑥ 남성, 흑인, 낮은 사회경제적 지위
  ⑦ 발병 연령이 낮거나 높을 때, 발병에서 진단까지의 기간이 길 때
  ⑧ high overall disease activity

• 사망 원인
① ~10년 : systemic dz. activity (e.g., CNS dz., renal dz.), infection (∵ 면역억제)
② ~20년 : thromboembolic event (동맥경화성 심혈관질환), 치료 부작용, ESRD

# DRUG-INDUCED LUPUS (DIL)

## 1. 원인

| Drugs          Risk | High~Moderate | Low | Very low |
|---|---|---|---|
| Antiarrhytmics | Procainamide<br>Quinidine | | Disopyramide<br>Propafenone |
| Antihypertensives | Hydralazine | Methyldopa<br>Captopril<br>Acebutolol | Enalapril, Clonidine<br>Atenolol, Labetalol<br>Pindolol, Minoxidil, Prazosin |
| Antithyroidals | | Propylthiouracil | |
| Antibiotics | | Isoniazid<br>Minocycline | Nitrofurantoin |
| Anti-<br>inflammatories | | D-Penicillamine<br>Sulfasalazine | Phenylbutazone |
| Diuretics | | | Chlorthalidone<br>Hydrochlorothiazide |
| Antipsychotics | | Chlorpromazine | Perphenazine, Phenelzine<br>Chlorprothixene<br>Lithium carbonate |
| Anticonvulsants | | Carbamazepine | Phenytoin, Trimethadione<br>Primidone, Ethosuximide |
| Miscellaneous | | | Lovastatin, Levodopa<br>Aminoglutethimide<br>α-IFN, Timolol eye drops |

## 2. 임상양상

• 원인 약물을 대개 수개월~수년 복용시 발생 (일반적인 약물 부작용과의 차이)
• 흔한 증상 ; 발열, 관절통, 근육통, 관절염, rash, 심장과 폐의 염증(serositis) 등
  - 대부분 mild, 혈액학적 이상이나 심한 증상(e.g., 신장, CNS 침범)은 드문 편임
  - 원인 약물의 종류에 관계없이 증상은 비슷한 편임. 원인 약물을 계속 복용하면 악화
• 검사 소견 ; ANA, anti-histone Ab가 대부분에서 (+)
  - spontaneous SLE에서도 anti-histone Ab는 양성일 수 있음 (not specific)
  - 예외 ; quinidine은 대개 ANA (−), hydralazine의 2/3는 anti-histone Ab (−)
• DIL을 일으키는 대부분의 약물은 spontaneous (idiopathic) SLE 환자에서 안전하게 사용 가능
• spontaneous SLE 환자에서 DIL 발생위험이 더 증가하지는 않음

## SLE와 DIL의 차이

| | | Idiopathic SLE | Drug-Induced Lupus |
|---|---|---|---|
| 발생연령 | | 20~40대 | 50대 |
| 남:여 | | 1:9 | 1:1 |
| 민족 | | 모든 민족 | 흑인에선 드뭄 |
| Acetylation type | | Slow = fast | Slow |
| 증상 발생 | | 서서히 | 급격히 |
| 전신증상(fever, malaise, myalgia) | | ~95% | ~50% |
| 관절염/관절통 | | ~95% | ~95% |
| 흉막염/심장막염 | | ~60% | ~60% |
| 피부발진 | | 50~80% | 10~30% |
| 신장침범(U/A 이상) | DIL에선 | 30~50% | 0~5% |
| CNS 침범 | 드뭄 | ~60% | 0~2% |
| 혈액학적 이상 | | ~85% | 0~33% |
| 자가 항체 | ANA | 95~98% | 95~100% |
| | Anti-dsDNA | 50~80% | <5% |
| | Anti-Sm | 20~30% | <5% |
| | Anti-histone | 60~80% | 90~95% |
| | Anti-Ro/SSA | 30~40% | 자료부족(70~90%) |
| | Anti-RNP | 40~50% | 20% |
| | Complement | ↓(40~65%) | 정상 |
| | Coombs test (+) | 18~65% | 0~33% |

## 3. 치료

- 원인 약물의 중단 → 대부분의 환자는 몇 주 내에 증상 회복
   (ANA는 바로 감소하기 시작하나, 수년간 지속될 수도 있음)
- NSAIDs, 피부 병변에는 topical steroids
- 이후의 치료는 idiopathic SLE와 비슷함 ; 단기간 antimarials, 심하면 oral steroids
   c.f.) 전형적인 경우들과 달리 hydralazine-induced vasculitis는 ANCA-positive vasculitides처럼
      면역억제제 치료가 필요한 경우가 많음

# 7
# 전신경화증(Systemic Sclerosis, SSc)

## 개요

- 피부와 내부장기(e.g., 위장관, 폐, 심장, 신장) 등 전신의 섬유화(fibrosis)와 vascular dysfunction이 특징인 만성 염증성질환으로 복잡하고 다양한 임상양상을 보임
- 크게 2 forms으로 분류
  ① 제한 전신경화증(limited SSc/scleroderma, 80%) : 얼굴과 사지말단에 국한된 scleroderma, 대개 혈관증상이 현저함(e.g., Raynaud's phenomenon, mucocutaneous telangiectasia, PAH), 흔히 CREST syndrome 동반, 예후 좋음 (∵ 신부전과 ILD가 발생 안 함)
    - limited = CREST syndrome (Calcinosis, Raynaud's phenomenon, Esophageal dysmotility, Sclerodactyly, Telangiectasia)
    - digital ischemia와 pul. HTN은 오히려 diffuse보다 흔함
  ② 광범위 전신경화증(diffuse SSc/scleroderma, 20%) : 사지근위부와 몸통에도 scleroderma 발생, tendon friction rubs이 특징, 진행이 빠르고 신장 등의 내부 장기 침범이 더 심함
- 역학
  - 매우 드묾 ; 발생률 8~56명/100만, 유병률 38~340명/100만
  - 35~50세에 호발 (나이가 들수록 증가), 남:여 = 1:4.6 (우리나라는 1:9)
  - 여성 ; limited SSc 더 많음, 좀 더 어림, 말초혈관질환↑, ILD 더 심하고 심혈관합병증↑

## 임상양상

### 1. 레이노 현상 (Raynaud's phenomenon, RP)

- 거의 모든 SSc에서 발생, limited SSC에서 가장 먼저 나타나는 증상, 몇 년 뒤에 다른 증상 발생 (diffuse SSc 일부에서는 피부 경화가 시작된 이후에 RP가 발생하기도 함)
- 정의 : 추위나 심리적 스트레스에 노출시 vasospasm에 의해 손/발가락 끝이 가역적 피부색 변화를 보이는 것 (pallor → cyanosis → 따뜻하게 해주면 rubor), 주위 정상 피부와 경계가 명확함
  - 회복되면서 통증, 저림, 감각저하, 움직이기 불편함 등이 동반됨
  - 손가락의 일부 or 전체를 침범하지만, 손 전체에 생기는 경우는 드묾 (때때로 코, 귀에도 발생)

| 임상양상 | Limited SSc | Diffuse SSc |
|---|---|---|
| Raynaud 현상 발생 | 피부 침범보다 선행, | 피부 침범과 비슷하게 발생, |
| Severity | 심함 | 대개 mild |
| Ischemic digital ulcers | 50% | 25% |
| 초기 증상 | Raynaud 현상 | 손가락부종, 관절통(>90%) |
| | | Raynaud 현상, 장관 증상 |
| 피부 침범 | 90% | 100% |
| 침범(경화) 범위 | 손, 얼굴 | 사지 전체, 체간, 얼굴 |
| 침범 속도 | 느리고 경미함 | 처음 2년 동안 빨리 |
| 모세혈관확장증(telangiectasia) | 80~85% | 30~40% |
| 피하 석회증(calcinosis) | 45~50% | 5~10% |
| 인대마찰음(tendon friction rub) | <1% | 60% |
| 근육병증(myopathy) | 5 | 50 |
| 내부장기 침범 | | |
| 위장관 | 70% (초기) | 90% (초기) |
| 폐 | 60% (말기) | 70% (초기) |
| | 폐동맥고혈압(PAH)이 흔함 | Fibrosis, ILD이 흔함 |
| 심장 | 50% (말기, CHF는 드물) | 50% (초기) |
| 신장 | 매우 드물 | 10~15% (초기) |
| Anticentromere Ab | ~40% | 2% |
| Anti-topoisomerase 1 Ab | ~10% | ~40% |
| Anti-RNA polymerase III Ab | ~5% | ~25% |
| 5YSR/10YSR | 90%/75% | 70%50% |

- primary RP ; 다른 원인이 없음, 과장된 생리적 vasoconstriction 반응으로 생각됨
  - 유병률 3~5%, 대개 15~30세에 발병 (이후 전 연령에서 꾸준하게 발병), 남<여, 가족력 흔함
  - 혈관의 구조적 이상 無, 허혈성 조직 손상(e.g., ulcer, necrosis)으로 진행 안함
- secondary RP ; <u>SSc, MCTD</u>를 비롯한 여러 류마티스질환 등의 원인이 동반된 경우
  - primary보다 발병 연령 약간 늦음 (30세 이후)
  - 증상 지속시간 및 통증 더 심함, 허혈성 조직 손상(e.g., ulcer, necrosis, scar) 발생 가능
  - <u>손톱주름 모세혈관경(nailfold capillary microscopy, NFC)</u> ; 확장, 불규칙, 출혈, 무혈관 부위 등
  - ANA, anti-centromere Ab 등의 자가항체가 양성일 수 있음
  - 향후 systemic sclerosis의 발생이 증가하는 경우
    ① ANA 양성
    ② nailfold capillary microscopy (NFC) 이상 ⋯ SSc의 진단기준 중 하나
    ③ 기타 ; ESR↑, digital pitting ulcer, 내부 장기 침범, 흔한 attacks, 여성

## 2. 피부 증상 (m/c, 90~100%)

┌ limited SSC : <u>Raynaud's phenomenon</u> 발생 몇 년 뒤에 발생 (얼굴과 사지말단에만!)
└ diffuse SSc : RP가 발생하면서 수 주 ~ 수개월에 걸쳐 피부경화가 전신적으로 빠르게 진행
- 피부 변화는 손가락/손에서 시작, distal → proximal로 진행 / distal에서 심함

- 초기(염증기) ; 손/손가락 붓고(<u>puffy fingers</u>), 피부건조, 홍반(erythema), 가려움, 통증, 주름↓
  ⇨ 진행성 피부 섬유화 (수년 동안 지속) ; 피부 경화증(피부가 굳어지고, 두꺼워짐)
  ⇨ 피부 위축 ; 얇아지고 굳어진 피부가 섬유화된 피하조직에 부착되어 손가락의 flexion
     contracture를 일으킴(<u>sclerodactyly</u>가락피부경화증), 뼈가 튀어나온 부위(e.g., 손가락 끝, DIP와 PIP)
     에서는 ulcer 발생 가능, 손가락 끝 허혈괴사 부위는 치유되면서 오목해짐(pitting)
- 얼굴의 변화 ; 피부주름 소실, 얼굴 표정이 굳어짐, 코는 부리 모양(beak-shaped nose),
     입을 크게 벌리기 어려움(microstomia), 입가의 방사상 주름(radial furrowing),
     입술이 얇아지고 입이 '쥐 모양'처럼 변함(→ 특징적인 "mousehead [mauskopf] appearance")
- hyperpigmentation or depigmentation("salt and pepper") ; 두피, 등, 가슴에 심함
- mucocutaneous <u>telangiectasia</u> (모세혈관확장증) ; limited SSc에서 흔함
- subcutaneous calcification ; 오래 지속된 anti-centromere Ab(+) limited SSc에서 흔함

## 3. 근골격계 증상

- polyarthralgia ; 손가락과 무릎의 pain, swelling, stiffness (1/2 이상에서)
- 인대마찰음(tendon friction rubs) ; 주로 diffuse SSc에서, 손가락, 손목, 팔꿈치, 무릎, 발목에 흔함
- 과도한 섬유화 → carpal tunnel syndrome, 관절운동↓ (→ 근육위축), 관절구축(contracture) ...
- muscle atrophy (sarcopenia), muscle weakness, myopathy

## 4. 위장관 침범 (2nd m/c, ~90%)

(1) oropharynx (~25%) ; 입/혀의 경화로 씹기/삼키기 어려움 → oral leakage, retention, aspiration
(2) esophagus (50~80%) ; 흔하지만, ~30%는 무증상
   - 식도 하부 2/3을 침범 → peristaltic wave (-) or amplitude↓
   - dysmotility → dysphagia (특히 solid food에 대해)
   - <u>GERD</u> (LES pr.↓), peptic esophagitis, Barrett's metaplasia ...
(3) stomach (식도와 소장 침범보다는 드묾)
   - gastroparesis가 흔함 ; gastric emptying time 연장
   - GAVE (gastric antral vascular ectasia) ; "watermelon stomach", GI bleeding 반복
(4) small & large intestines (20~60%)
   - hypomotility → bloating Sx, abdominal pain (pseudoobstruction)
   - malabsorption syndrome (∵ bacterial overgrowth에 의해) → diarrhea
   - chronic constipation, bowel obstruction, incontinence

## 5. 폐 침범 (3rd m/c, ~80%)

- 환자의 ~80%에서 동반 (GI 다음으로 흔함), SSc가 많이 진행되어야 증상 발생
- 예후와 관련 깊으며, SSc의 m/c 사망 원인 (c.f., 과거에는 신장 침범이 m/c 사인)

(1) interstitial lung disease (ILD)
   - ILD & pul. fibrosis → 제한성 폐기능 장애 (limited보다 <u>diffuse</u> SSc에서 약 2배 더 흔함)
   - SSc의 ~80에서 발생, 임상적으로 의미 있는 (진행하는) ILD는 25~30%에서만 발생, 사망률 3배

- risk factor ; 남성, 흑인, 미만성 피부 침범, 심한 GERD, <u>anti-topoisomerase 1 Ab</u>,
  처음 발병시 FVC or DL$_{CO}$↓
- <u>exertional dyspnea</u> (m/c), 피곤, 운동능력↓, dry cough, bilateral basilar rales (Velcro crackles)
- <u>PFT</u> (restrictive pattern) ; FVC↓, lung compliance↓, DL$_{CO}$↓ ⇨ 폐 침범의 조기 진단에 중요!
- CXR or HRCT (간질성 폐침윤) ; subpleural reticulonodular opacities (주로 폐 하엽),
  mediastinal lymphadenopathy, traction bronchiectasis, honeycomb cystic change ...
  (간유리 음영도 약 50%에서 관찰됨 → fine fibrosis)
- BAL (감염 R/O에 유용) ; neutrophils >2% and/or eosinophil >3% → poor Px.
- biopsy (비전형적인 경우에만 시행) ; nonspecific interstitial pneumonia (m/c) → good Px
- serum KL-6 ; SSc 환자에서 ILD의 발견 및 F/U에 유용한 biomarker
  (Krebs von den Lungen-6, human MUC1 mucin protein ; type II pneumocytes에서 생성)

**(2) pulmonary arterial HTN (PAH)**

- SSc 환자의 10~15%에서 발생, 오래 진행된 <u>limited</u> SSc에서 흔함, 대개 독립적으로 발생하지만
  (isolated PAH, <u>iPAH</u>), ILD에 합병되어 발생할 수도 있음 (특히 diffuse SSc에서)
- 정의 : mean pul. arterial pr. >25 mmHg & PCWP <15 mmHg
- risk factor ; longstanding limited SSc, 고령, 심한 레이노현상, CREST syndrome,
  <u>anti-centromere Ab</u>, anti-U1 RNP, anti-U3 RNP, anti-Th/T$_0$, anti-B23, anti-$\beta_2$ GPI
- 초기에는 대부분 무증상, 피곤, exertional dyspnea (m/c), FVC보다 <u>DL$_{CO}$</u> 감소가 더 심함
- 진행되면 angina, syncope, Rt-HF의 증상(e.g., 부종, JVP↑)
- <u>심초음파</u> ; screening (안정시 pul. arterial systolic pr. 40 mmHg 이상이면 PAH 시사)
- <u>심도자(Rt. heart catheterization)</u> ; 확진 및 severity 평가에 필수 (폐동맥압은 예후와 비례)
- serum BNP or N-terminal pro-BNP ; PAH의 발견, F/U, 예후 및 치료반응 파악 등에 유용
- 사망률 높음(3YSR 52~75%), idiopathic PAH보다 예후 나쁨, ILD도 동반시 더 나쁨

# 6. 신장 침범

- sclerodermal renal crisis (SRC) ; 내재된 vascular fibrosis 및 interstitial collagen accumulation에
  강력한 혈관수축/폐쇄가 합병되면서 발생 (renin-angiotensin system의 activation)
  → **malignant HTN** (두통, 시력장애, MAHA/TMA 등), 급격히 renal failure로 진행
  - SSc 환자의 10~15%에서 발생, 거의 대부분 diffuse SSc에서, 발병 초기(<4년)에 합병
  - 효과적인 치료법(ACEi)이 나오기 전까지는 SSc의 주요 사인이었음
  - risk factor ; 남성, 발병 초기 (Sx 1년 미만), diffuse SSc에서 피부 침범이 빠르게 진행,
    palpable tendon friction rub, pericardial effusion, new-onset anemia, thrombocytopenia,
    anti-RNA polymerase III (+) (or FANA에서 fine speckled pattern), <u>high-dose steroid</u>
    (가능하면 사용 피함, 필요한 경우에만 저용량으로 단기간만 주의 깊게 사용 ↵)
  - 약 10%는 혈압이 정상인데도 SRC 발생 ; LV dysfunction → BP↓, 대개 예후 나쁨
- 기타 ; glomerulonephritis, microscopic hematuria, cellular casts 등은 드묾
  (D-penicillamine, cyclosporine 등의 약물에 의해서도 신독성 발생 가능)

## 7. 기타

- 심장 (10~30%) ; primary or 2ndary (e.g., PAH, ILD, SRC)로 발생
  - pericarditis (± effusion)^m/c, constrictive pericarditis, cardiomyopathy, myocarditis, heart failure (∵ systolic or pul. HTN), heart block or arrhythmias
  - 무증상 침범이 많으므로 tissue Doppler echo., MRI, SPECT, BNP 등의 검사 필요
- dry eye and/or dry mouth, hypothyroidism, trigeminal neuralgia, impotence, biliary cirrhosis ...

# 검사소견/진단

- anemia
  ① 만성 염증에 의한 hypoproliferative anemia (m/c)
  ② GI bleeding (∵ GAVE, chronic esophagitis)에 의한 IDA
  ③ bacterial overgrowth & 흡수장애에 의한 vitamin $B_{12}$ and/or folate deficiency
  ④ microangiopathic hemolytic anemia - 신장 침범시 흔함!
- polyclonal hypergammaglobulinemia (대부분 IgG) : 약 1/2에서
- <u>ANA</u> : 95%에서 양성 (anti-Scl-70, antinucleolar, anticentromere Ab 등을 포괄)
- RF (low titer) : 약 25%에서 (+)
- 다른 류마티스질환들과 다르게 ESR은 대개 정상임 (→ 상승되면 근육염 or 악성종양 동반 시사)

### Systemic Sclerosis에서의 자가항체 ★

| 자가항체 | 관련질환 | 빈도(%) | 침범 장기 관련성 |
|---|---|---|---|
| <u>Anti-centromere Ab</u> | Limited SSc (CREST) | 15~40 | <u>PAH</u>, PBC, 손가락허혈 |
| <u>Anti-topoisomerase 1 (anti-Scl-70)</u> | Diffuse SSc > Limited SSc | 10~40 | <u>ILD</u>, 심장, 신장, 말초혈관염, 인대마찰음 등 |
| <u>Anti-RNA polymerase I, II, III</u> | Diffuse SSc > Limited SSc | 4~25 | 광범위하고 빠른 피부침범, 인대마찰음, 신장, 악성종양 |
| Anti-Th/T₀ (anti-Th) | Limited SSc | 1~7 | PAH, ILD (폐섬유화), 소장 |
| Anti-U1 RNP (ribonucleoprotien) | <u>MCTD</u> | 5~35 | severe PAH, 근육염 |
| Anti-U3 RNP (anti-fibrillarin) | Diffuse SSc, Limited SSc | 1~5 | PAH, ILD, 신장, 근육염 |
| Anti-PM/Scl (anti-PM1) | Overlap (SSc + polymyositis) | 0~6 | 근육, 관절염, calcinosis |
| Anti-B23 (anti-nucleophosmin) | Overlap syndrome | | |

- anti-centromere Ab : SSc에 매우 specific, PAH↑, good Px.
- anti-topoisomerase 1 (anti-Scl-70) : SSc에 매우 specific, ILD↑, poor Px.
- anti-U₃ RNP (anti-fibrillarin) : SSc에 매우 specific하지만 드뭄
  - skeletal muscle dz, GI involvement, pulmonary HTN, ILD, renal crisis 등과 관련
- anti-$\beta_2$ GPI (APS 진단에 이용) : SSc에 특이적이진 않지만 손가락 허혈↑와 관련
c.f.) ANCA는 SSc와 관련이 없으므로 검사 안함

* SSc의 진단은 대개 임상양상으로 하게 됨(e.g., 레이노 현상, 피부 경화, 손가락 병변, ILD/PAH)
  초기에는 비특이적인 증상 때문에 다른 류마티스 질환과 감별이 어려울 수 있음
  ANA & SSc-related autoAb (+)면 진단 특이도가 높음
       ↳ anti-centromere, anti-topoisomerase 1 , or anti-RNA polymerase III
  nail fold capillary microscopy 검사도 진단에 도움
  (특히 primary Raynaud's phenomenon ↔ early or limited SSc 감별에)

| ACR/EULAR criteria for the classification of SSc (2013) | | |
|---|---|---|
| 1. 양손 손가락의 피부가 MCP의 근위부까지 두꺼워짐 | | 9 |
| 2. 손가락 피부경화<br>　(더 높은 점수만 계산함) | 손가락 부종(puffy fingers)<br>가락피부경화증(sclerodactyly) | 2<br>4 |
| 3. 손가락 끝 병변<br>　(더 높은 점수만 계산함) | 수지궤양(digital tip ulcers)<br>함요반흔(pitting scars) | 2<br>2 |
| 4. 모세혈관확장증(telangiectasia) | | 2 |
| 5. 손톱주름 모세혈관 이상(abnormal nailfold capillaries) | | 2 |
| 6. 폐동맥고혈압(PAH) and/or ILD<br>　(최대 2점으로 계산) | PAH<br>ILD | 2<br>2 |
| 7. Raynaud phenomenon | | 3 |
| 8. SSc-관련 자가항체 ; Anti-centromere, Anti-topoisomerase 1<br>　(anti-Scl-70), anti-RNA polymerase III | | 3 |

총 점수가 9점 이상이면
SSc로 진단

ACR: American College
　of Rheumatology
EULAR: European League
　Against Rheumatism

## 치료/예후

: 주로 symptomatic & supportive therapy (SSc의 경과를 의미 있게 개선하는 치료는 없음)
 → 비가역적인 손상이 발생하기 전에 조기에 진단 & 치료하는 것이 중요

## 1. 면역억제치료

• 적응 ; 광범위한 피부침범(severe/progressive), ILD의 inflammatory stage (alveolitis), 심근염,
　심한 염증성 근염/관절염 → 증상 완화 및 진행을 지연시키기 위해
　(but, 다른 류마티스질환들에 비해 효과는 부족함)
• mycophenolate mofetil (MMF) ; 피부경화와 폐섬유화(ILD) 호전 효과
• cyclophosphamide ; ILD와 피부경화를 약간 호전시킬 수 있지만, 부작용이 심하므로 주의
• methotrexate ; 약간의 피부증상 호전 효과
• glucocorticoids : diffuse SSc 초기에 stiffness, 피곤, 통증 등의 증상 개선 효과는 있지만
　경과를 개선하지는 못하고, 고용량 사용시 renal crisis 유발 위험으로 가능하면 사용을 피함!
　→ 적응 : myositis, active fibrosing alveolitis, symptomatic serositis, 초기 피부병변, refractory
　　　arthritis, tenosynovitis (꼭 필요한 경우에만 소량을 단기간 사용)

- 다른 면역억제제(e.g., cyclosporine, azathioprine, plaquenil, thalidomide, rapamycin)는 효과 없음
- 연구 중 (일부 효과?) ; rituximab (+ extracorporeal photophotopheresis, IVIg), abatacept (anti-CTLA4-Ig fusion protein), tocilizumab (IL-6 mAb) ...

* 항섬유화치료(antifibrotic therapy)
  - D-penicillamine (low-dose) : 치료적 가치는 불분명하지만, SSc 환자에 약간 도움
  - minocycline, bosentan, relaxin, ITN-γ, TNF inhibitors 등은 효과 없음
  - IPF 치료에 허가된 새로운 antifibrotic drugs인 pirfenidone, nintedanib은 SSc-ILD에서도 기대됨
* autologous hematopoietic stem cell transplantation (HSCT) ; 유일하게 remission도 가능하지만, 부작용이 크므로 refractory/progressive early severe SSc에서만 고려 (심한 장기침범 발생 전)

## 2. 침범 장기별 치료

### (1) 피부
- 피부 건조 방지, 피부 massage, 규칙적인 운동, 손가락 끝 궤양을 방지할 수 있는 보호구 착용
- 초기 염증기에는 MMF, cyclophosphamide, methotrexate, D-penicillamine 등이 효과적
- 심한 가려움 → antihistamine, lubricating cream (특히 lanolin 성분), capsaicin, menthol, low-dose oral steroid (topical steroid는 효과 없음)
- digital ulcer → wound care (e.g., hydrogels & hydrocolloids dressing), PDE5 inhibitors, ERA, prostanoids 등 → 효과 없으면 ulcer debridement, digital sympathectomy and/or botulinum toxin injection

### (2) Raynaud's phenomenon (RP) 및 혈관치료
- 목표 ; vasospastic episode↓, ischemic Cx 예방, 회복 촉진, obliterative vasculopathy 진행 지연
- 일반 원칙 ; 말초 및 심부를 따뜻하게 유지하는 것이 m/i
  - 옷을 따뜻하게 입고, 장갑/양말 착용, 금연, external stress 원인 제거
  - 피해야할 약물 ; amphetamine, ergotamine, β-blockers (혈관수축 유발) ...
- long-acting dihydropyridine CCB (1st choice) ; amlodipine 나 nifedipine이 선호됨
  - RP attacks의 frequency 및 severity 감소 효과, SSc 환자에서는 심장기능 호전 효과도 있음
  - 부작용 ; hypotension, headache, dizziness, flushing, tachycardia, peripheral edema 등
- CCB를 사용 못하거나 금기일 때 고려할만한 약제들
  - PDE5 inhibitors (e.g., sildenafil) ; SSc의 재발성 궤양에서는 CCB와 병합사용 고려
  - topical nitrates (nitroglycerin 연고) ; 일부 손발가락에만 심한 경우 단기간 사용시 효과적
  - losartan (angiotensin II receptor blocker, ARB) / ACEi는 효과 없음
  - fluoxetine (selective serotonin reuptake inhibitor, SSRI)
  - oral bosentan ; SSc에서 CCB + PDE5i 치료에도 digital ulcer 재발시 → ulcer 예방 효과
- acute severe ischemic event (e.g., cyanosis, severe pain)
  - 위의 치료들 + heparin (단기간만), pain control (e.g., opioid analgesics), wound care
  - 반응 없으면 IV prostaglandins ; epoprostenol (prostacyclin = PGI₂), synthetic PGI₂ analog (iloprost, treprostinil), or alprostadil (PGE₁) / oral PGs은 효과 부족
  - IV PGs를 사용 못하거나 효과 없으면 digital or regional block → 빠른 통증 감소 효과
- refractory/progressive ischemia → digital sympathectomy, low-dose aspirin

### (3) 폐동맥고혈압(PAH)

- 증상이 있는 PAH의 경우 일반적인 PAH 치료와 비슷함
  (c.f., CCB : RP에는 효과적이지만, SSc-PAH에서는 다른 PAH와 달리 도움 안됨)
- oral ERAs (ambrisentan, bosentan, macitentan), PDE5 inhibitors (e.g., sildenafil, tadalafil),
  soluble guanylate cyclase (sGC) stimulant (oral riociguat) 등 경구약제의 단독 or 병합요법
- 반응 없으면 prostacyclin agonists (prostanoids) ; selexipag (oral), inhaled iloprost,
  IV/SC/inhaled treprostinil, IV epoprostenol 등
- 기타 필요시 O₂, diuretics, digoxin ... (항응고제는 이득이 없고, 해로울 수 있어 사용×)
- 내과적 치료에 반응 없으면 폐이식

### (4) ILD (interstitial lung dz.)

- active alveolitis, HRCT/폐생검에서 NSIP 소견, SSc의 m/c 사인 (평균 5~8년 생존)
- 면역억제제(cyclophosphamide, MMF)가 효과적, HSCT는 remission도 가능하지만 부작용이 문제

### (5) 콩팥위기(clerodermal renal crisis, SRC)

- 항고혈압제 ; ACEi (e.g., captopril, enalapril, lisinopril, ramipril)가 choice
  (encephalopathy, papilledema 등의 CNS Sx이 있으면 IV nitroprusside 추가)
- 약 20~50%는 ESRD로 진행해 투석이 필요함 → 약 1/2은 투석을 중단할 수준으로 회복됨
- 2년 이상 투석이 필요하면 신장이식 고려 (재발은 드물, 예후는 다른 CTD의 이식과 비슷)

### (6) 위장관 침범

- GERD → PPI가 m/g (H₂-RA는 단독으로는 효과 나쁘고, PPI에 반응이 없는 경우 추가 가능),
  prokinetic agents (e.g., metoclopramide)는 연하곤란이나 위배출지연이 있는 경우만 효과
- gastric antral venous ectasia (GAVE) → 출혈 방지를 위해 endoscopic ablation
- malabsorption syndrome (small intestinal bacterial overgrowth, SIBO) → 항생제
- intestinal pseudo-obstruction → prokinetic agents (e.g., EM, metoclopramide, octreotide)
  (chronic intestinal pseudo-obstructionCIPO는 영양요법과 항생제도 필요)

### (7) 근골격계 증상

- arthralgia → NSAIDs, AAP
- inflammatory arthritis (RA 치료와 비슷) → low-dose steroid, hydroxychloroquine, MTX 등
- inflammatory myopathy (idiopathic polymyositis 치료와 비슷) → low-dose steroid ± MTX,
  azathioprine, or 다른 면역억제제

## 3. 예후/경과

- 발병 몇 년 뒤에는 skin softening 발생 (발병 때와는 반대 순서로)
- limited dz.는 예후 좋은 편임 (특히 anti-centromere Ab 양성시)
- 예후가 나쁜 경우 (mortality↑) : 광범위한 피부 침범, 심장/폐 침범, anti-topoisomerase 1 Ab,
  anti-Th/To, 남성, 어리거나 고령에서 발병
- 사망원인 ; 폐 침범^(m/c) (ILD 17~19%, PAH 14~15%), 심장(HF, 부정맥), 신장 침범, 악성종양 등

# ■ 혼합결합조직병 (Mixed connective tissue disease, MCTD)

## 1. 정의

① anti-$U_1$ RNP Ab 양성
② limited SSc + SLE + PM/DM + RA의 임상양상을 가지는 overlap syndrome
   ; Raynaud's phenomenon, 손/손가락 부종, 근염(myositis), 활막염(sinovitis), erosive arthritis 등
   (시간이 경과하면서 각 질환의 특징적 증상들이 순차적으로 나타남)

## 2. 임상양상

- 10~20대에 호발, 주로 여성에서 발생
- 흔한 증상 ; Raynaud's phenomenon (RP), puffy hands, arthralgia, myalgia, fatigue
   (피부 침범은 limited SSc 양상 → 체간은 침범 안 함!)
- high fever, polymyositis, arthritis (bony erosion은 드묾), neurologic features
   (e.g., trigeminal neuralgia, aseptic meningitis) 등도 발생 가능
- 85%에서 폐 침범이 있지만, 대개는 무증상임
- 위장관 침범 (70%에서) ; esophageal dysmotility (m/c), lower esophageal sphincter laxity,
   gastroesophageal reflux ...
- 심장 침범 ; pericarditis (30%), myocarditis, arrhythmia, MVP ...
- 신장 침범 (25%에서) ; membranous GN이 m/c (대개 mild)

## 3. 검사소견

- anemia of chronic inflammation (대부분에서)
- direct Coombs' test (+) : 60%에서 (but, hemolytic anemia는 드묾)
- hypergammaglobulinemia 흔함, RF는 50~70%에서 (+)
- anti-$U_1$ RNP Ab (95~100%) : high-titer, 주로 IgM type (↔ SLE에서는 주로 IgG)
   - FANA에서는 very high-titer speckled pattern
   - HLA-DR4와 관련 (↔ SLE는 HLA-DR2 또는 -DR3와 관련)

## 4. 치료/예후

- 각각의 connective tissue dz.에 대한 치료와 동일
- SSc와 달리 steroid에 반응이 좋은 편임
   - aseptic meningitis, myositis, pleurisy, pericarditis, myocarditis 등은 steroid에 반응
   - but, NS, RP, deforming arthropathy, acrosclerosis, peripheral neuropathies 등은 반응×
- 반 이상은 예후 좋다 (10YSR 약 80%)
- pul. arterial HTN - MCTD의 m/c 사망원인

# 8
## 염증성 근육병증(근염)

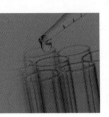

## 개요

- inflammatory myopathies (= inflammatory myositis, idiopathic inflammatory myopathies[IIM])
  : 골격근의 염증과 근력저하를 포함한 다양한 임상양상을 보이는 원인불명의 전신 자가면역질환
- 전형적인 DM을 제외하고는 진단이 복잡함 (autoAb, 근육생검, MRI, EMG 등 검사 필요)
- 역학 (드묾)
  - 발생률 >4명/10만/yr, 유병률 10~22명/10만, 40~50세에 호발
    (DM은 이상성 분포 : 7~15세, 30~50세)
  - 남:여 = 약 1:2 (예외 ; IBM은 50세 이상 남성에서 호발)
  - 악성종양 발생도 증가함 ; 우리나라 표준화 암발생비 (standardized incidence ratio, SIR)
    일반인보다 DM 2배 (실제는 더 높음), PM 1.5배 … 위, 갑상선, 폐 등
    ↳ 외국 : 진단 2~3년 이내에 ~15%에서 발생

## 임상양상

### 1. 피부근육염(Dermatomyositis, DM)[m/c]

- symmetric proximal muscle weakness + 특징적인 rash로 인하여 조기에 진단 가능
- heliotrope rash : 윗 눈꺼풀의 부종을 동반한 연보라색 발진 … 가장 특징적!
- Gottron sign : 팔꿈치, 무릎, 손가락 마디, 엉덩관절, 복사뼈 등의 피부색이 적자색으로 변색
- Gottron's papules : 주먹결절(knuckle) 위의 피부가 적자색으로 융기되고 각질이 일어나는 증상
- erythematous rash는 전흉부 (V sign), 등/어깨 (shawl sign), 무릎, 팔꿈치, 목 등에도 나타날 수 있음 (햇빛에 노출 뒤 악화되기도 함), SLE와 다르게 가려움 동반
- 손톱아래 모세혈관의 확장, 불규칙하고 두꺼워진 조갑피(cuticle), 손가락의 옆과 밑이 거칠고 갈라짐 (mechanic's hand) [주로 ASS에서], subcutaneous calcification [주로 JDM에서 호발]
- 기타 ; 근육통, 관절통, dyspnea, dysphagia, dysarthria
    ↳ 호흡근 약화, ILD, pneumonia, alveolitis, 심부전 등에 의해 발생 가능

■ inflammatory myopathies의 피부/근골격계 이외 증상

• 심장 침범 ; 무증상이 흔함, AV block, <u>arrhythmias</u>, myocarditis, MI, DCM, CHF ...

• <u>dysphagia</u> & GI Sx ; 특히 DM과 IBM에서 현저

• ILD ; 염증성 근병증의 피부/근골격계 이외 침범 중 m/c (DM 및 PM의 ~20-80%에서 동반)
  - 근육염보다 선행할 수도 있고, 발병 초기부터 동반도 가능 (→ CXR, PFT, <u>HRCT</u> 등 시행)
  - anti-antisynthetase Ab (e.g., <u>anti-Jo-1 Ab</u>) 및 anti-MDA-5 (과거 anti-CADM-140) 흔함
    → 특징적 피부병변 및 overlap syndrome과 관련, severe ILD와도 관련 (poor Px)
    (e.g., digital & palmar papules, ulcerations)

• <u>악성종양</u> ; 모든 염증성 근병증에서 발생 증가, 특히 DM 및 IMNM에서
    → 40세 이상의 환자에서는 항상 악성종양의 가능성을 생각해야 됨!
  - 발생 암 종류는 일반인에서와 비슷함 ; 위, 대장, 폐, 자궁, 난소, 유방, 췌장, 방광, NHL 등
  - 발생위험↑ ; 고령에서 발병, 피부괴사 or leukocytoclastic vasculitis, dysphagia, 근육 생검에서
    capillary damage, anti-TIF-1, anti-NXP-2, anti-HMGCR 등 (c.f., ILD에서는 위험 감소)

■ Clinically amyopathic dermatomyositis (CADM, ADM)

• 근육 증상은 없이 피부 증상만 있는 경우, DM의 10~30% 차지

• anti-MDA-5 (과거 anti-CADM-140) 자가항체 흔함

■ Juvenile Dermatomyositis (JDM)

• 소아 때 발생하는 드문 형태의 DM (소아 염증성 근병증의 85% 차지), 대체로 남≥여

• symmetric proximal muscle weakness + <u>rash</u> (heliotrope, Gottron) + fever가 흔한 증상

• 기타 ; nailfold capillary 이상, 피부 궤양, 연조직 석회화<sup>calcinosis</sup>(30~70%, 마찰/손상 부위에 호발),
  nonerosive arthritis, lipodystrophy, insulin resistance, anasarca ... (ILD는 거의 발생 안함)

• 드물지만 GI vasculopathy는 성인 DM보다는 흔함 → 궤양, 복통, 출혈, 천공 (심각하므로 주의)

• 성인 DM보다 anti-TIF-1 및 <u>anti-NXP-2</u> (= anti-MJ) 자가항체가 흔함
    ↳ calcinosis↑, 공격적 진행 (poor Px)

## 2. 다발근육염(Polymyositis, PM) : rash 없음

• isolated idiopathic PM은 inflammatory myopathies 중 가장 드묾(~5%), 주로 성인에서 발생
  → 다른 inflammatory myopathies (e.g., DM, IMNM, IBM, OM)를 모두 R/O한 뒤에 진단 가능
    (과거에 오진된 경우 많음) → "nonspecific or unclassified myositis"로 부르자는 주장도 있음

• symmetric <u>proximal muscle weakness</u> (acute ~ subacute), 근육통은 드묾
  ┌ 엉덩이와 넓적다리 근육 : 앉았다가 일어서기 힘듦, 계단을 오르지 못함
  └ 어깨 근육 : 물건을 높이 들거나 머리 빗기가 힘듦
  - 인두 및 목 근육 침범 → 발성장애, 연하곤란, (주로 누워있을 때) 고개를 들기 힘듦
  - 눈 근육은 침범 안하고, 안면 근육 침범도 드묾! / DTR 및 감각신경검사는 대개 정상

## 3. 괴사근육병증(necrotizing myopathy<sup>NM</sup>, immune-mediated NM, IMNM)

• **조직검사에서 염증세포 침윤보다는 <u>근섬유의 괴사</u> 및 <u>재생 근섬유(regenerating fibers)</u> 소견이 특징**

- acute ~ subacute proximal muscle weakness, DM/PM보다 더 심하고 진행 빠름
- dysphagia, dysarthria, myalgia 등도 동반 가능
- HMGCR myopathy : <u>anti-HMGCR</u> (+)
  - 30~60%는 statin (HMGCR inhibitor) 복용과 관련, 50세 이상에서 호발 (소아, 젊은이도 가능)
  - statin 복용을 중단해도 회복 안됨
- SRP (signal recognition particle) myopathy : <u>anti-SRP</u> (+), NM의 10~20%에서 (+)
  - subacute, aggressive, refractory course (면역억제제들에 반응 나쁨)
  - cardiomyopathy, muscular atrophy, ILD, dysphagia 등과도 관련
- 악성종양과 관련 많음 (특히 anti-HMGCR 양성시), aggressive, DM/PM보다 치료 어려움

## 4. Antisynthetase syndrome (ASS)

- anti-synthetase Abs (e.g., anti-Jo-1, anti-PL-7, PL-12)를 가지면서 <u>myositis</u>, <u>arthritis</u> (~90%), <u>ILD</u> (~75%), Raynaud's phenomenon, mechanic's hands, fever (30%) 등을 동반한 증후군
- <u>polyarthritis</u> or <u>ILD</u>가 초기 증상일 수도 있음 (→ PFT, HRCT 등 시행)
  ↳ RA와 차이 ; DIP를 주로 침범, erosion보다는 subluxation이 흔함, anti-CCP (−)~low
- 악성종양과 관련 적음, severe ILD를 동반하지 않으면 수명은 거의 정상임 (동반시엔 poor Px)
- ASS 단독 발생 or 드물게 SLE, SSc, Sjögren's syndrome, RA 등 다른 류마티스질환과 중첩 가능

## 5. 봉입체근육염(Inclusion body myositis, IBM)

- 50세 이상 <u>고령</u>에서 m/c inflammatory myopathy, 주로 남성 (남:여 = 3:1)
- 일부에서 가족력 존재 가능 (familial inflammatory IBM)
- 다른 염증성 근병증과 달리 <u>서서히</u> 발생하고(~ 몇 년), 만성적인 경과를 보임
- <u>focal & **distal** muscle weakness, asymmetric involvement</u>
  - deep finger flexors와 foot extensors의 조기 침범(weakness & atrophy)이 대부분 나타남
    → 방문이동을 잡기 힘듦 (악력↓), 열쇠를 돌리거나 매듭을 매기 힘듦 ...
  - 일부는 대퇴사두근(quadriceps) 조기 침범에 따른 무릎 쇠약에 의한 falling도 흔함
  - 60%에서 안면근의 경미한 약화를 보임 (DM/PM은 안면근육 침범 거의 없음)
- dysphagia가 흔하고(30~60%) 조기에 발생 가능 → 흡인폐렴, 기도폐쇄 발생 위험
- CK는 정상이거나 약간만 증가함(<10배), PM으로 오진되기 쉬우므로 biopsy 필요
- 약 ~15%는 다른 류마티스/자가면역 질환 동반 가능 ; SLE, Sjögren's syndrome, SSc, sarcoidosis, Hashimoto thyroiditis, immunoglobulin deficiency, ITP ...
- DM/PM과 달리 myocarditis, ILD, 악성종양 등의 위험 증가×, 면역억제제에 반응×

## 6. Overlap syndrome (OS, overlap syndrome with myositis)

- DM (or PM) 환자에서 다른 류마티스질환의 임상양상도 동반된 것
  (e.g., SSc, MCTD, Sjögren's syndrome, SLE, RA)
- 점점 많아져 염증성 근염 중에서 가장 흔할 것으로 생각됨
- 근염은 DM/PM에서처럼 대개 면역억제제에 잘 반응함

## 검사소견/진단

- <u>skeletal muscle enzymes</u> ↑ ; CK, myoglobin, aldolase, AST, LD, ALT
  - 증가되는 정도는 뒤로 갈수록 낮아지며, liver dz.에서는 반대 순서로
  - 대부분 <u>CK</u>가 크게(~10~50배) 증가함 / IBM은 정상~10배 / ADM은 근육침범을 안하므로 정상
    ↳ 시간 경과에 따른 전반적인 dz. activity를 잘 반영함 (근육약화 발생 몇 주 전에 ↑)
- ESR ↑ (2/3에서), RF 양성 (<1/2), ANA 양성 (60~80%, 주로 speckled pattern) … 비특이적

**■ 자가항체 : Myositis-specific Ab (MSA) , Myositis-associated Ab (MAA)**

| | 자가항체 | 근염에서의 빈도 | 임상양상 |
|---|---|---|---|
| **ASS** | Anti-aminoacyl-tRNA synthetase Abs | 25~35% | Arthritis (~90%), ILD (~75%), fever |
| | <u>Anti-Jo-1</u> (anti-histidyl-tRNA synthetase) | 20~30% | |
| | Anti-PL-7 (anti-threonyl-tRNA synthetase) | 3~4% | c.f.) Anti-PL-7 or anti-PL-12 (+)시 |
| | Anti-PL-12 (anti-alanyl-tRNA synthetase) | 3~4% | ILD 더 흔하고, 사망률 ↑ |
| | 기타 ; Anti-OJ, EJ, KS, YRS/HA (Tyr), Zo | <2% | |
| **OM** | Anti-SSA/Ro52/Ro60* | ~19% (OM은 25%) | Sjögren, SLE, SSc와 관련 |
| | Anti-SSB | ~7% (OM은 12%) | |
| | Anti-U1 RNP (ribonucleoprotein) | 3~8% | MCTD, SLE, SSc와 관련, good Px |
| | Anti-PM-Scl (anti-exosome) | ~12% | 주로 SSc와 관련, 심하고 치료반응 나쁨 |
| | Anti-Ku | 1~3% (OM은 ~20%) | SSc, SLE, MCTD와 관련 ILD 발생 흔함 (steroid에 반응 나쁨) |
| **DM** | Anti-Mi-2 | DM의 ~20% | Classic (adult) DM, good Px |
| | Anti-MDA-5 (anti-CADM-140) | DM의 ~15~30% | Amyopathic DM, <u>severe ILD</u>, 사망률 ↑ |
| | Anti-TIF-1α /β /γ (anti-p155/140) | DM의 ~20% | Malignancy ↑ (성인), JDM에서 m/c Ab |
| | Anti-NXP-2 (anti-p140, anti-MJ) | DM의 10~15% | Malignancy ↑, JDM에서 2nd m/c Ab, calcinosis 흔함 |
| | Anti-SAE (anti-SUMO-1) | DM의 2~8% | Amyopathic DM with ILD 흔함 |
| **IMNM** | Anti-SRP (signal recognition particle) | ~5% (대부분 IMNM) | 심한 근위축, ILD, dysphagia, 심장침범, 면역억제제에 반응 나쁨, <u>poor Px</u> |
| | Anti-HMGCR (HMG-CoA reductase) | 5~8% | NM, statin-induced, malignancy ↑ |
| **IBM** | Anti-cN1A | IBM의 ~30% | Severe dz., 사망률 ↑ c.f.) Sjögren과 SLE의 20~30%도 (+) |

\* Anti-Ro60보다 Anti-Ro52가 더 흔함, Anti-Ro52는 anti-synthetase Ab와 흔히 동반됨 (e.g., anti-Jo-1 양성인 환자의 56~72%), Anti-Ro52 & Jo-1 모두 양성인 경우 malignancy risk ↑, poor Px

\* PM은 특별한 myositis-specific Ab (MSA)와 관련 없음. MSA가 검출되면 다른 염증성 근병증을 먼저 고려

- EMG : 염증성 근병증에 진단적이지는 않지만 (비특이적), 근병증 확인 및 신경질환 R/O에 유용
  - 대부분 myopathic (membrane irritability ↑) 소견을 보임 ; insertional activity ↑, spontaneous fibrillations, positive waves, early recruitment of small-amplitude short-duration polyphasic motor unit action potentials, complex repetitive discharges 등
  - IBM에서는 myopathic & neurogenic 혼합 양상(small & large mixed potentials)도 흔함

- EKG abnormality (5~10%에서)
- **근생검(muscle biopsy)** … 염증성 근병증 확진에 m/i (특히 PM, IMNM, IBM 의심시에는 필수)
  - (1) DM ; <u>perifascicular atrophy</u> (특징적이지만 ~50%에서만), <u>perimysial</u> /perifascicular
    /perivascular 염증세포(주로 CD4+ cells [주로 plasmacytoid dendritic cells], macrophages) 침윤
  - (2) PM ; <u>endomysial cytotoxic CD8+ T cells</u> 침윤, MHC class I upregulation
    (but, CD8+ T cells 침윤은 IBM에서 더 흔하고, DM or ASS에서도 나타날 수 있음)
  - (3) IMNM ; multifocal 근섬유 괴사(→ macrophages 침윤 유도) & 재생(regenerating) 근섬유,
    focal MHC class I upregulation (특히 necrotic fibers 주위에) / 염증세포 침윤은 미미함
  - (4) ASS (자가항체 따라 소견 다양) ; perifascicular necrosis 및 MHC I & II Ab(+) 등
  - (5) IBM ; endomysial cytotoxic CD8+ T cells 침윤, MHC class I upregulation, filamentous
    <u>inclusion bodies</u> & <u>rimmed vacuoles</u>, cytochrome oxidase-negative fibers, amyloid deposits
- HLA-DR3 (DRB1*0301, DQB1*0201) ; PM과 IBM의 75%에서 발견
  (juvenile DM에서는 DQA1*0501 증가)

| | DM | PM | IMNM | ASS | IBM |
|---|---|---|---|---|---|
| 성비 | 남<여 | 남<여 | 남≒여 | 남<여 | <u>고령, 남>여</u> |
| Onset | Acute/subacute | Acute/subacute | Acute/subacute | Acute/subacute | <u>Insidious</u> |
| 피부 rash | O | – | – | 가끔 | – |
| 근육 weakness | Proximal | Proximal | Proximal | Proximal | <u>Distal</u>/proximal |
| 피부/근육 외 증상 | Dysphagia, ILD, 심장, 혈관염, 다른 CTDs 동반 *연조직석회화(JDM) | 드물게 심장, 폐, 다른 CTDs 동반 | 드물게 심장, 폐 다른 CTDs 동반 | 관절염, ILD, 발열, Raynaud 현상, 드물게 다른 CTDs 동반 | Dysphagia, 드물게 다른 CTDs 동반 |
| 악성종양 | ↑↑ | ↑ | ↑ | 동반 | – |
| CK level ↑ | N ~ 10-50배 | ~ 10-50배 | ~ 20-50배 | ~ 10-50배 | N ~ 10배 |
| 자가항체 | <u>Mi-2</u>, MDA-5, TIF-1, NXP-2 | 비특이적 | HMGCR SRP | Anti-synthetase ; <u>Jo-1</u>, PL-7, PL-12 | Anti-cN1A |
| 근육생검 | Perimysial 염증, perifascicular 위축 | Endomysial CD8+ T cells | [필수] 근섬유 괴사, regenerating 근섬유 | Perifascicular 괴사, MHC I & II | Inclusion bodies, rimmed vacuoles |
| 면역억제치료에 반응 | 대부분 good (예외; 악성종양, ILD) | 대부분 good | 대개 good ~moderate | 대부분 good (예외; ILD) | 대부분 refractory |

## 감별진단

- muscular dystrophies ; Duchenne, Becker, limb-girdle, facioscapulohumeral ...
- <u>endocrine myopathies</u> ; hypercorticosteroidism, hyper- & hypothyroidism,
  hyper- & hypoparatyroidism ...
- neuromuscular junction disorders ; myasthenia gravis, Lambert-Eaton syndrome ...
- acute neuropathy ; Guillain-Barre syndrome, neurotoxin ...

- drug-induced myopathies
  - rhabdomyolysis & myoglobinuria ; amphotericin B, ε-aminocaproic acid, fenfluramine, heroin, phencyclidine ...
  - hypokalemic myopathy ; diuretics (thiazide), carbenoxolone, azathioprine ...
  - mitochondiral myopathy ; zidovudine (AZT)
  - 기타 ; D-penicillamine, procainamide, clofibrate, cimetidine, chloroquine, colchicine, carbimazole, cyclosporine, emetine, ethanol, gemfibrozil, ketoconazole, leuprolide, lovastatin, phenytoin, provastatin, steroid, simvastatin, tretinoin, AZT ...

# 치료

┌ 완치법은 없음 ⇨ 치료 목표 : 근육의 염증↓ → 근력 강화 (→ 삶의 질 향상), 근육 외 증상 개선
└ 근력이 강화되면 serum CK level도 감소됨 (but, 반대는 아닐 때도 있음)
           └ 치료 반응 평가에 유용

## 1. DM, PM, IMNM, ASS의 치료

### (1) Glucocorticoids (high-dose)

- DOC, 약 90%에서 반응 (50~75%는 CR) / OM, DM, ASS 등이 반응이 더 좋음
- 1~4주 내 호전 시작, 증상이 호전될 때까지 (근력의 객관적 향상, CK↓) 투여한 뒤 tapering
- 너무 일찍 치료를 끝내면 안됨 (∵ 재발시엔 치료가 훨씬 어려움) → 대개 low-dose로 9~12개월

### (2) 면역억제제

- Ix : 약 3개월의 steroid 치료에도 반응 없을 때, steroid의 부작용, 재발이 흔한 경우
  ⇨ but, 대부분(>75%) steroid-sparing을 위해 다른 면역억제제가 필요 → 병합요법
  ┌ 1차 ; MTX or azathioprine
  │ 2차 ; MMF, cyclosporine, tacrolimus
  └ 3차 ; IVIG, rituximab (anti-CD20), cyclophosphamide
- IMNM은 처음부터 근육이 심하게 침범되므로 더 강력하게 치료 (2제 병합에 반응 안 좋음)
  ⇨ 3제 병합 ; steroid + MTX + IVIG (anti-HMGCR) or rituximab (anti-SRP)
- 만성적인 ILD는 보통의 면역억제제들로 70~80% 정도 호전됨
- severe & rapid-progressive ILD가 문제 [e.g., anti-MDA-5 Ab(+)]
  ⇨ steroid + high-dose tacrolimus + high-dose cyclophosphamide (or IVIG)

### (3) 기타

- TNF-α inhibitors, plasma pheresis or leukapheresis 등은 효과 없음
- 운동요법 및 재활치료 → 근육 기능 회복에 명백히 효과가 있으므로 적극 권장됨
  (myositis가 심할 때에는 bed rest 및 피동적 관절운동)
- \* 피부 병변 ⇨ 햇빛 피함, UV 차단제, hydroxychloroquine + quinacrine, topical tacrolimus 등

## 2. IBM의 치료

- IBM은 일반적인 면역억제제들에 거의 반응 없음
  (IVIG이 일부 효과적일 수 있다는 연구도 있지만, 대부분은 효과 없음)
- 근육 기능 유지를 위한 운동요법 및 재활치료 뿐

# 예후

- 치료하면 대부분은 기능이 완전히 회복됨, 최대 30%에서는 약간의 근력 약화 잔존, 재발도 가능
- OM, DM, (severe ILD 없는) ASS 등은 예후 좋음 (치료 받으면 5YSR >95%)
- IBM는 경과는 느리지만 지속적으로 악화됨 → 대부분 10~15년 이내에 휠체어 등이 필요하게 됨
  (but, 기대 수명이 크게 감소하지는 않음)

| 염증성 근육병증에서 예후가 나쁜 경우 | | |
|---|---|---|
| 고령 | 심장 침범 | 성별, 인종, rash, CK 등은 아님! |
| 진단 및 치료 지연 | 악성종양 동반 | |
| 심한 근염 | Anti-MDA-5, anti-SRP | * 사망원인 ; 악성종양, 감염, |
| 심한 dysphagia or 호흡곤란 (ILD) | Anti-PL-7, 12 / Anti-Jo-1 + anti-Ro52 | 호흡부전, 심혈관질환 등 |

### c.f.) Steroid myopathy

- steroid의 장기간 사용으로 인해 muscle weakness가 악화되는 것
- CK level은 정상 or 변화 없음

\* steroid 복용중인 환자에서 muscle weakness 발생시
  → steroid myopathy or steroid resistance 의심 (D/Dx ; Hx, CK, 최근 2개월의 약물 복용력 등)
  → 감별이 어려울 땐 steroid 용량을 천천히 줄여봄
   ┌ 증상 호전 → steroid myopathy
   └ weakness 악화 → relapse, steroid resistance

# 9 혈관염 (Vasculitis)

## Granulomatosis with polyangiitis^GPA (Wegener's granulomatosis^WG)

### 1. 개요

- **small** arteries & veins의 necrotizing vasculitis
- 호흡기의 necrotizing granulomatous vasculitis와 glomerulonephritis 및 다양한 장기의 vasculitis
- 역학 ; 드묾, 모든 나이에서 발생 가능하지만 중장년층에서 호발, 남:여 = 1:1

### 2. 임상양상

- 상기도 및 귀 침범 (>90%)
  - <u>sinusitis</u> (m/c) ; paranasal sinus pain & discharge (혈성 비루)
  - rhinitis ; purulent or bloody nasal discharge ± ulceration
  - 비중격천공(nasal septal perforation) → 안장코(saddle nose deformity)
  - otitis media, 청력 저하, 현훈, 성문하협착(subglottic stenosis) ...
- 폐 침범 (70~90%) ; 무증상 폐침윤 ~ cough, <u>hemoptysis</u>^객혈, dyspnea, chest discomfort
- 신장 침범 (77%) ; 초기에는 18%에서만 침범 → 1~2년 이후엔 77~85%에서 침범
  - mild <u>GN</u> (proteinuria, hematuria, RBC casts) ~ RPGN (<u>pauci-immune</u> crescentic GN)
  - 일단 신기능 이상이 발생하면 빠르게 신부전으로 진행함 (사망의 주요 원인)
- 눈 침범 (52%) ; conjunctivitis, dacrocystitis, episcleritis, scleritis → 시력상실 (8%)
  - 10~15%에서는 retro-orbital pseudotumor 발생 → 복시, 시력감소, 안검하수
- 기타 ; 피부 (46%), 신경 (22~50%), 심장 (8%) ...
- 전신증상(acute phase 때) ; 관절통, 발열, 권태감, 쇠약, 체중감소 ...

### 3. 검사소견/진단

- ESR↑, mild anemia & leukocytosis, mild hypergammaglobulinemia (IgA), RF↑
- CXR ; multiple nodular or cavitary infiltrates
- 두경부 CT (rhinosinusitis 확인), 흉부 HRCT (multiple pulmonary nodules/opacities 등)
- BAL ; neutrophil의 비율이 다른 granulomatous lung dz.에 비해 높다
- 진단
  ① 조직검사 (필수) : <u>necrotizing granulomatous vasculitis</u> 확인

- 폐가 가장 좋으며, 상기도나 신장도 가능
② <u>c-ANCA (anti-proteinase 3 [PR3])</u> : active GPA 환자의 80~90%에서 양성
  - specificity 매우 높음 (특히 active glomerulonephritis 존재시)
  - but, 위양성(e.g., 감염, 종양)의 가능성도 있으므로 진단에는 보조적

## 4. 치료/예후

• 즉각적인 치료가 m/i, 치료 안하면 대부분 몇 달 이내에 사망 (2년 이내에 90% 사망)
• 성공적인 관해 후에도 50~70%에서 재발하므로, 유지요법이 필수
• induction therapy (3~6개월)
  - <u>mild GPA</u> (e.g., rhinosinusitis, arthritis, pulmonary nodules, UA 정상)
    ⇨ glucocorticoid + MTX
  - <u>severe GPA</u> (e.g., active GN, 폐출혈, 뇌혈관염, progressive neuropathy, orbital pseudotumor, pericarditis, myocarditis, GI 출혈)
    ⇨ <u>glucocorticoid + cyclophosphamide (or rituximab)</u>
  * rituximab (anti-CD20) : cyclophosphamide (or MTX)를 대신해 steroid와 병합 사용 가능
    ↳ cyclophosphamide (or MTX)의 금기(e.g., 임신)/부작용, 실패/재발한 경우, 환자의 선호 등
      (효과는 cyclophosphamide, rituximab, cyclophosphamide + rituximab 모두 비슷함)
  - 90% 이상에서 반응, 75%에서 CR, 5YSR >80%
  - 매우 심각한 경우에는 plasmapheresis도 추가로 시행 고려
    ; 심한 RPGN (sCr >4 mg/dL or 투석 필요), 기계호흡이 필요한 폐출혈, anti-GBM (+)
  - 기회감염 예방을 위해 TMP-SMX도 투여함
• maintenance therapy (관해 이후 ≥2년 시행 & 6~12개월 동안 tapering)
  - azathioprine, rituximab, or MTX 권장 (사용 못하면 MMF)
  ┌ azathioprine/MTX 사용 중 재발시 → reinduction 이후 rituximab
  └ rituximab 사용 중 재발시 → reinduction 이후 azathioprine, MTX, or MMF
• dz. activity는 임상양상을 종합하여 평가함 (e.g., Birmingham Vasculitis Activity Score[BVAS])
  - ANCA titer는 dz. activity 평가에 이용하면 안됨 (∵ 관해일 때도 ANCA titer 높은 경우 多)
• 치료에도 불구하고 상당수에서 비가역적인 후유증 발생 가능

## 현미경다발혈관염(Microscopic polyangiitis, MPA)

• small vessel vasculitis로 GPA (Wegener's granulomatosis)와 임상양상이 비슷함 (매우 드묾)
  - 차이 ; granuloma 없음, 상기도침범 드묾, ILD 동반 더 흔함, 폐결절 없음, p-ANCA (+)
• classic PAN (주로 medium vessels 침범)과의 차이
  - MPA는 small vessels (capillaries, venules, arterioles)을 주로 침범
  - pauci-immune necrotizing vasculitis → 괴사성 <u>사구체신염</u>, 폐출혈(alveolar hemorrhage)
  - renovascular HTN 안 일으킴! (PAN는 신동맥을 침범하여 일으킴)

- 대부분(>90%) p-ANCA (+)
- 치료는 GPA (Wegener's granulomatosis)와 동일함, 치료시 5YSR 74%

- GPA/MPA의 주요 사망원인 ; 감염(∵ 면역억제치료), 신부전, 호흡부전, 심혈관질환
  (c.f., 10~26%에서 ESRD로 진행 → 신이식은 6개월 이상 CR을 유지한 뒤에 시행)
- GPA/MPA는 일반인보다 악성종양 발생 위험도 증가 [SIR 약 2] (∵ cyclophosphamide 치료)

### ANCA-associated vasculitis (AAV)

|  | GPA (Wegener) | MPA | EGPA (Churg-Strauss) |
|---|---|---|---|
| 연령 | 모든 연령 (주로 중장년) | 모든 연령 (주로 중장년) | 중년 (평균 40세) |
| 성비 | 남≒여 | 남:여=1.5:1 | 남≒여 |
| ANCA | 85% (c-ANCA) | 70% (p-ANCA) | 50% (p-ANCA) |
| Granuloma | + | − | + (eosinophilic) |
| 상기도/ENT 침범 | ≥90% 부비동염, 비중격천공, 안장코, 삼출중이염, 청력소실 | 약 30% 드물고 경미함 | 70~85% 알레르기성 비염/부비동염, 용종, 중이염 |
| 폐 침범 | 70~90% 폐침윤, 폐출혈, 객혈, 결절, 공동 | 폐출혈(12%), ILD | 천식(>90%), 호산구성 침윤, 폐출혈, 결절 |
| 신장 침범* | ~85% 무증상 혈뇨 ~ RPGN, AKI | >80% (진행이 빨라 RPGN, AKI 위험) | 20% 드물고 경미함 |
| 피부 침범 | 40~50% 자반증, urticaria, livedo reticularis | 40~50% 자반증, urticaria, livedo reticularis | 50~60% 자반증, 압통성 피하결절 |
| GI 침범 | 드묾 | 20~40% 장간막혈관염 | ~60% 장간막관염, 호산구성 위장관염, 결장염 |
| 말초신경 침범** | ~60% | 15% | ~75% |
| 심장 침범 | 드묾 | 드묾 | 12~50% 심부전 등 |
| 눈 침범 | 염증, 가성종양 | 염증 | 염증 |

* asymptomatic hematuria, ANCA(+) GN, ANCA(−) pauci-immune crescentic GN (RPGN), AKI
** mononeuritis multiplex (= multiple mononeuropathy)이 m/c

## Eosinophilic granulomatosis with polyangiitis (EGPA)

### (= Churg-Strauss syndrome[CSS], Allergic granulomatosis and angiitis)

### 1. 개요

- 정의 : asthma, 말초혈액/조직의 eosinophilia, 여러 장기의 granulomatous vasculitis
- classic PAN과는 달리 small and medium-sized artery 뿐만 아니라 capillary, vein, venule도 침범
- 역학 ; 매우 드묾, 남≒여, 평균 40세 (소아/청소년 및 65세 이상에서는 매우 드묾)

## 2. 임상양상

- prodromal phase ; 대개 10~20대에 발현, atopic dz., allergic rhinitis, asthma
- eosinophilic phase ; PB eosinophilia 및 여러 장기의 eosinophilic infiltration (특히 폐, GI)
- vasculitic phase ; 심한 systemic vasculitis 증상 (발열, 체중감소, 권태 등 전신증상 선행 가능)

- 폐 침범 (m/c) ; 심한 **천식** (>90%)이 m/i 특징, 기타 <u>pulmonary opacities with eosinophilia</u>, (50~70%, 이동성), pleural effusion (eosinophilic), nodules 등 (cavity는 드묾)
- <u>peripheral neuropathy</u> (2nd m/c, 72%) ; "mononeuritis multiplex (다발홑신경염)"
- <u>allergic rhinitis & sinusitis</u> (~61%)
- 피부 (51%) ; purpura, cutaneous/subcutanesus granulomatous nodules
- GI 침범 ; eosinophilic gastroenteritis (복통[59%], 설사[33%], 출혈[18%] 등), colitis
- 의미 있는 심장 침범 (12%) ; myocarditis, pericarditis, heart failure, MI, 부정맥 → 주요 사인
- 신장 침범은 GPA (Wegener) 및 MPA (microscopic polyangiitis)보다 드물고 경미함!

## 3. 검사소견/진단

- 심한 eosinophilia (80% 이상에서 >1000/$\mu$L)
- ESR↑, IgE↑, fibrinogen↑, $\alpha_2$-globulins↑, thrombocytosis
- **p-ANCA** (대개 anti-myeloperoxidase [MPO]) ; 약 48%에서 (+)
- CXR ; transient infiltrates ~ multiple nodules
- biopsy ; fibrinoid necrotizing epitheloid, eosinophilic granuloma
- 진단 : asthma + eosinophilia + vasculitis의 임상양상

  (biopsy는 거의 필요 없지만, neuropathy의 감별진단을 위해 sural nerve biopsy는 시도 가능)

## 4. 치료/예후

- 치료 안하면 예후 나쁘나(5YSR 25%), 치료하면 예후 좋음(5YSR 70~90%)
- systemic vasculitis 소견 존재시 ⇨ glucocorticoid (DOC) 6~12주 (대개 12~18개월간 tapering)
  ; vasculitis가 심할수록 용량↑, 대부분 잘 관해됨
- <u>severe EGPA</u> (or 재발시) ⇨ glucocorticoid + cyclophosphamide로 관해유도 (약 6개월)
  ↳ five-factors score (FFS)에서 2개 이상 해당 (심장 or CNS 침범은 1개라도)
  - 유지요법 ; azathioprine (or MTX, leflunomide) 12~18개월
- severe eosinophilic asthma ; steroid tapering 불가능한 asthma or R/R EGPA
  ⇨ IL-5 mAb (<u>mepolizumab</u>, reslizumab) or anti-IL-5R Ab (benralizumab)
- **poor Px (FFS)** ; ≥65세, 심부전, GI 침범, 신부전(sCr >1.7 mg/dL), ENT 침범 無
- 사인 ; <u>심근 침범(심부전)</u> [m/c, 40~50%], 뇌출혈, 신부전, GI 출혈, status asthmaticus

# 결절다발동맥염 (Polyarteritis nodosa, classic PAN)

## 1. 개요

- small & <u>medium</u>-sized muscular arteries의 전신성 necrotizing vasculitis
  - 주로 신장 및 내장 동맥 침범이 특징 (주로 동맥의 분기/분지부를 segmental하게 침범)
  - 폐와 사구체(glomerulonephritis) 침범은 거의 없음!!
- pathology : muscular arteries의 segmental transmural inflammation  (정맥/모세혈관은 침범×)
  ; PMN 및 mononuclear cells 침윤, 동맥벽 괴사(→ <u>fibrinoid necrosis</u>),
  elastic lamina의 파괴는 aneurysmal dilatation 유발 가능
- 역학 ; 드묾 (유병률 2~33명/100만), 40~60대에 흔함 (나이 들수록 증가), 남:여 - 1.5:1
- 병인 : 잘 모르지만 여러 요인들이 관여
  - <u>HBV</u> (PAN의 1/3~1/2과 관련), HCV, HIV, parvovirus, influenza, 중이염(세균?), 백신, 약물
  - hairy cell leukemia에서 동반되었다는 보고도 있음
  - 일부에서는 (e.g., HBV) immune complexes와 관련
- granuloma, 심한 eosinophilia, 알레르기경향 등은 없음

## 2. 임상양상

- 전신증상 (80~90%) ; fever, weight loss, malaise, arthralgias 등
- **신장 침범** (50~60%) ; <u>사구체의 허혈성 변화</u>, 고혈압(신혈관성), 신부전, 미세동맥류 출혈
  ↳ 염증/괴사가 아니므로 U/A 이상은 mild proteinuria or hematuria 정도
- 근골격계 침범 (60%) ; arthritis/arthralgia (초기에 주로 하지의 큰 관절, 간헐적, 비대칭적),
  myalgia (pain, intermittent claudication)
- 말초신경 침범 (50%) ; mononeuritis multiplex가 m/c
- GI 침범 (40%) ; <u>복통</u>, N/V, GI bleeding, bowel infarction/perforation
  ↳ 식후 배꼽주위 통증은 mesenteric arteritis의 초기 증상임 (∵ 소장 허혈)
- 피부 침범 (50%) ; rash, purpura, nodules, <u>livedo reticularis</u>, ulcers, 손/발가락의 경색/괴사 등
  - focal or diffuse, 하지에서 더 흔하고 심함, 부종도 흔히 동반
  - 피하조직의 medium-sized muscular arteries는 다른 장기의 것보다는 훨씬 작음
- 심장 침범 (10~30%) ; CHF, cardiomyopathy, myocardial infarction, pericarditis
- 생식계 침범 (25%) ; 고환, 부고환, 난소 등의 통증/부종 (약 20%는 무통성 고환염이 특징임)
- CNS 침범 (23%) ; CVA (출혈, 경색), 의식변화, seizure

## 3. 검사소견/진단

- anemia, WBC↑, ESR/CRP↑, hypergammaglobulinemia, complement↓
- <u>ANCA 음성!</u>
- 조직검사 (necrotizing vasculitis) : 진단에 m/i (skin nodule, testis, nerve, muscle 등에서 시행)
- mesenteric/renal arteriography (or CTA, MRA) : 조직검사가 불가능한 경우 진단에 도움
  ; 중간 크기 동맥들의 협착/폐쇄/확장(<u>aneurysms</u>), 작은 동맥들의 폐쇄(cutoffs)/microaneurysms

## 4. 치료/예후

- classic PAN ⇨ steroid ± azathioprine (or MTX, MMF) / 심하면 steroid + cyclophosphamide
- HBV-associated PAN (대부분은 antiviral therapy만 시행)
  - antiviral therapy ; PegIFN-$\alpha$ (소아, 젊은 성인) or nucleoside/nucleotide analogs (성인)
  - 심한 경우(e.g., 사지 궤양/궤사, AKI, CNS 침범, mesenteric arteritis, myocardial ischemia)
    ⇨ antiviral therapy + steroid + plasmapheresis ± 면역억제제(e.g., rituximab)
- 예후 나쁨 : 치료 안하면 5YSR 10~20% (HBV-associated PAN은 더 나쁨)
- 치료에 반응하면 5YSR 60~90%, 재발은 드묾(약 10%)
- 사망원인 ; 신부전, 위장관 합병증(장 경색/파열), MI, 뇌경색, 감염(∵ 면역억제 치료) ...
- poor Px factor ; 고령(>65세), 심장 침범, GI 침범, 신부전(sCr >1.7 mg/dL)

## 거대세포동맥염 (Giant cell arteritis, GCA)

- medium- & **large**-sized arteries를 침범하는 systemic panarteritis
- carotid artery의 extracranial branch를 잘 침범 (→ "temporal arteritis")
- 역학 ; 서양(백인)에 흔함 (우리나라는 드묾), 50세 이후에 발생 (70대에 최고), 남:여 ≒ 1:2
- 증상 ; 두통(m/c), 두피 압통, 시력장애, 음식을 씹을 때 턱의 통증(jaw claudication), 피곤,
  발열(~50%, 일부는 고열), 체중감소, mononeuritis multiplex
  - 측두동맥(temporal artery) ; normal~nodular, tender, enlarged, or pulseless
  - 40~50%는 "polymyalgia rheumatica" (PMR) 동반 : proximal polyarthralgias & myalgias
    ; 뒷목, 어깨, 등/허리, 엉덩이/골반, 허벅지 근육의 pain & stiffness
  - 대혈관 침범 (~1/3에서) : 대동맥 및 분지(특히 상지) 침범 ; subclavian artery stenosis
    (→ arm claudication), aortic aneurysm (→ rupture/dissection 위험) ...
- 합병증 ; ischemic optic neuropathy (실명도 가능), CVA, MI, 내장 경색, aortic aneurysm
- 검사소견 ; ESR↑ (m/i, dz. activity도 반영), anemia, LFT 이상 (특히 ALP↑),
  IgG & complement↑ (WBC와 CK는 정상, ANA/RF/anti-CCP 음성)
- 대개 임상양상으로 진단 ; 50세 이상, 두통, 측두동맥 이상, anemia, ESR↑(>50), ± PMR
  - 확진 : temporal artery biopsy (segmental 하게 침범하므로 3~5 cm 정도 필요)
    ; panarteritis (media에서 현저, CD4+ lymphocytes와 macrophages 침윤), giant cells
  - 보조적 ; temporal artery US, FDG-PET, steroid 투여후 증상 호전 등
- 치료 ; glucocorticoid (e.g., prednisone 40~60 mg/day) ... 즉각적인 치료가 중요!
  - 심한 경우(e.g., 시력 이상, CVA Sx) → methylprednisolone pulse therapy
  - steroid-sparing (or refractory/relapse) → tocilizumab (IL-6 receptor Ab) 병용
    (tocilizumab이 불가능하면 효과는 떨어지지만 MTX)
- 예후는 양호하여 대부분 CR 됨, 대동맥 침범이 없으면 수명도 거의 정상

■ Polymyalgia rheumatica (PMR)

- 주로 50대 이상에서 발생, proximal polymyalgia (pain & stiffness) 2주 이상 지속
- 독립적으로 발생하는 경우가 흔하지만, <u>giant cell arteritis</u>와 관련 많음, 종종 악성종양도 동반
- 증상, ESR/CRP↑, giant cell arteritis의 양상은 없음, steroid에 빠른 반응 등으로 진단
- 치료 : low-dose (10~20 mg/day) prednisone에 반응 매우 좋음
  - 2~3주 뒤 tapering, 재발이 흔함 (대개 몇 년 이내에 사라짐)
  - MTX나 rituximab은 효과 없음

■ Takayasu's arteritis

; 젊은 여성, 대동맥/분지를 주로 침범, GCA와 임상양상/병리가 일부 비슷 → 순환기내과 13장 참조

## Immune complex-mediated vasculitis

1. Henoch-Schönlein purpura[HSP] (IgA vasculitis, IgAV)

(1) 개요

- systemic **small**-vessel vasculitis ; IgA-dominant <u>immune complexes</u>가 주로 침착
- 소아 및 젊은 성인에서 발생 (대부분 3~15세), 남≥여, 봄/가을/겨울에 호발
- 약 2/3에서 URI나 pharyngitis가 선행될 수 있음
  (20~30%의 환자는 streptococcal infection의 병력 있음)
- 기타 유발요인 ; food, drug, insect bite, immunization ...

(2) 임상양상/검사소견

- <u>palpable purpura</u>가 특징 : 주로 하지의 extensor surface와 엉덩이에
- arthritis/arthralgia (50%) : 무릎과 발목에 흔함, 이동하는 양상을 보이는 경우가 많음
- **GI 침범** (40~70%) : 소장(대개 십이지장 2nd portion)을 가장 흔히 침범
  - 복통-때론 <u>colicky</u>, periumbilical & epigastric, 식후에 악화 가능), 출혈, N/V/D, 장중첩증
  - 내시경 소견 ; 발적, 부종, 점막하 출혈, 미란/궤양 등
- renal Sx. (20~54%) : 대부분 mild GN (proteinuria, microscopic hematuria, RBC casts),
  드물게 RPGN 발생 가능, 성인에서 더 흔히 침범하고 경과도 나쁨
- 심근 침범 : 성인에서 발생 가능 (소아는 드묾)
- mild leukocytosis, 때때로 eosinophilia, IgA↑ (50~70%에서, 신장 침범시는 high titer & IgA1)
- complement (e.g., C3, C4) ; 대부분 정상이지만, 약 16%에서는 감소 (특히 streptococci 감염시)
- platelet, coagulation tests 등은 모두 정상, ANCA는 대개 음성

(3) 진단

- 대개 임상양상으로 진단
- pathology ; 침범된 장기(e.g., <u>skin</u>)의 small vessel vasculitis (<u>leukocytoclastic vasculitis</u>),
  IgA & C3 deposition

- 신장 생검 : IgA nephropathy와 동일한 소견 (IF에서 mesangial IgA deposition)
  ↳ 진단에는 거의 필요 없지만, 일부에서 예후 예측에 도움

| EULAR/PRINTO/PRES classification criteria for IgAV (2010) |
| --- |
| Purpura or petechiae (하지에 분포, thrombocytopenia와 관련 없음) |
| & |
| 다음 중 하나 이상 |
| 1. Abdominal pain (급성, 광범위한 경련통) |
| 2. Arthritis/arthralgia (급성 관절 부종/통증) |
| 3. Renal involvement (proteinuria ≥300 mg/day, RBC ≥5/HPF, or RBC cast) |
| 4. Biopsy (IgA 침착 leucocytoclastic vasculitis or proliferative GN) |

### (4) 치료
- 대부분 self-limited (80% 이상은 2주 이내에 회복됨) ⇨ 대증적 치료가 기본 (e.g., NSAIDs)
- 복통이 심하거나 NSAIDs에 반응 없는 경우 ⇨ steroid (e.g., prednisone)
  (but, 피부 증상 호전 및 GN 발생 예방에는 도움 안 되고, 질병의 경과에도 영향은 못 미침)
- 심한 신장 침범시 (severe crescentic GN, RPGN) ⇨ steroid (6개월) → cyclophosphamide
  (or MMF) → 반응 없으면 plasmapheresis도 고려 (→ ESRD로 진행시에는 신이식 고려)

### (5) 예후
- 일반적으로 예후는 매우 양호 (대부분 완전히 회복됨)
- 10~40%에서 재발 (대개 첫 발병 때보다는 경미함)
- 발병 첫해에는 호전과 악화가 반복되지만, 이후에는 장기 관해를 보임
- 소아의 1~5% (성인 약 10%)는 CKD로 진행, 매우 드물게 AKI로 사망할 수도 있음

## 2. Cryoglobulinemic vasculitis (Mixed cryoglobulinemia syndrome, MCS)

- 혈중 type Ⅱ or Ⅲ cryoglobulins에 의해 형성된 immune (Ag-Ab) complex가 small vessels에
  침착, complement activation을 유도하여 systemic vasculitis를 일으킨 것
- 원인 ; HCV (m/c), HBV, HIV 등의 감염, 자가면역질환(e.g., Sjögren, SLE, RA, SS),
  lymphoproliferative disorders (e.g., NHL, MM, Waldenström's macroglobulinemia) 등
  (드물게 원인을 모르면 idiopathic MCS [과거 essential mixed cryoglobulinemia[EMC]])
- 임상양상 ; palpable purpura, 관절통, 근육통, neuropathy, GN (10~30%, sCr↑), 피로/쇠약 등
- Lab ; serum cryoglobulin (+), C4↓↓, C3↓, CH₅₀↓, RF (+, 대개 high titer), ANA (±),
  ANCA (-), M-protein (e.g., PEP, IFE, FLC) [type Ⅰ cryoglobulin 및 일부 type Ⅱ에서 (+)]
- 치료 ; 기저 질환의 치료가 m/i
  - moderate~severe MCS는 면역억제치료도 추가 (high-dose steroid + rituximab)
  - 생명을 위협하거나 심한 경우(e.g., hyperviscosity syndrome, refractory skin ulcer,
    cryocrit ≥10%) → plasmapheresis도 추가

→ 신장내과 8장도 참조

# 베체트병 (Behçet's disease[BD]/syndrome)

## 1. 개요

- 반복되는 구강 및 생식기 궤양, 포도막염, 피부병변을 특징으로 하는 전신성 혈관염
  (모든 크기의 혈관을 침범 가능)
- 우리나라를 포함한 동아시아~지중해 (과거 실크로드) 지역에서 호발, 서양에선 매우 드물!
- 모든 나이에서 발생 가능하지만 10~30대에 호발, <u>남>여</u>, 남자가 더 심한 증상(장기침범)을 보임
- HLA-B5 (B51), -DR5와 관련 / RF, ANA, VDRL 등은 모두 (-)
- 병인 ; autoreactive T cells (m/i), oral mucosal Ag 등에 대한 autoAb, endothelial dysfunction

## 2. 임상양상

### (1) 구강궤양 (aphthous ulcerations) … 거의 다 존재
- 구강(oral cavity) 어느 곳에서도 발생 가능, 통증이 심함, 대부분 다발성 & 재발성
- 대개 1~2주 지속된 뒤, 반혼 없이 치유됨

### (2) 성기궤양 (>75%) … specific
- 남성은 <u>음낭</u>, 여성 질에 호발 / 심하면 항문 주위에도 발생 가능
- 구강궤양과 비슷하지만, 재발은 덜 흔하고, 반혼을 남기는 경우가 흔함

### (3) 피부 병변 (>75%)
- <u>결절홍반(erythema nodosum)</u> ; 대부분 하지에 발생, 누르면 압통 (조직소견: septal panniculitis)
- 표재 혈전정맥염(superficial thrombophlebitis), 거짓모낭염(<u>pseudofolliculitis</u>), 여드름양피진
  (<u>acne-like exanthem</u>), papulo-vesiculo-pustular eruptions 등
- scratch, intradermal saline injection (<u>pathergy test</u>)에 대한 비특이적 피부 염증 (흔하고 특이적)

### (4) 눈 병변 (50~75%)
- 가장 심각한 Cx (→ 1~2년 내에 <u>실명도 가능</u>)
- <u>post. uveitis</u>[포도막염] (양측성), iritis, retinal vasculitis, optic neuritis → 강력한 치료 필요!
- hypopyon uveitis ; 드물지만, Behçet's disease의 특이적 소견

### (5) 관절염 (>50%)
- 한개 또는 소수의 관절에 발생 (무릎[m/c], 발목, 손목, 팔꿈치, 팔목), 오래 지속되지는 않음
- 일과성(self-limited), 비대칭성, nonerosive, nondeforming!

### (6) GI 침범 (10~30%)
- ileocecal area에 호발, mucosal ulceration (→ sulfasalazine으로 치료 가능), 복통, 설사, 출혈
- 다른 염증성 장질환과 감별해야 됨 (e.g., UC, CD)
  → 소화기내과 I-7장 참조

### (7) 혈관 침범 (12~30%)
- perivascular & endovascular inflammation → 출혈, 협착, thrombosis, aneurysm
- 정맥 ; superficial thrombophlebitis (~30%), <u>DVT</u> (~10%), large vein thrombosis 등

- 동맥 (<5%) ; pulmonary, carotid, iliac, femoral, popliteal A., aorta에 호발 (뇌, 신장은 드묾)
  (e.g., aneurysm) └ pulmonary artery aneurysms (다른 질환에서는 드문 Behçet' dz.의 특징)
    ; hemoptysis (m/c), cough, dyspnea, fever, pleuritic pain 등의 증상

**(8) CNS 침범 (<10%)**
- 북유럽과 미국 쪽에 많음, 대부분(80%) 뇌실질(parenchymal) 침범
  ; encephalopathy, hemiparesis, 경련, 감각/운동 실조, 연하/구음 장애, 인지 장애 등
- cerebral venous thrombosis, intracranial HTN (pseudotumor cerebri), aseptic meningitis
- 두통, 시력저하, 복시, abducens nerve 마비 (→ 사시) / 말초신경은 침범하지 않음

\* 3대 사망원인 ; aneurysm 파열, 장 천공 (ileocecal area), 심한 neuropathy

## 3. 진단

| International Study Group (ISG) diagnostic criteria (1990) |
| --- |
| <u>Recurrent oral ulcer</u> (1년에 3회 이상) + 아래 중 2가지 이상<br>1. Recurrent genital ulcer<br>2. Eye lesions (uveitis, retinal vasculitis)<br>3. Skin lesions (erythema nodosum, pseudofolliculitis, acneiform nodules)<br>4. Pathergy test (+) |

- **이상초과민검사(pathergy test)** : intradermal saline injection
  - 피내 주사나 needle prick과 같은 자극에 대한 피부의 과민반응 … Behçet's dz.의 특징!
  - 양성 : 24~48시간 후에 2 mm 이상의 구진(papule) or 농포(pustule) 형성

## 4. 치료

- symptomatic (empirical) Tx & irreversible organ damage 예방
- oral/genital ulcer ; topical steroid (+ topical anesthetics)
  - 자주 재발 (→ 재발 예방) ; oral <u>colchicine</u> or apremilast (PDE-4 inhibitor)
- skin lesion ; oral colchicine → 반응 없으면 systemic steroid
  (medium-vessel vasculitis, ulcer → steroid + azathioprine 등)
- arthritis ; NSAIDs, colchicine → 반응 없으면 low-dose systemic steroid
- ant. uveitis ; topical steroid → 효과 없으면 systemic steroid 단기간
- <u>post. uveitis</u> or retinal vasculitis (심하면 실명을 초래하므로 적극적으로 치료)
  ; high-dose systemic <u>steroid</u> + 면역억제제(e.g., <u>azathioprine</u>)
    → 심하거나 반응 없으면 <u>TNF-α inhibitors</u> (e.g., infliximab, adalimumab) 추가
- 동맥 침범(e.g., aneurysm) ; high-dose steroid + cyclophosphamide + vascular intervention
- 정맥 침범(e.g., thrombosis) ; steroid + 면역억제제 + 항응고제
- <u>CNS 침범</u> ; steroid + azathioprine (or 반응 없으면 MMF, MTX, cyclophosphamide 등)
- 예후 ; 대개 호전과 악화를 반복하며 다양한 경과를 보임 (오래 될수록 장기 침범↑)
  - CNS 및 큰 혈관 침범이 없으면 대부분 예후 좋음 (수명 거의 정상)
  - poor Px ; 어린 나이에 발병, 남성, 중요 장기 침범

# 10
## 쇼그렌증후군(Sjögren's syndrome, SS)

## 개요

- 외분비샘(exocrine glands)의 림프구 침윤 (주로 helper/inducer T cells)으로 인해 안구건조증 (dry eyes)과 구강건조증(xerostomia)이 발생하는 것이 특징인 chronic autoimmune dz.
  - primary Sjögren's syndrome (SS)
  - secondary Sjögren's syndrome (SS) : 다른 autoimmune dz.에 동반된 것
    - ; RA (m/c), SLE, SSc, MCTD, PBC, vasculitis, chronic active hepatitis ...
- 남:여 = 1:10↑, 주로 중년(40~60대) 여성에서 발생
- 유병률
  - primary Sjögren's syndrome : 0.5~1.0%
  - secondary Sjögren's syndrome : autoimmune rheumatic dz.의 약 30%
- 다른 자가면역질환들처럼 다양한 유전 및 환경 요인들이 발병에 관여

## 임상양상

### 1. Glandular manifestation

#### (1) 안구건조증(dry eyes)

- 눈이 뻑뻑, 모래 같은 이물감, 가렵고 충혈, 광과민성/눈부심, blurred vision
- 각막/결막 상피 파괴(keratoconjunctivitis sicca), 눈물 감소, 끈적한 눈물, 눈물샘의 비대
- <u>Schirmer test</u> : 아래 눈꺼풀 밑에 종이필터를 붙이고 5분 뒤 젖은 부분의 길이를 측정
  - ⇨ <u>5 mm 이하면 눈물 분비능 감소</u>
- <u>ocular surface staining</u> … 각막/결막의 손상된 상피를 염색으로 확인
  - ① Rose Bengal dye ; 손상 부위가 보라색으로 염색됨 → 통증이 있어서 다른 염색법 선호
  - ② fluorescein & lissamine green dye ; 순차적으로 시행
    - fluorescein을 점안한 후 눈물막파괴시간(TBUT)과 각막 손상(초록색)을 동시에 관찰
    - 이어서 lissamine green을 점안한 후 손상된 결막(초록색)을 관찰함
  - * ocular surface staining score (각막과 결막의 손상 정도를 계산하여 점수화한 것)
    - (1) <u>van Bijsterveld score</u> : Rose Bengal 염색, 4점 이상이면 안구건조증
    - (2) <u>SICCA ocular staining score</u> : fluorescein/lissamine green 염색, 5점 이상이면 안구건조증

- 눈물막파괴시간(tear film break-up time, TBUT)
  - fluorescein dye 이용 ; 위 참조, 5~10초 이내에 눈물막(형광)이 파괴되면 비정상
  - 눈물샘(lacrimal gland)에서는 눈물의 수성층(aqueous layer)이 분비됨
  - 너무 빠른 눈물막 파괴는 눈물의 점액층<sup>안쪽</sup>이나 지질층<sup>바깥쪽</sup> 이상도 고려
    - Goblet cells에서 분비 ↲        ↳ 마이봄샘(meibomian gland)에서 분비
  - meibomian gland dysfunction에서도 비정상으로 나올 수 있음 (SS의 >80%에서도 동반됨)

## (2) 구강건조증(dry mouth, xerostomia)
- 침 분비 감소 → 건조한 음식을 삼키기 어려움, 말을 오래 할 수 없음, 입맛의 변화,
  음식이 점막에 붙음, 입안이 타는 듯한 작열감, 구강점막 끈적거림, 혀의 사상유두 위축
- Cx ; 치아 우식증↑(~65%), oral candidiasis (>1/3), laryngotracheal reflux, esophagitis,
  dysphagia, 쉰 목소리, 체중감소, 야뇨증(∵ 물 많이 마심), 재발성 기관지염/폐장염 등
- 침샘/타액선(salivary gland) 기능검사
  ① salivary gland scintigraphy (technetium excretion radionuclide scan)
  ② 침분비량측정(sialometry) : 분비(배출)되는 침을 컵에 담아 측정
    - unstimulated : 5~15분간 매분마다 측정, ≤0.1 mL/min이면 비정상(salivary hypofunction)
    - stimulated : 껌을 씹거나 60분전 pilocarpine 복용 후 측정, ≤0.7 mL/min이면 비정상
- salivary gland imaging
  ① MRI ; parenchymal inhomogeneity (nodular pattern ; "honeycomb" or "salt & pepper")
  ② US ; multiple hypoechoic rounded areas (일부는 hyperechoic linear bands 동반)
  ③ parotid gland contrast sialography (침샘조영술) ; 침샘관확장(sialectasis) 소견이 SS 진단에
    도움은 되지만, invasive한 검사라서 거의 MRI or US로 대치됨

* **salivary gland enlargement** : SS의 30~50%에서 발생 (↔ lacrimal gland enlargement는 드묾)
  - 대개 firm, diffusely enlarged, nontender / parotid glands에서 가장 현저함
  - SS 환자는 lymphoma 동반이 흔하므로 biopsy 등을 통해 R/O해야 됨

## (3) 기타 exocrine glands의 침범
- upper & lower resp. tract → dry nose/throat/trachea, bronchitis (dry cough)
- GI tract → esophageal mucosal atrophy, atrophic gastritis, subclinical pancreatitis
- vulvovaginal dryness, pruritus, dyspareuina (성교통)
- dry skin (xerosis) ; 흔히 pruritus도 동반 ⋯ but, 땀샘(eccrine glands)의 염증 여부는 불확실함

# 2. Extraglandular manifestation
- primary SS의 약 1/3에서 동반 (secondary SS에서는 드묾)
- 전신 증상 ; fatigue, low-grade fever, myalgia/arthralgia ...
- 관절 침범 ; arthralgia (~50%), arthritis (~30%)
  - 대개 symmetric, intermittent, nonerosive / 주로 손, 손목, 무릎을 침범
  - RF 양성인 경우 더 흔함, RF & anti-CCP (+)면 관절염 더 심하고 RA로 진행 위험 높음
- Raynaud's phenomenon (13~30%) ; anti-centromere Ab (+)인 경우 더 흔하고 심함
- 폐 침범 (9~24%) ; PFT, BAL, CT 등 검사상의 이상은 훨씬 흔함(~75%)

- ILD ; dyspnea, nonproductive cough 등, NSIP 형태가 m/c      → 호흡기내과 10장 참조
- secondary보다 primary SS에서 ILD 동반이 더 흔함
- 보통 SS 발병 이후 5~10년 뒤에 발생하지만, SS보다 먼저 발생도 가능
- 신경 침범 ; peripheral neuropathy (~10%), CNS 증상 (다양), 정신 증상 (우울증이 m/c)
- GI ; 간/췌장을 포함한 전체 GI를 침범 가능, ~26%에서 LFT 이상, 췌장 침범은 대개 subclinical
- 신장 침범 (2~67%) ; chronic interstitial nephritis (주로 lymphocytes 침윤), type 1 distal RTA,
  경미한 serum Cr 상승, 경미한 UA 이상(e.g., pyuria) 등
- 갑상선 (10~70%) ; 명확한 관련성은 불확실함, autoimmune thyroiditis (m/c), TSH↑
- vasculitis ; cutaneous vasculitis (~10%; palpable purpura, recurrent urticaria, small ulcer),
  드물게 polyarteritis nodosa 비슷한 necrotizing vasculitis, ANCA-associated vasculitis
- lymphadenopathy (14%), cryoglobulinemia (9~16%)
- lymphoma (주로 NHL, B-cell, 5~10%) : 정상인보다 발생위험 40배
  - 대부분 extranodal, marginal zone B-cell, low-grade lymphoma (보통 peripheral LN를 침범)
  - 발생 위험 증가 ; 지속적인 salivary gland 비대 (m/i), cutaneous vasculitis (e.g., purpura),
    lymphadenopathy, splenomegaly, glomerulonephritis, leukopenia, cyroglobulinemia,
    C4 complement↓, 전신증상(발열, 체중감소, 권태감) 등
  - 예후가 나쁜 경우 ; B Sx, LN mass >7 cm, high/intermediate grade

# 검사소견/진단

- mild normocytic normochromic anemia (20%) : 다른 extraglandular manifestation들과 비례
- leukopenia (12~22%) : 대부분 mild, differential은 대개 정상
- mild thrombocytopenia (5~13%) (SLE와 달리 severe thrombocytopenia는 드묾)
- ESR↑↑, CRP는 정상 or mild↑
- hypergammaglobulinemia (36~62%) : polyclonal or monoclonal, anti-Ro/La (+)와 관련
                                 (↳ multiple myeloma 발생 위험도 증가)
- anti-Ro/SSA Ab (60~75%), anti-La/SSB Ab. (40%)
  ① earlier dz. onset, longer dz. duration
  ② salivary gland enlargement
  ③ severity of lymphocytic infiltration of minor salivary gland
  ④ extraglandular manifestation (lymphadenopathy, purpura, vasculitis)
- RF (33~90%), ANA (speckled pattern, 80~90%)
- 기타 자가항체 ; anti-$\alpha$-fodrin Ab (30~90%), anti-M3R (muscarinic receptor 3) Ab 등
- 조직검사 ··· minor salivary gland biopsy
  - 아랫입술 안쪽 점막의 입술침샘(labial gland)에서 시행 (드물게 감각저하 등의 Cx 발생 위험)
  - mononuclear cells ((lymphocytes)의 침윤 소견
  - 가장 정확한 확진 검사이지만, 진단에 필수적은 아님 (애매하거나 확진이 필요한 경우 시행)
- 자가항체를 제외하고는, 임상/병리 양상이 HCV, HIV 감염과 유사하므로 반드시 R/O해야 됨

| ACR/EULAR classification criteria for primary Sjögren's syndrome (2016) | |
|---|---|
| 1. 입술침샘(labial salivary gland) 조직검사에서 focal lymphocytic sialadenitis & Focus score of ≥1 foci/4 mm² | 3 |
| 2. Anti-Ro/SSA (+) | 3 |
| 3. 한쪽 이상의 눈에서 ocular staining score ≥5 (or van Bijsterveld score ≥4) | 1 |
| 4. 한쪽 이상의 눈에서 Schirmer test ≤5 mm/5분 | 1 |
| 5. 비자극 침 배출(분비)량 ≤0.1 mL/분 | 1 |
| Inclusion criteria: 구강 or 안구 건조 중 적어도 한 개의 증상이 있어야 됨<br>(1) 3개월 이상의 안구건조감  (2) 눈에 모래알이 들어간 것 같은 불편감이 반복됨<br>(3) 하루에 3회 이상 인공눈물 사용  (4) 3개월 이상의 구강건조감<br>(5) 음식을 먹을 때 물을 같이 마셔야 삼키기 편함 | |

* Inclusion criteria가 있으면서 총 점수가 4점 이상이면 primary Sjögren's syndrome으로 진단
* 배제 기준 ; 두경부 RTx 과거력, HCV, AIDS, sarcoidosis, amyloidosis, GVHD, IgG4-related dz.

# 치료

## 1. Glandular Sx.

- 인공눈물(artificial tears)
- 인공눈물 만으로 증상 조절이 어려운 심한 안구건조 증상 (keratoconjunctivitis sicca)
  - petroleum-based lubricant ointment ; 시야를 방해할 수 있으므로 자기 전 사용
  - topical cyclosporine ; 심한 증상의 조절에 도움 (but, 따갑고 충혈, 효과 지속이 6개월 정도)
  - topical lifitegrast (Xiidra®) ; 장기간 효과적, 안구건조질환에 2016년 FDA 승인
  - topical steroids ; 위 치료에 반응 없을 때 pulse therapy로 고려
    (효과는 좋지만, 백내장/녹내장/감염 등 부작용 위험으로 2~4주 정도만 사용 가능)
- 매우 심한 경우 ; 눈물점 폐쇄(punctual plug/occlusion), 전신 항염증제/면역억제제 (효과 별로)
- 구강 건조 ⇨ 적절한 수분 섭취, 무설탕 껌 또는 젤리(→ 침 분비 촉진)
- 전신 분비촉진제(oral secretagogue) : 콜린성제제(parasympathomimetic muscarinic agonists)
  - 침샘 기능이 남아 있으면 침 배출을 자극함 (안구 건조 증상만 있으면 사용×)
  - pilocarpine (M3R agonist), cevimeline (M1R & M3R agonist)

* lacrimal & salivary 분비를 저하시킬 수 있는 이뇨제, 항고혈압제, 항콜린제, 항우울제 등 금기!★

## 2. Extralandular Sx.

- arthralgia ⇨ hydroxychloroquine (± NSAIDs) → steroid, MTX, leflunomide, anti-TNF 등
- 피곤, 섬유근육통, 수면장애, 우울증 등의 전신증상 ⇨ hydroxychloroquine
- Raynaud's phenomenon ⇨ 추위 보호 (장갑 착용), CCB (nifedipine)
- distal RTA ⇨ sodium bicarbonate or citrate salts
- systemic vasculitis ⇨ glucocorticoids and/or 면역억제제(e.g., cyclophosphamide)
- anti-CD20 mAb (rituximab) ; vasculitis, 피곤 등의 전신증상에 일부 효과 [논란]

# 11
# 감염성 관절염

## 급성 세균성 관절염

### 1. 개요

- 감염경로 ; 혈류를 통한 전파(bacteremia)가 m/c
- 흔한 원인균
  ① 영아 ; group B streptococci, G(-) enteric bacilli, *S. aureus*
  ② 소아 (5세 미만) ; *S. aureus*, *S. pyogenes* (Group A streptococcus), *Kingella kingae*
  ③ 모든 성인 ; *S. aureus* (m/c), *Streptococcus* spp., G(-) bacilli ...
  (청소년 및 젊은 성인에서는 *N. gonorrhoeae*가 상대적으로 흔함)

### 2. Non-gonococcal bacterial arthritis (septic arthritis)

#### (1) 원인

- 원인균 ; *S. aureus*[m/c] (MSSA[m/c], MRSA), *Streptococci*, CoNS (*S. epidermidis*), GNB ...
  (arthroscopy나 prosthetic joints 이용의 증가에 따라 *S. epidermidis*도 증가 추세)
- 위험인자 ; 고령, 관절질환(e.g., RA[m/c], SLE, OA, gout)[m/c], 최근의 수술/외상, SSTI, indwelling catheters, 면역저하(e.g., DM, CKD, 만성간질환, 알코올중독, 악성종양, HIV, steroid, 면역억제제), IV drug abusers ...

#### (2) 임상양상

- 90%가 monoarticular ; <u>knee</u> (m/c, 45%), hip (15%), ankle (9%), elbow, writst, shoulder
- joint ; pain (moderate~severe), swelling, heating, ROM 감소
- fever/chill (20%에서는 없을 수 있음, 특히 RA, 신부전, 간부전, 면역억제치료시)
- D/Dx ; cellulitis, bursitis, acute osteomyelitis ...

#### (3) 검사소견

- 혈액배양 ; *S. aureus*는 50~70%에서 양성 (다른 균은 양성률 더 낮음)
- 관절천자(synovial fluid analysis) ; m/i
  - turbid, purulent / glucose↓, protein↑, LDH↑
  - <u>WBC >50,000/$\mu$L</u> (neutrophil >90%)
  - gram stain (sensitivity 낮음 → 음성이라도 septic arthritis R/O 못함)
  - <u>culture</u> : 90% 이상에서 (+)

- 항생제가 투여되었거나 culture (−)인 경우는 PCR도 유용할 수 있음
- 편광현미경으로 crystals도 꼭 검사하여 gout나 pseudogout를 R/O해야 됨!
- X-ray ; soft tissue swelling, joint-space widening, displacement of tissue planes
  - joint space narrowing, bony erosions → advanced infection, poor Px.
- US ; hip의 effusion 보는데 좋다
- CT/MRI ; sacroiliac joint, sternoclavicular joint, spine 등을 보는데 좋다

### (4) 치료

- 배양을 위한 blood & synovial fluid sampling 후 즉시 IV로 경험적 항생제 투여
- 경험적 항생제

  ┌ Gram 염색에서 균이 안보이거나 GNB → 3세대 cepha (e.g., cefotaxime, ceftriaxone)
  └ Gram 염색에서 G(+) cocci → 1세대 cepha. (cefazolin), nafcillin, or oxacillin
     (MRSA 가능성 있으면 vancomycin)
  - IV drug abuser or *Pseudomonas* 의심시엔 AG or 3세대 cepha.
- 항생제감수성 결과가 나오면 definitive therapy 시작 (2~4주)
- 관절 배액(drainage) ; 감염을 효과적으로 제거, 관절 파괴(기능 상실)를 최소화
  - needle aspiration, arthroscopic drainage & lavage
  - arthrotomy (surgical drainage) : 소아 hip의 septic arthritis or 내과적 치료에 실패시

## 3. Gonococcal arthritis

- 젊고 성생활이 활발한 성인에서 호발 (but, 최근에는 현저히 감소), 남<여 → 남>여 추세
- 발생 : monoarticular ≒ polyarticular, 무릎/손목/발목 및 more distal joints에 발생
- 임상양상/진단

  ┌ disseminated gonococcal infection (더 흔함) ; immune reaction
  └ true gonococcal arthritis ; 대부분 afebrile
  - synovial fluid와 blood에서의 배양 양성률이 낮으므로 primary infection이 의심되는 점막 부위도
    배양해야 됨 (e.g., 요도, 자궁경부, 인후)
  - gonococcal DNA PCR ; sensitivity 높음
- 치료 ; parenteral ceftriaxone (or cefotaxime, ceftizoxime, β-lactam allergy시엔 spectinomycin)
      + oral azithromycin 1회 (or DC 7일)
  - 유지요법 ; oral cefixime (감수성 있으면) or low-dose ceftriaxone (총 ~7일간 치료)
  - purulent gonococcal arthritis ; 대개 ceftriaxone 7~14일 사용
      + repeated joint aspiration or irrigation, temporary immobilization, NSAIDs

## 4. 인공관절 감염

- 관절치환술 후 1~4%에서 발생, 대개 수술 중/직후 발생
- 원인균 ┌ 급성 경과 ; *S. aureus*, pyogenic streptococci, enteric GNB
        └ 만성 경과 ; CoNS, diphtheroids
- 치료 : 수술 (대개 인공삽입물 제거) + 고용량 항생제 IV

# TB ARTHRITIS

- progressive monoarticular swelling & pain, 1/2에서는 전신증상도 동반
- 대개 면역저하자에서 발생(e.g., AIDS), 활동성 폐결핵 동반은 드묾
- 주로 큰 weight-bearing joints를 침범 (hip, knee, ankle), 대개 monoarticular
  (세균처럼 관절의 발적, 온열감 등 급성 감염 양상은 드묾: "cold" arthritis)
- 약 10~15%는 polyarticular, 약 30%는 전신증상도 동반(e.g., 발열, 체중감소)
- synovial fluid 소견 ; 대개 비특이적 (WBC 평균 20,000/μL, neutrophils이 약 50%)
  - AFB stain : 1/3 미만에서만 (+)
  - culture : 80%에서 (+) / synovial tissue culture는 90%에서 (+)
  - 빠른 진단을 위해 PCR이 노움
- 치료 : 폐결핵과 동일　　　　　　　　　　　　　　　　　　→ 호흡기내과 6장 참조
* NTM (atypical mycobacteria)에 의한 감염
  - 외상 또는 직접접종을 통해 감염 (대개 작은 관절) ; 농사일, 정원일, 물과 관련된 일
  - tendon sheaths와 bursae를 침범하는 것이 특징

# VIRAL ARTHRITIS

- 일반적으로 mild, short duration (self-limited), symmetric & polyarticular (synovitis 無)
- 원인 ; parvovirus, HBV, HCV, rubella, mumps, EBV, alphaviruses, Zika virus, Dengue virus 등
- 진단 : 의심 바이러스에 대한 혈청학적 검사
- 치료 ; 진통제(e.g., AAP, NSAIDs) / steroid는 대개 금기

### Infectious arthritis의 synovial fluid 특징

| 원인 | Appearance | WBC/mm³ | PMN% | (+) Smear% | (+) Culture% |
|------|-----------|---------|------|-----------|--------------|
| Bacterial | Opaque/turbid | >5만 | >90 | 50~75 | 90 |
| Gonococcal | Opaque/turbid | >5만 (DGI: 1~2만) | >80 | 25 | 40 |
| Tuberculous | Opaque | 1~2만 | 50 | 20 | 80 |

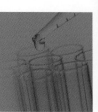

# 12
## 기타

## 섬유근육통 (Fibromyalgia, FM)

- 매우 흔함 (유병률 2~3%), 50대 이상 여성에서 호발 (남:여 = 8~9:1), 나이 들수록 발생 증가
- <u>전신</u>의 만성적인 <u>통증</u>과 경직감을 주소로 하는 질환 : "온 몸이 쑤시고 아프다"
- 전신 권태감, 피로 (80%에서 moderate 이상), 두통 (70%), 수면장애 (65%, non-REM sleep 장애), 우울증, 기억장애, 감각이상, IBS 등도 흔히 동반됨
- 진찰소견은 압통점(tender point sites) 이외에는 거의 없음
- laboratory test는 모두 정상!
- 병인 ; 유전적 소인 (e.g., 가족력 有) + 환경요인
  → CNS의 pain processing 이상 (e.g., exaggerated pain response, hyperirritability)
- 진단기준

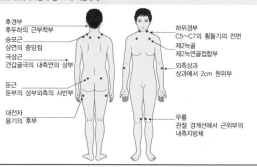

| American College of Rheumatology (ACR) classification criteria (1990) |
| --- |
| ① Widespread (multisite) musculoskeletal pain (<u>3개월 이상</u>) & |
| ② Tender point sites (18군데 중 11개 이상에서) |

후경부
후두하의 근부착부
승모근
상연의 중앙점
극상근
견갑골극의 내측연의 상부
둔근
둔부의 상부외측의 사반부
대전자
융기의 후부

하위경부
C5~C7의 횡돌기의 전면
제2늑골
제2늑골연골접합부
외측상과
상과에서 2cm 원위부
무릎
관절 경계선에서 근위부의 내측지방체

---

**American College of Rheumatology (ACR) preliminary diagnostic criteria (2010 criteria)**

다음 3 조건을 만족하면 fibromyaliga (FM)로 진단

1. WPI ≥7 & SS ≥5 *or* WPI ≥3 & SS ≥9
2. 비슷한 수준의 증상이 3개월 이상 지속
3. 통증을 유발할만한 다른 질환이 없음

| WPI (widespread pain index) | SS (symptom severity scale score) |
|---|---|
| : 지난 1주일 동안 환자가<br>아팠던 부위의 수 (0~19점) | : 다음 4가지 증상의 중증도 점수 합 (0~12점) |
| | (1) 피로감             0 = 문제없음 |
| 좌/우 어깨 | (2) 잠에서 깨도 상쾌하지 않음   ⇨ 1 = 약간 불면, 경증 or 간헐적 발생 |
| 좌/우 상완 | (3) 인지기능장애           2 = 상당히 불면, 중등도 or 자주 발생 |
| 좌/우 하완 |                   3 = 매우 불면, 중증, 지속적 발생 |
| 좌/우 엉덩이 | (4) 일반 신체증상 : 아래 41가지 중 존재 개수 |
| 좌/우 허벅지 |       0 = no (0) |
| 좌/우 종아리 |       1 = few (1~10) |
| 좌/우 등 |       2 = moderate (11~24) |
| 좌/우 턱 |       3 = great deal (≥25) |
| 목 |       (근육통, 과민성대장증후군, 피로, 사고/기억장애, 근육허약, 두통, 복통/경련, |
| 가슴 |       저림, 어지러움, 불면, 우울, 변비, 상복부통, 오심, 신경과민, 흉통, 흐린시력, |
| 배 |       발열, 설사, 입마름, 두드러기, 귀울림, 구토, 속쓰림, 구강궤양, 입맛변화/소실, |
| |       멍울듦, 탈모, 빈뇨, 배뇨통, 방광연축 등) |

\* 1990 기준에 비해 tender point examination이 빠져, 1차진료의사들도 쉽게 사용할 수 있도록 하는게 주 목적

- 감별진단
  - chronic fatigue syndrome : 증상이 viral illness와 더 비슷
    - (e.g., mild fever, sore throat, axillary/cervical LN의 통증 등)
  - polymyalgia rheumatica : more proximal muscle stiffness & pain, ESR↑
- 치료 : 우선 환자에게 신체의 병임을 인식시키고, 안심시키는 것이 중요 ⇨ 대증 치료
  (호전/악화 반복되는 만성 경과를 보이지만, 대부분은 큰 문제없이 생활 가능)

(1) 항우울제 : 가장 효과적, 초치료로 취침 전 low-dose TCA 추천
  ① TCA ; **amitriptyline** (m/c), desipramine, nortriptyline, doxepin
  ② SSRI ; fluoxetine, sertraline, paroxetine, fluvoxamine, citalopram
  ③ dual serotonin-NE reuptake inhibitor (SNRI) ; <u>duloxetine, milnacipran</u>, venlafaxine

(2) 항경련제 (alpha-2/delta [$\alpha_2\delta$] Ca²⁺ channel modulator) ; <u>pregabalin</u>, gabapentin
  → 통증↓, 수면 개선, 삶의 질 향상 효과

(3) 진통제 : AAP, tramadol (opioid agonist이지만 serotonin과 NE 재흡수 억제 기전도 있음)
  - 강한 마약성 진통제는 금기

(4) 국소치료법(e.g., 침술, heat, massage, myofascial release, injection, TENS) : 일시적 효과뿐

(5) 기타 : 가벼운 유산소 운동, 스트레스 훈련, 인지행동치료(cognitive behavioral therapy[CBT]) ...

\* 하나의 약제로 여러 증상을 조절하는 것이 권장됨!
  - 통증과 수면장애가 주인 환자 ⇨ 진통 & 수면개선 효과 있는 약제
    → sedating antidepressant (e.g., amitriptyline) or 항경련제(e.g., pregabalin)
  - 통증에 <u>피곤</u>, 불안, <u>우울</u> 등이 동반된 환자 ⇨ 진통 & 항우울/항불안 효과 있는 약제
    → SNRI (e.g., duloxetine, milnacipran)

* 염증과 관련이 없으므로 oral steroids or NSAIDs는 효과 없음
    (NSAIDs는 중추신경계 작용 약물의 효과를 상승시킬 수는 있음)
* 아편유사진통제는 금기 (∵ opioid-induced hyperalgesia로 증상 악화 가능)

# Immunoglobulin G4-related disease (IgG4-RD)

- IgG4(+) lymphoplasmacytes 침윤, 나선형섬유화(storiform fibrosis), 혈청 IgG4 상승이 특징인
  immune-mediated fibroinflammatory dz.
- 원인은 모름, 매우 드묾, 중년~노년에서 발생, 남>여
- 임상양상 ; 거의 모든 장기를 침범 가능 (→ subacute하게 mass 발생), 60~90%는 여러 장기 침범
  - type 1 (IgG4-related) autoimmune pancreatitis (AIP)
    ; IgG4-RD가 처음 알려지게 된 전형적인 장기 침범, 과거에는 그냥 AIP or
      lymphoplasmacytic sclerosing pancreatitis (LPSP)로 불리었음   → 소화기내과 Ⅱ-11장 참조
  - sclerosing cholangitis ; AIP의 >70%에서 동반 (단독 발생은 드묾), 폐쇄성 황달 등
  - 침샘(salivary gland) 침범 ; submandibular[m/c] or parotid mass
  - 안와 침범 ; 눈물샘(lacrimal gland) mass → 안검 부종, 외안근 침범 → 안검하수
  - lymphadenopathy (~40%) ; 대개 다른 장기 침범에 동반되어 발생 (AIP의 ~80%에서 동반),
    다른 장기 침범과 달리 biopsy에서 IgG4-RD의 특징적인 소견은 드묾
  - 신장 침범 (~15%) ; tubulointerstitial nephritis[m/c], membranous GN 등, complement↓
  - 기타 ; retroperitoneal fibrosis, 갑상선(e.g., Riedel's thyroiditis), aortitis, periaortitis,
    폐(sarcoidosis 비슷한 양상), 신경 ...
  - allergy (e.g., atopy, eczema, asthma, nasal polyps, sinusitis, eosinophilia) 동반도 흔함(~40%)
- Cx ; 간부전, 췌장부전, 신장위축, aortic dissection/aneurysm, 부비동/비인두의 파괴
- 진단 ; 임상양상, 영상소견, serum IgG4↑, 조직검사 등을 종합하여 진단
  - 조직검사 ; dense lymphoplasmacytic infiltration (storiform pattern), mild~moderate
    eosinophilic infiltration, IHC에서 IgG4(+) plasma cells, 진행되면 "storiform" fibrosis
  - circulating plasmablasts (e.g., FCM에서 CD19[low]/CD38+/CD20-/CD27+)↑도 진단에 도움
- 치료 ; glucocorticoids (e.g., prednisone) [대부분 잘 반응] → 반응 없거나 재발시 rituximab
- 예후 ; 다양한 경과, 치료 중단시 재발이 흔함, 악성종양 발생 증가 여부는 논란

# Guillain-Barré Syndrome

- acute, fulminant polyradiculoneuropathy (autoimmune)
- immunopathogenesis : cellular & humoral immune mechanisms 모두 관여
  ① T cell activation ┌ serum ; IL-2, soluble IL-2 receptor 증가
                      └ CSF ; IL-6, TNF-α, IFN-γ 증가
  ② autoantibodies (neural target ; glycoconjugates, 특히 gangliosides)
     - anti-GM1 ; 20~50%에서 발견됨, 특히 *C. jejuni* 감염 뒤
     - anti-GO1b ; MFS (M. Fisher syndrome)의 90% 이상에서 발견
- 임상양상
  - 대개 ascending paralysis, 팔보다 다리를 주로 침범
  - facial diparesis (50%에서), lower cranial nerves를 더 잘 침범
  - 대부분 입원이 필요 (30%에서는 ventilatory support 필요)
  - weakened muscles 부위의 deep aching pain, DTR 소실
  - bladder dysfunction ; 심한 경우에만, 대개 일시적
  - autonomic dysfunction (e.g., BP fluctuation, postural hypotension, arrhythmia)
    ; 심한 경우에 발생할 수 있음

| Subtypes | 발생연령 | 특징 | EMG | 조직소견 |
|---|---|---|---|---|
| AIDP (acute inflammatory demyelinating polyneuropathy) (m/c, 90%) | 성인 | 회복 빠름 anti-GM1 Ab (<50%) | Demyelination | Schwann cell surface를 처음 침범 ; 광범위한 myelin 손상, macrophage 활성화, lymphocyte 침윤 |
| AMAN (acute motor axonal neuropathy) | 소아 젊은성인 | 계절적인 발생 회복 빠름 anti-GD1a Ab | Axonal | Ranvier motor nodes를 처음 침범 ; macrophage 활성화, lymphocyte 침윤은 드묾, periaxonal macrophages 흔함 |
| AMSAN (acute motor sensory axonal neuropathy) | 성인 | 회복 느림 (흔히 불완전) AMAN와 관련 | Axonal | AMAN과 동일하지만 sensory nerves & roots도 침범 |
| MFS (M. Fisher syndrome) (~5%) | 성인/소아 | Ophthalmoplegia ataxia, areflexia anti-GO1b Ab (>90%) weakness 없음 | Demyelination | AIDP와 비슷 |

- 검사소견
  ① CSF ; protein level 증가 (100~1000 mg/dL), pleocytosis는 없음
  ② EMG (electrodiagnosis)
     - demyelination ; prolonged distal latency, conduction velocity slowing
     - axonal ; action potentials의 amplitude 감소

• 진단

| Diagnostic Criteria |
| --- |

■ 필수

1. Neuropathy에 의한 2개 이상의 사지의 progressive weakness*
2. 무반사(areflexia)
3. 질병 경과가 4주 미만
4. 다른 원인들을 R/O
   - vasculitis ; PN, SLE, Churg-Strauss syndrome (EGPA)
   - toxins ; organophoaphates, lead
   - infections ; botulism, diphtheria, HIV infection
   - porphyria, localized spinal cord or cauda equina syndrome

■ 보조적

1. Relatively symmetric weakness
2. 경미한 감각 장애
3. Facial nerve 등의 cranial nerve 침범
4. Fever는 없음
5. CSF 소견 ; protein↑, acellular
6. EMG

• 치료

① high-dose IV immune globulin (IVIg)
② plasmapheresis
- 두 가지의 효과는 비슷, 모두 시행해도 특별한 이득은 없다
- 진단 후 가능한 빨리 시작해야 (첫 motor Sx 발생 후 2주 뒤엔 효과 없다)
- glucocorticoids는 효과 없음
- 심한 경우엔 ICU에서 monitoring, ventilatory supports 등 필요

# 알레르기
# 내과

# 1
## 서론

## IMMUNOGLOBULINS

### Immunoglobulins의 종류

| 특성 | IgG | IgA | IgM | IgD | IgE |
|---|---|---|---|---|---|
| 분자형태 | Monomer | Monomer, dimer | Pentamer, hexamer | Monomer | Monomer |
| Subclass | G1, G2, G3, G4 | A1, A2 | None | None | None |
| Serum level (mg/dL) | 9.5~12.5 | 1.5~2.6 | 0.7~1.7 | 0.04 | 0.0003 |
| 전제 Ig에서의 % | 75~85 | 7~15 | 0.3 | 0.3 | 0.019 |
| Classic complement 활성화 | +(G1, 2?, 3) | – | – | – | – |
| Alternative complement 활성화 | +(G4) | + | + | + | + |
| Fc portion을 통해 결합하는 세포 | Macrophage, neutrophil, large granular lympho. | Lymphocyte | Lymphocyte | None | Mast cell, basophil, B cell |
| 특징 | 태반통과, 대부분의 면역반응에서의 secondary Ab | Secretory Ig | Primary Ab 반응 | Mature B cells의 marker | 알레르기 기생충감염 |

## ALLERGY 반응을 일으키는 기전

(1) sensitization : allergen과의 접촉으로 면역세포가 감작됨

(2) hypersensitization : effector cell이 allergen과 재접촉시 용이하게 반응

(3) hyperreactivity of target organ : mediator 또는 cytokine에 의해 증상을 일으키는 조직과 장기가 과반응

\* priming effect : 적은 양의 allergen에 지속적으로 노출되면, 훨씬 적은 양의 allergen 노출에 대해서도 증상 및 nasal airway resistance 증가

## 과민반응의 분류 ★

* hypersensitivity의 분류
  (1) allergic hypersensitivity (면역기전 관여)
    ┌ IgE-mediated ; atopic, non-atopic (e.g., drugs, insect sting)
    └ not IgE-mediated ; T-cell, eosinophil, IgG-mediated, other
  (2) non-allergic hypersensitivity (면역기전 활성화 없음)

| Allergy (Hypersensitivity)의 형태 | 대표적인 질환 ★ |
|---|---|
| 제1형 : IgE-mediated<br>즉각형(immediate type)<br>위급성형(anaphylactic type) | 1) Atopy ; allergic rhinitis, allergic (extrinsic) asthma,<br>   atopic dermatitis, allergic gastroenteropathy<br>2) Anaphylaxis ; urticaria, angioedema, food allergy,<br>   drug allergy (e.g., penicillin), insect bite allergy |
| 제2형 : Antibody-mediated<br>세포 독형(cytotoxic type)<br>세포 용해형(cytolytic type) | 면역(immune) 용혈빈혈/혈소판감소증,<br>용혈성 수혈반응, Rh 신생아용혈병(HDN),<br>Goodpasture's syndrome, pemphigus vulgaris,<br>myasthenia gravis, thyrotoxicosis |
| 제3형 : Immune complex-mediated<br>독성 결합체형(toxic complex type) | 혈청병(serum sickness), 사구체 신염, 혈관염,<br>hypersensitivity pneumonitis, SLE, RA |
| 제4형 : T cell-mediated<br>(cell-mediated hypersensitivity)<br>지연형(delayed type)<br>항원노출 2~3일 후 | 접촉성 피부염 (m/c), hypersensitivity pneumonitis,<br>ABPA, 결핵, 결핵성 흉막염, tuberculin 반응, 나병,<br>sarcoidosis, 베릴륨증(berylliosis), 석면증(asbestosis)<br>이식 거부반응, GVHD, 갑상선염, 악성 빈혈, type 1 DM,<br>RA, 만성 알레르기 염증, toxoplasmosis |

→ 4장도 참조

## CHEMICAL MEDIATORS & MAST CELL

• 비만세포(mast cell)의 활성화 (m/i)
  (1) 면역학적 활성화 : allergen이 비만세포 표면의 IgE receptor에 결합된 두 개의 IgE 사이에서
      가교를 형성하여 mediators 분비를 일으킴
  (2) 비면역학적 활성화/자극 : 방사선조영제, aspirin, 아편제제(e.g., morphine, codeine),
      D-tubocurarine, thiamine, captopril, C3a, C5a, MBP, substance P, synthetic ACTH ...

• mediators의 기능에 따른 분류
  (1) 혈관 투과성 증가와 평활근 수축 ; histamine, $PGD_2$, $LTC_4/D_4/E_4$, PAF, SRS-A, BK-A
  (2) 염증세포들의 chemotaxis or activation ; $LTB_4$, ECF-A, NCF

• 활성화된 mast cell (basophil)에서 분비되는 물질(mediators)

| Primary (Preformed) Mediator | Secondary (Newly-formed) Mediator |
|---|---|
| Histamine (m/c) | LTB$_4$, LTC$_4$, LTD$_4$, LTE$_4$ |
| Heparin | PGD$_2$, PGE$_2$, PGF$_2\alpha$ |
| Proteoglycans | Thromboxan A$_2$ |
| Tryptase & Chymase | PAF |
| Carboxypeptidase A | Adenosine |
| Serotonin | Bradykinin |
| Aryl sulphatase | Cytokines |
| $\beta$ –hexosaminindase | |
| $\beta$ –glucuronidase, $\beta$ –galactosidase | |
| ECF–A, HMW–NCF | |

• mast cell은 여러 cytokines도 생산 ; IL-1, IL-2, IL-3, IL-4, IL-5, IL-6, IL-8, Ⅱ-10, IL-13, GM-CSF, TNF-$\alpha$
  (→ eosinophil의 생산/분화/활성화/침윤 등을 유발)

# 알레르기 항원 (allergen)

## 1. Aeroallergen

: 대부분 2~60 $\mu$m의 크기가 잘 일으키며, 10 $\mu$m 이하의 것만이 기관지 내로 들어가므로 천식보다는 알레르기성 비염을 잘 일으킨다.

### (1) 계절성(seasonal)

• 꽃가루(화분, pollen)
  ① 수목 화분기(tree pollen) – 3~5월 (봄) ; 자작나무과(자작나무, 오리나무, 개암나무), 포플라, 버드나무, 참나무, 소나무 …
  ② 목초 화분기(grass pollen) – 6~7월 (초여름) ; 우산잔디, 큰조아재비, 호미풀, 김의털, 오리새
  ③ 잡초 화분기(weed pollen) – 8~10월 (초가을) ; 쑥(m/c), 돼지풀, 환삼덩굴 …
• 곰팡이 포자 : 7~10월에 최고, 12~1월에 최저이지만 통년성으로 발견됨

### (2) 통년성(perennial)

• 집먼지진드기(house dust mite) ; *Dermatophagoides farinae*, *D. pteronyssinus* … m/c allergen
• 동물의 털/비듬(e.g., 고양이, 개, 쥐, 토끼), 바퀴벌레
• 곰팡이 ; *Alternaria, Cladosporium, Aspergillus, Penicillium, Mucor* …
• 잎 응애(mite) ; 귤응애(*Panonychus citri*, 제주 감귤농장에서 가장 문제가 되고 있는 해충으로 감귤농장 주민들의 기관지천식과 알레르기성비염의 원인 allergen), 점박이응애(*Tetranychus urticae*, 농약에도 잘 죽지 않음, 주로 과수원 농부에서 문제) …

### (3) 직업성

; TDI, anhydride, 반응성 염료 등

## 2. 식품

: 호흡기 알레르기를 일으키는 원인으로는 드물지만 메밀, 달걀, 꽃게, 우유, 새우, 이스트, 복숭아, 밀가루, 돼지고기, 닭고기, 토마토, 쵸콜릿, 땅콩, 사과 등이 있음

# 진단

## 1. 병력 (m/i)

## 2. 진찰 소견

- wheezing, dyspnea, 흉부함몰
- adenoid face (입으로 숨쉼), allergic shiner (눈밑에 보라색 색소침착)
- allergic salute (손바닥으로 코끝을 비비며 위로 올림)
- transverse nasal crease

## 3. 인체를 대상으로 하는 검사

### (1) 피부반응검사(allergic skin test)

- 원인 allergen 규명을 위한 첫 번째 검사, 일반적으로 15~30분 후 반응이 최고일 때 측정
- IgE-mediated reaction (type I)의 진단에 중요 (immediate hypersensitivity)
- mast cell, basophil 표면의 specific IgE 유무를 검출
- sensitivity는 매우 높고(거의 100%), specificity도 높지만(>85%) 피부반응검사가 양성으로 나타나도 해당 항원이 원인 allergen이라고 진단할 수는 없음! (위양성 가능성)
  - 결과가 total IgE, specific IgE, 기관지유발검사 등과 높은 일치율을 보임
  - food allergy는 임상증상과 일치도가 좀 떨어짐 → fresh food로 직접 시행 고려 (특히 과일)
  - 약물투여, 시약의 농도와 순도, 시술자의 경험이 결과에 영향을 미침
  - 동일 allergen이라도 사람 또는 검사 부위에 따라 반응이 다를 수 있음

| 위양성 | 피부묘기증(dermographism), Urticaria, Cutaneous mastocytosis, 시약에 불순물 포함 |
|---|---|
| 위음성 | 약물 ; antihistamines, sympathomimetics, 장기간의 steroid 등<br>(1주일 이내의 단기간 steroid는 영향 없음)<br>최근의 anaphylaxis, 역가가 떨어진 항원, Multiheaded devices |

- 환자에서 부작용이 발생할 위험이 있음
- 판독 : 팽진(wheal)에 발적(flare)이 동반되어야 됨, 크기는 장경과 단경을 더하고 2로 나눔
  ① 단자검사(prick test)피부바늘따끔검사 : screening test, allergen 양이 적다, specificity 높음
  ② 피내검사(intradermal test) : allergen 양↑↑, sensitivity 더 높지만 위양성 및 부작용이 증가
     → 대개는 단자검사 음성인 경우 시행 고려, food or latex allergy에는 시행×
  ③ 소파검사(scratch test) ; 별도의 (+) 기준표는 없음

**피부반응검사의 판정기준**

| 등급 | 피부단자검사 | | | 피내검사 | |
|---|---|---|---|---|---|
| | 팽진(A/H) | 팽진(크기) | 발적(크기) | 팽진(A/H) | 발적(크기) |
| – | 0 | 0 | 0 | 0 | 0 |
| 1+ | R <1 | 1~2 mm | <21 mm | R <1 | <21 mm |
| 2+ | R <1 | 1~3 mm | ≥21 mm | R <1 | ≥21 mm |
| 3+ | 1≤ R <1 | 3~5 mm | ≥21 mm | 1≤ R <1 | ≥21 mm |
| 4+ | 2≤ R <3 | >5 mm | ≥21 mm | 2≤ R | ≥21 mm |
| 5+ | 3≤ R <4 | | ≥21 mm | | |
| 6+ | 4≤ R <5 | | ≥21 mm | | |

\* A/H (Allergen/Histamine) ratio : (+) control인 histamine에 의한 팽진 크기에 대한 비율
\*\* 대개 3+ 이상인 경우에 의미를 둠!

**(2) 항원유발검사(provocation test)**
- 원인 allergen을 규명하는 gold standard
- food allergy : 이중맹검 식품 유발검사
- allergen을 직접 비강, 결막, 기도내에 투여한후 반응을 봄
- 기관지유발검사 ; 비특이 (metacholine, histamine) or 특이 항원 유발검사

**(3) 폐기능검사(pulmonary function test)**

■ **Cell-mediated immunity (delayed hypersensitivity)의 검사**
  ① **첩포/부착포검사(patch test)** … 지연형 피부검사
     – 알레르기성 접촉피부염의 진단 (type IV hypersensitivity)
     – 약 20여 종의 흔한 접촉성 allergen을 환자의 등(상측부)에 붙이고 3일간 놓아두었다가
       가려움이나 자극(홍반, 부종, 구진, 수포) 발생 여부를 측정
  ② in vitro cytokine production
     – 항원과 환자의 림프구를 반응시켜 IL-4, IL-5 같은 cytokines의 생성 여부
       or Th2 세포의 증식 여부를 관찰
     – 치료 효과 판정에도 이용할 수 있음

## 4. 검사실 검사

**(1) total IgE**
- 검사법 ; CLIA (chemiluminescent immunoassay), FEIA (fluorescence enzyme immunoassay) 등
- 혈청 IgE가 증가하는 경우
  ① 기생충 감염
  ② 아토피 질환 ; 알레르기 비염 (화분증, 건초열), 아토피성 피부염
  ③ 기타 ; aspergillosis (ABPA), systemic candidiasis, leprosy, coccidioidomycosis,
     hyper IgE synd, Wiscott-Aldrich syndrome, selective IgA def., HL, IgE myeloma ...
- 알레르기 질환에서 total IgE가 상승하더라도 정상인과 차이가 크지 않고
  다양한 원인에 의해 상승되므로 진단에는 큰 도움 안됨

**(2) allergen-specific IgE : immunoassays**

- 혈청에서 여러 allergen-specific IgE를 동시에 반정량적으로 검출하는 선별검사로 흔히 이용됨
- RAST (radioallergosorbent test) ; skin test 보다는 sensitivity 떨어짐
  - semiquantitative, 약물의 영향 안 받음, 환자의 고통/부작용 없음
  - 단점 ; 방사성 동위원소를 취급해야 하고, 고가의 장비가 요구됨 (→ 다른 검사로 거의 대체)
- ImmunoCAP (Phadia™) : RAST를 대체하기 위해 Phadia (현재 Thermo Fisher)에서 개발한 검사
  - ImmunoCAP : singleplex (한 종목씩 검사)로 많은 양의 Ag을 사용해 '정량' 검사 가능,
    민감도와 특이도 높음!, 특히 food allergy의 경우 유발검사와의 상관관계가 매우 우수함
  - ImmunoCAP ISAC (Immuno Solid-phase Allergen Chip) : multiplex, 반정량검사,
    ImmunoCAP에 비해 사용 Ag 양이 적고 민감도 약간 떨어지고 IgG의 간섭을 받음
- MAST (multiple allergen simultaneous test) ⋯ multiplex allergen-specific IgE test
  - ELISA (CLIA, FEIA, immunoblot 등) 기법을 원리로 total IgE와 수십 종의 specific IgE를
    동시에 측정하는 반정량 검사, 대부분 자동화되고 저렴해 현재 가장 많이 사용됨
  - 우리나라 (2가지 panel) ; 흡입형(Korean inhalent panel), 식품형(Korean food panel)

**(3) eosinophil 검사**

- 다양한 원인으로 상승하므로, 알레르기 질환의 진단에는 별 도움 안됨
- total eosinophil count가 백분율(%)보다 신빙성 높다
- eosinophil ┌ 5~15% : 알레르기질환 의심
  ├ 15~40% : 알레르기질환, 기생충, 약물, 종양, 면역결핍증
  └ >50% : 유충장기전이증, 특발성 호산구증가증후군

### Allergen-specific IgE 검사법

|  | IgE bound to tissue mast cell | IgE in serum |
|---|---|---|
| In vivo | Skin test<br>Allergen-provocation test | Prausnitz-Kustner (P-K) test |
| In vitro | Leukocyte histamine-release test | RAST, MAST, RIDA, immunoCAP 등 |

### Allergic skin test와 혈청 specific IgE test (e.g., MAST)의 비교

|  | Allergic skin test<br>(in vivo) | Specific IgE test<br>(in vitro) |
|---|---|---|
| 알레르기 반응(부작용)의 위험성 | 있음 (특히 피내검사 때) | 없음 |
| 검사의 민감도 및 특이도 | 우수함 | 덜 우수함 |
| 항히스타민제에 의한 영향 | 영향 받음 | 영향 없음 |
| 부신 피질 스테로이드제에 의한 영향 | 영향은 거의 없음 | 영향 없음 |
| 심한 피부 병변이 있을 때 | 검사하지 못함 | 영향 없음 |
| 검사의 간편성, 환자의 고통 여부 | 불편하고 환자에게 고통을 줌 | 간편하고 고통도 없음 |
| 결과 판정 | 즉시 가능, 주관적 | 면역반응에 시간 소요, 객관적 |
| 반정량적 검사 | 불가능 | 가능 |

# 치료

## 1. 회피 및 제거

| 천식 환자를 위한 환경 조절 방법 |
| --- |
| 1. 실내 습도를 50% 이하로 유지한다. |
| 2. 이불은 자주 햇빛에 널어 말리고 가능하면 삶아서 세탁한다. |
| 3. 베개나 매트리스는 비닐 (또는 allergen-proof covers)로 씌워서 사용한다. |
| 4. 헝겊으로 된 소파나 카펫을 사용하지 않는다. |
| 5. 방바닥은 장판으로 하고 매일 닦는다. |
| 6. 꽃가루가 날릴 때나 공기 오염이 심할 때에는 출입문과 창문을 닫아 놓는다. |
| 7. 강아지나 고양이 등 애완 동물을 키우지 않거나 침실 밖으로 내보낸다. |
| 8. 실내에서는 담배를 피우지 않는다. |

c.f.) 모유 수유 → 알레르기 질환 예방에 도움!
   (도움이 안된다는 연구 결과도 있지만, 소아에서 천식, 아토피 등의 발생률 약간 감소)

## 2. 약물요법

① antihistamine (H₁-receptor blocker)
  • allergic rhinitis, ulticaria 등의 치료에 씀
  • chronic ulticaria, anaphylaxis에는 H₂-receptor blocker도 함께 씀
  • 2세대 antihistamine : BBB 통과 안해서 sedation 부작용 적다

② adrenergic drug ; epinephrine, β₂-agonist

③ cromolyn sodium : mast cell의 세포벽 안정화, 예방용

④ nedocromil sodium : mast cell 안정화 + 항알레르기 작용 + 항염증 작용

⑤ steroid : inflammatory reaction에 관여하는 cytokine 생산 억제

⑥ ketotifen : mast cell 안정화 & leukotriene 작용 억제, 경구투여 가능

## 3. 면역요법(allergen immunotherapy[AIT], desensitization)

• 적응증
  ① specific IgE-mediated 반응과 임상증상과의 연관성이 확실한 경우
     예) 곤충(벌독), 꽃가루(수목, 목초, 잡초), 집먼지진드기, 일부 식품
  ② 항원 회피가 불가능한 경우 (e.g., 양봉업자, 꽃가루, 집먼지진드기)
  ③ 치료약물 사용에 부작용이 있거나 약물요법으로 호전되지 않는 경우
  ④ 환자의 순응도가 좋은 경우
  ⑤ 알레르기 비염 환자 - 기도과민성이 동반된 경우
• 5세 이상이면 시작 가능
• 종류 ; 피하(subcutaneous), 설하(sublingual), 비강/기관지내(nasal/bronchial), 경구(oral)
• 회피요법 및 약물치료로 호전되지 않는 환자를 대상으로 이들 요법과 병행 치료하는 것이 원칙
• 사용 가능한 항원 ; 벌독, 집먼지진드기, 꽃가루(잔디, 자작나무, 돼지풀, *Parietaria* 등), 개/고양이털,
  일부 곰팡이(e.g., *Alternaria, Cladosporium*)
   → 표준화 및 임상적으로 안전성이 증명된 항원을 사용해야 됨

- 초기에 소량의 항원을 차차 증량하며 투여하다가 (1~2회/주), 농도가 어느 정도 되면 간격을 늘림

---

**면역요법 시행시 유의사항**

1. 주사 후 30분 이상 환자의 상태를 관찰하고 부작용 여부 확인
2. 발열 등 전신 증상이 있을 때는 면역주사를 연기함 (e.g., 천식 발작, PEFR <80%)
3. 새 약병으로 바꾸거나 주사 간격이 벌어진 경우에는 감량함 (e.g., 4주 이상이면 1/2 감량)
4. 전신반응이나 국소 부작용이 심하게 나타나면 감량함
   - 주사 후 30분 이내에 경결의 직경 >5 cm (소아는 3 cm)
   - large local delayed reaction (>8 cm)

---

- 치료시작 3년 후 증상이 상당히 호전되면 종료, 치료 2년이 지나도 효과 없으면
  (실패한 것으로 간주) 중단 & 재평가
- allergic rhinitis, insect sting anaphylaxis, IgE-mediated asthma 등에서 치료 효과가 좋다!
- 질환별 치료 효과 ; allergic rhinitis[(80~90%)] > asthma[(65~90%)] > atopic dermatitis[(50~70%)]
- 치료 지표 (효과 판정)
  ① allergen-specific IgG (특히 IgG4) 차단항체의 형성이 중요함
                           ↳ mast cells의 degranulation 차단
  ② allergen-specific IgE 항체치의 감소
  ③ allergen에 대한 피부 반응도의 감소
  ④ allergen에 대한 기도반응도 및 비점막 반응도의 감소
  ⑤ allergen 기관지 유발검사에서 후기 반응의 소실
  ⑥ 임상증상의 호전 (m/i)
- 면역치료의 금기
  ① 심한(active) 자가면역질환이나 악성종양이 동반
  ② 응급(e.g., anaphylaxis) 상황시 epinephrine 사용이 불가능하거나 효과가 감소되는 경우
     예) 심한 고혈압, 관상동맥질환, 심부전, 신부전, COPD, β-blocker or ACEi 장기간 사용 환자
     c.f.) β-blocker or ACEi 복용자는 최근에는 상대적 금기로 봄
         (특히 벌독 면역요법의 경우 위험보다 효과가 더 크므로 대개는 시행함)
  ③ 환자의 순응도가 나쁜 경우
  ④ 상대적 금기 ; 영유아(<5세), 임신 중, 중증 천식(FEV$_1$ <75%) , 50세 이상
                   ↳ 임신 전부터 면역치료 중이면 계속 가능

# 2
# 알레르기비염(Allergic rhinitis, AR)

## 개요

- 코 섬막의 알레르기 염증반응에 의한 증상 ; paroxysms of sneezing, rhinorrhea, nasal obstruction, 흔히 itching (eyes, nose, palate)도 동반
- 이전에 노출되어 specific IgE Ab가 만들어진 allergen (airborne Ag)을 흡입하면 증상이 발생 (type Ⅰ hypersensitivity)
- 유병률 (매우 흔함) : 조사방식 및 계절에 따라 다양하지만 약 10~30%, 최근 급격히 증가 (∵ 산업화, 도시화, 핵가족화, 애완동물↑ 등)
- 대부분 20세 이전에 발병하나 어느 연령에서도 발병 가능
- allergic conjunctivitis, asthma, atopic dermatitis (eczema) 등 다른 allergic dz.도 흔히 동반함
- risk factor ; allergic dz.의 가족력, 꽃가루 계절에 출생, 첫째 아이, 조기에 항생제 사용, 생후 1년 동안 엄마의 흡연, 실내 allergen (e.g., dust mite)에 노출, allergen-specific IgE 존재

## 병인

### 1. IgE production

- 흡입된 allergen은 antigen presenting cell (APC)에 의해 흡수됨
  (APC : macrophage, dendritic cell, activated T & B lymphocyte)
- allergen processing으로 분해된 petide가 CD4+ T-cell의 MHC II에 present 됨
- T-helper cell에서 GM-CSF, IL-3,4,5,6 등이 분비되어 B cell의 증식과 분화 유도
- B-cell은 IgM을 생산하고, IL-4에 의해 IgE Ab를 생산하게 switch 됨

### 2. Mast cell

- 생산된 IgE는 mast cell과 basophil의 표면에 결합
- 흡입한 allergen은 mast cell 표면의 IgE Ab와 반응하여 mast cell의 degranulation과 mdiators의 분비를 유발 (→ 증상 유발)
- histamine (m/i preformed mediator) ; vasodilation을 일으킴 → nasal congestion, mucous secretion, vascular permeability 증가 → tissue edema와 sneeze 초래

## 3. Eosinophil

- mast cell이 분비한 cytokine에 의해 eosinophil의 성장/수명/화학주성 증가
- eosinophil이 분비하는 oxygen radical과 protein은 코 상피에 toxic effect

## 임상양상

- 3대 증상 : 발작적 재채기(sneezing), 맑은 콧물, 코막힘(양쪽)
  - clear rhinorrhea가 post. pharynx로 조약돌 모양으로 떨어짐 (postnasal drip)
  - 기타 ; 가려움(코, 눈), 기침, 후각↓, 두통, irritability, fatigue ... (fever는 드묾)
  - 증상은 아침에 심하고 매일 반복됨
- 진찰 소견
  - allergic shiners : 눈 밑의 subcutaneous venous dilation
  - allergic salute : 손바닥으로 코끝을 비비며 위로 올려밈
  - rabbit nose : 코를 움찔거림
  - transverse nasal crease : 코를 너무 많이 문질러서 콧등에 주름이 생긴 것
- nasal mucosa= swollen, blue, pale 하지만 만성폭로에 의해 erythematous, indurated 하게됨
- 합병증 ; secretory otitis media, sinusitis, anosmia, URI, nasal poylp, sleep disorder

## 분류

### 1. 계절성(seasonal) 알레르기비염 (= Hay fever, 건초열/고초열/화분증[pollinosis])

- 원인 : 화분/꽃가루(pollen) - 단백질 함유량이 높아 중요한 allergen으로 작용
  - ① 봄 (3~5월) ⇨ 나무/수목(tree) ; 자작나무, 소나무, 참나무, 버드나무, 오리나무, 포플러 ...
  - ② 늦봄~초여름 (6~7월) ⇨ 목초/풀(grass) ; 잔디, 큰조아재비, 호미풀, 김의털, 오리새 ...
  - ③ 늦여름~초가을 (8~10월) ⇨ 잡초(weed) ; 쑥(m/c), 돼지풀(두드러기쑥), 환삼덩굴, 명아주, 비름 ..
- 증상은 predictable & reproducible 함
- 구강알레르기증후군(oral allergy syndrome, OAS) 동반 흔함 (23~47%) → 5장 식품 알레르기 참조

### 2. 통년성/사계절(perennial) 알레르기비염

- 집먼지진드기(house dust mite)가 m/c 원인
  (Dermatophagoides farinae, Dermatophagoides pteronyssinus가 대표적)
- 기타 ; 애완동물 (고양이, 개), 면류류, 곡식류, 곰팡이류, 바퀴벌레 ...
- pollinating season이 긴 subtropical region에 많다
- ever-present mold & dust mite allergen, occupational allergen exposure

## 3. 급성 알레르기비염 (acute/episodic allergic rhinitis)

- 흡입항원에 일시적으로 노출되어 발생
- 원인 ; 고양이 단백질(항원성 매우 강함), 말 비듬, 쥐 오줌, 꽃가루, 집먼지진드기 …

### 진단

- 병력이 가장 중요 (e.g., 다른 allergic dz.의 과거력/가족력 등)
- 증상을 일으키는 allergen을 찾는 게 first step!
- 원인 항원 확인 : 피부단자검사(skin prick test, SPT), serum specific IgE (e.g., MAST)
- 비점막 유발검사(nasal provocation test) ; 일상적으로 시행하기에는 제한적
  (c.f., occupational rhinitis의 진단에는 gold standard)
- serum total IgE↑, eosinophilia (blood, rhinorrhea) → sensitivity, specificity 떨어짐
- 비즙(콧물) 도말검사(cytology) : eosinophil 증가
  - but, allergic rhinitis 동반 안한 천식, nasal polyposis, nonallergic rhinitis with eosinophilia
    syndrome (NARES) 등에서도 증가할 수 있음
  - 세균, 바이러스, 진균 감염에 의한 비염에서는 neutrophil 증가
- 비강 기능검사 : 코흡기최대유속(nasal inspiratory peak flow, NIPF),
  비강통기도검사(rhinomanometry), 음향비강검사(acoustic rhinometry)

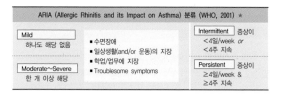

ARIA (Allergic Rhinitis and its Impact on Asthma) 분류 (WHO, 2001) ★

| Mild | | Intermittent | 증상이 |
|---|---|---|---|
| 하나도 해당 없음 | ■ 수면장애 | | <4일/week or |
| | ■ 일상생활(and/or 운동)의 지장 | | <4주 지속 |
| Moderate~Severe | ■ 학업/업무에 지장 | Persistent | 증상이 |
| 한 개 이상 해당 | ■ Troublesome symptoms | | ≥4일/week & |
| | | | ≥4주 지속 |

### 감별진단

: allergic rhinitis와 비슷한 증상을 일으킬 수 있는 원인들을 R/O

(1) 혈관운동성비염(vasomotor rhinitis)
  - perennial non-allergic rhinitis (nasal ANS dysfunction 때문)
  - 온도/습도의 빠른 변화(e.g., 찬 공기), 술, 향기, 스트레스 등에 의해 악화되는
    chronic nasal congestion을 주로 호소
  - nasal itching, sneezing은 적고 headache, sinusitis, anosmia는 흔함

(2) **위축성비염(atrophic rhinitis)**
- 노인에서 nasal mucosa의 progressive atrophy
- chronic nasal congestion과 안좋은 냄새가 난다고 호소

(3) occupational rhinitis, infectious rhinitis (URI), chronic rhinosinusitis (CRS), GERD ...
(c.f., CRS with nasal polyposis의 치료 : intranasal saline + steroid → 반응 없으면 수술)

(4) <u>unilateral rhinitis</u> or nasal polyps → fiberoptic <u>rhinoscopy</u>가 진단에 도움
    ↳ 비중격만곡, 이물, 종양, 비용종 등이 원인
    c.f.) nasal polyps의 원인 ; NARES, chronic bacterial sinusitis, allergic fungal sinusitis,
        aspirin hypersensitivity, cystic fibrosis, primary ciliary dyskinesia 등

(5) 기타 ; irritants, rhinitis medicamentosa (topical $\alpha$-agonist의 장기간 사용), rauwolfia,
    $\beta$-blocker, estrogen ...


# ■ 치료

## 1. 회피요법 (TOC)

• 원인 물질 회피 (먼저 정확한 원인 진단이 선행되어야 함)

> 집먼지진드기 서식의 최적 조건 : 25~28℃, 습도 약 75~80%
> (→ 실내 온도 조절로 퇴치하는 것은 현실적으로 불가능)
> 집먼지진드기의 주식은 사람의 피부각질(비듬) → 침구류에 주로 서식

• 실내 습도는 50% 이하로 유지 (house dust mite or mold 못 자라게)
• air conditioner 사용 (→ 습도↓, 실내의 pollen, mold, dust mite allergen 감소 효과)
• 침대 매트리스나 베개는 먼지가 통과할 수 없는 가죽, 비닐 등으로 싼다
• 침구류는 매주 삶아서 또는 뜨거운(>55℃) 물로 세탁 (봉제인형은 <-20℃에서 24시간 보관)
• 천으로 된 소파나 카펫을 사용하지 않음, 방바닥은 장판으로 하고 매일 닦음
• 일반 진공청소기는 집먼지진드기 제거에 효과 없음 → 미세 필터는 도움
  (공기정화기/이온발생기는 아래로 가라앉는 집먼지진드기 항원 제거에 효과적이지 못함)
• 화분이 날리는 계절에는 외출을 삼가고 창문을 잘 닫음
• 개, 고양이 등의 애완동물은 키우지 않음, 담배 같은 자극제의 노출 피함
• 급격한 온도 변화, 오염된 공기, 자극성인 냄새, 정신적 스트레스 등도 피함

## 2. 대증요법 (약물치료)

### (1) <u>Oral antihistamine</u> (H₁ receptor antagonist)
• 회피요법으로 호전 안 되면 우선 oral antihistamine을 사용함
  ① 재채기, 콧물, 가려움증에는 효과적
  ② <u>코막힘(nasal obstruction)</u>에는 효과 없음!
    ⇨ 비충혈제거제(oral, nasal) 또는 nasal steroid 병합요법 필요

- 1세대 antihistamines
  - diphenhydramine, hydroxyzine, chlorpheniramine, cyproheptadine (antiserotonin activity) ...
  - 부작용 ; **sedation**, urinary retention (→요실금), 구강건조, 신경인지장애, 체중증가(∵ 식욕↑)
- 2세대 nonsedating (more H₁ selective) antihistamines
  - 지방 친화성이 적어 BBB 통과 못함 → sedation, anticholinergic 부작용 적음!
  - 약제 ; cetirizine (Zyrtec), levocetirizine (Xyzal), loratadine (Claritin), desloratadine,
    fexofenadine (Allegra), azelastine, olopatadine, bilastine ...
  - 코막힘 개선을 위해 비충혈제거제가 포함된 제제도 있음
- 필요할 때 사용하는 것보다 규칙적으로 사용하는 것이 효과적!
- antihistamine으로 호전이 없으면 <u>intranasal steroid</u> 등 다른 치료제의 병용 권장
  (antihistamine 용량↑ or 두 가지를 병합해도 단독 투여에 비해 효과 우수하지 않음!)

■ **topical (nasal spray) antihistamines** ; azelastine, olopatadine, levocabastine
  - oral 제제와 달리 약간의 항염증 작용도 있어 코막힘(비충혈)에도 약간 효과적
  - 작용이 빨라(<15분) "on demand"로 투여, 금속성 맛 부작용, steroid보다는 효과 적음
  - allergic rhinitis에서 topical steroid에 추가시 addictive effect *or* vasomotor rhinitis에 사용

### (2) <u>Topical (intranasal) steroid</u> : 가장 효과적!
- 약제 ; beclomethasone, flunisolide, budesonide, fluticasone ...
- <u>코막힘(nasal obstruction)</u>을 포함한 <u>모든</u> 증상(후각↓, 눈 증상 포함) 개선에 효과 좋음!
  ┌ vasoconstrictor & anti-inflammatory effect
  └ histamine 분비 및 chemotaxis 억제
- 규칙적으로 사용하면 immediate & late phase 반응을 억제하지만, 잘못 사용하면
  nasal septal perforation 발생 위험
- 수년간 사용해도 mucosal atrophy는 없고, *Candida* 감염도 드묾
- m/c 부작용은 local irritation
- systemic (oral or parenteral) steroid는 부작용이 심각하므로 사용하면 안됨

### (3) Sympathomimetics (혈관수축제/비충혈제거제)
- 코막힘에는 매우 효과가 좋지만, 단독으로는 사용하면 안됨
- oral α-agonists ; pseudoephedrine, phenylephrine … antihistamine과 병합요법으로 잘 사용
- topical α-agonists ; phenylephrine, naphazoline, oximetazoline, xylometazoline
  - 2~3일간은 유용하지만, 부작용(e.g., 불면, 빈맥, tremor) 때문에 7~10일 이상은 쓰면 안됨
  - 7일 이상 사용시 rebound rhinitis (<u>rhinitis medicamentosa</u>) , HTN 발생 위험

### (4) Cromolyn & nedocromil
- mast cell degranulation & mediator 방출을 억제, 항염증 작용도 있음
- immediate & late phase reaction을 억제, antihistamine과 병용시 addictive effect
- 부작용이 거의 없는 것이 장점 (임신부/소아도 안전), 예방적으로 투여할 때 좋은 효과
- 효과가 steroid/antihistamine보다 떨어지고 자주 투여해야 하므로 다른 약제를 사용 못할 때 고려

**(5) Anticholinergics : ipatropium bromide**
- intranasal로 사용하면 rhinorrhea를 감소시킴
- sneezing이나 코막힘에는 효과가 없어서 non-allergic rhinitis에 더 많이 쓰임

**(6) Leukotriene receptor antagonist (CysLT$_1$ blocker) : montelukast**
- antihistamines과 병용시 코 증상과 눈 증상 경감에 효과적
- 전체적으로 antihistamines과 효능이 비슷하나 intranasal steroid보다는 효과가 떨어짐
- 불면/불안/우울증/자살 위험 → allergic rhinitis나 mild asthma에서는 다른 약제의 사용이 권장됨

**\* 2차 감염 발생 시에는 부비동염의 존재 여부에 관계없이 2주간 항생제 치료**

**여러 알레르기비염 치료제의 효과 ★**

|  | 가려움증 | 재채기 | 콧물 | 코막힘(비충혈) | 염증 |
|---|---|---|---|---|---|
| Antihistamines | ++++ | ++++ | +++ | +* | − |
| Steroid (intranasal) | +++ | +++ | +++ | ++++ | ++++ |
| Sympathomimetics | − | − | + | ++++ | − |
| Cromolyn제 | + | ++ | + | + | ++ |
| Anticholinergics | − | − | ++++ | − |  |

\* intranasal antihistamines은 코막힘에도 효과적임

## 3. 면역요법(immunotherapy)

- 회피요법 및 약물치료로 호전되지 않는 환자를 대상으로 이들 요법과 병행 치료하는 것이 원칙
- 원인항원을 극히 소량에서부터 단계적으로 점차 증량하면서 투여 (3~5년)
- 효과 ; 80% 이상에서 뚜렷한 증상개선 효과가 기대되며, 일부는 완치도 가능함,
  다른 새로운 allergen에 대한 감작도 크게 감소됨, 천식 발생 감소
- 원인 항원에 대한 specific IgE titer가 높고, 기관지과민증을 동반하는 경우 면역치료에 잘 반응함

### ■ 임산부의 알레르기비염 치료

- 비약물 요법 ; saline nasal sprays, nasal irrigation, 운동, head elevation, nasal dilator strips
- mild Sx → intranasal cromolyn / moderate~severe Sx → steroid nasal spray
- antihistamine : <u>cetirizine</u>, <u>loratadine</u>이 안전함 (FDA 위험도 B)
- oral decongestant : 가능하면 사용× (특히 1$^{st}$ trimester), 필요시엔 pseudoephedrine
  (intranasal decongestant도 코막힘이 매우 심한 경우에만 단기간만 사용)

# 3
# 두드러기 및 혈관부종

## ■개요

### 1. 두드러기(Urticaria)

- 진피상부(upper dermis)의 부종/팽진(wheal), 경계가 뚜렷, 대부분 심한 <u>가려움증</u> 동반
- 부종/팽진(wheal) 주위로 혈류 증가에 의한 flare/erythema 동반 (누르면 하얗게 됨)
- urticaria의 출현은 immidiate hypersensitivity reaction이 진행중임을 나타낸다
- 매우 흔함 : 전체 인구의 15~20%가 평생 한번 이상 경험

    ┌ urticaria : 사지와 얼굴에 호발
    └ angioedema : 입술, 뺨, 눈주위, 생식기 등에 호발

### 2. 혈관부종/맥관부종(Angioedema)

- 진피하부(deep dermis), subcutaneous (or submucosal) 부종 (∵ vascular integrity 파괴)
- 깊은 곳에서 생기므로 경계가 뚜렷하지 않은 brawny nonpitting edema처럼 보이지만, edema와는 달리 gravity-dependent area에는 잘 분포 안함
- 입술, 뺨, 눈주위, 생식기, GI (→ N/V), 호흡기(→ dyspnea), 후두(→ 기도폐쇄) 등에 호발
- 대부분이 가려운 urticaria와 달리, 가려움증은 드묾!
- urticaria와 angioedema는 일시적인 것이 특징이며 수분~수시간 내에 발생하여 최고에 이르고 수시간~수일 내에 사라짐 (self-limited, 피부에 흔적 안 남김)
- 상기도에 angioedema가 발생하면 기도폐쇄를 일으켜 생명이 위험할 수도 있음

## ■분류

    ┌ acute urticaria ± angioedema (약 20%) : 발병기간 6주 미만, 대부분 원인이 있음
    └ chronic urticaria ± angioedema (1~3%) : 6주 이상 지속, 중년 여성에 호발,
                                               대부분 특별한 원인이 없음(idiopathic)

---

| 기전/원인에 따른 Angioedema ± Urticaria의 분류 |
|---|

**Mast cells 활성화** : 두드러기와 소양증 동반 흔함
(allergic reaction or anaphylaxis의 일부로도 나타날 수 있음)
IgE-매개성 (type Ⅰ hypersensitivity) ; 두드러기, 꽃가루, 식품, 약물, 곰팡이, 곤충, latex, 일부 물리적 인자
직접 mast cells 분비 자극 ; Opiates, Muscle relaxants (succinylcholine, curare), 방사선조영제
Arachidonic acid 대사 변화 ; Aspirin, NSAIDs, Azo 염료, Benzoates
기타 non-IgE-매개성 ; Idiopathic histaminergic angioedema, Chronic spontaneous urticaria,
　물리적 인자 (mast cells의 sensitivity↑ ; 피부그림증, 한랭, 햇빛(UV), 콜린성(운동), 진동, 물 등)

**Bradykinin 매개성** : 두드러기와 소양증 동반 가능
Bradykinin 분해 효소 억제 ; ACE inhibitors, DPP-4 inhibitors (gliptins)
C1-inhibitor (C1-INH, C1 esterase inhibitor) 결핍/기능장애
　; Hereditary angioedema (C1-INH deficiency), Acquired angioedema (C1-INH deficiency)
Hereditary angioedema with normal C1 inhibitor
　; factor XII, plasminogen, angiopoietin-1 등의 gene mutations

**Immune complex-Complement 매개성** : complement↓
Urticarial vasculitis : urticaria + 피부생검에서 leukocytoclastic vasculitis
Serum sickness : heterologous (nonhuman) serum proteins에 대한 반응
수혈반응, 바이러스감염, 자가면역질환

**잘 모름** : 다양한 양상, 때때로 두드러기 동반
Idiopathic nonhistaminergic angioedema, 감염 (특히 소아), 약물 (CCB, fibrinolytic agents, 한약 등),
Hypereosinophilic syndrome (HES의 약 15%에서 angioedema 동반) ...

---

# ■ Physical (inducible) urticaria

: 대부분 정확한 기전은 모르지만, 물리적 자극에 대한 mast cells의 sensitivity 증가로 생각됨
(일부에서는 anti-IgE 치료가 효과를 보여 IgE-mediated allergy도 일부 관여할 것으로 추정됨)

## 1. 피부그림증/피부묘기증(dermatographism)

- 전체 인구의 2~5%에서 발견됨, physical urticaria 중 m/c
- 설압자나 손톱, 펜으로 피부를 긁으면 즉시 부종(팽진)과 발적 발생 (대개 30분 이내에 사라짐)
- 일부는 소양증이 너무 심할 수 있음(symptomatic dermatographism) → antihistamine 치료
- 일부에서는 환자의 plasma에 의해 정상인에게 passive transfer 됨 (→ IgE-mediated?)
- allergic skin test시 해석을 어렵게 함!

## 2. Cholinergic (or generalized heat) urticaria

- physical urticaria의 약 30%, chronic urticaria의 약 5% 차지, 젊은(10~20대) 남성에서 호발
- 유발인자 : active/passive 심부체온(core body temperature) 상승 or 땀을 유도하는 자극
　; 운동, 온수욕, 발열, 뜨겁거나 매운 음식, 정신적 스트레스 등
- 심한 가려움을 동반하고, 넓은 홍반(flare)에 둘러싸인, 여러 개의 작은(1~3 mm) punctate wheals
　- 얼굴, 목, 상흉부에서 발생 (주로 목 부위에 생기는 것이 특징)
　- 팽진(wheals)은 가려움보다는 따끔거림을 동반하기도 함, 대개 30~60분 뒤 소실됨

- 진단

① 유발검사 (땀나고 15분 뒤까지 운동, 체온 1℃ 상승 때까지 42℃ 온수욕) : 거의 100%에서 (+)

② cholinergic agent (e.g., 0.02% methacholine) 피내주사 (Mecholyl test) : 약 1/3만 (+)

    (일부는 본인의 땀을 이용한 skin test에도 반응을 보임)

- 치료 : 온수욕 or 더운 날씨에 운동 등을 피함

  – 2세대 $H_1$ antihistamine (e.g., cetirizine 2배 용량) : 매일 복용 or 유발인자를 알면 필요시 복용

  – 효과 없으면 과거에 많이 사용하던 hydroxyzine (1세대 antihistamine)

  – 기타 : omalizumab, ketotifen, danazol (부작용이 크므로 severe refractory 때만 고려)

- 열 노출 후 생기는 subset의 특징 ; large lesion, 운동와 관련 없음, hydroxyzine에 대한 반응 감소

- 예후는 좋은 편 ; 3~16년 (평균 7.5년) 뒤 호전, 약 30%만 10년 이상 증상 지속

---

■ **Exercise–induced allergic reactions**

  ① Exercise–induced bronchoconstriction (EIB) → 호흡기내과 9장 참조

  ② Exercise–induced rhinitis : EIB와 병태생리는 같으나, 대신 상기도를 침범

  ③ Exercise–induced anaphylaxis ; 비교적 큰 10~15 mm의 두드러기 + 전신증상

  ④ Exercise–induced (cholinergic) urticaria ; 좁쌀처럼 작은 1~3 mm의 두드러기

---

■ **Exercise-induced anaphylaxis (EIAn)**

- 드물다, 젊은 연령에서 발생, 약 50%에서 아토피 질환 동반

- 운동 시작 5~30분 뒤 warmth, pruritus, urticaria (10~15 mm) 발생하여 1~3시간 지속

- 계속 운동을 지속하면 severe anaphylatic Sx도 발생

  ; 얼굴/손의 angioedema, 복통/N/V, 후두부종, 호흡곤란, 의식소실, 저혈압(± collapse)

- cholinergic urticaria와의 차이

  ① core body temperature 상승해도 (e.g., 온수욕) urticaria 안 생김

  ② urticaria의 크기가 더 큼 (10~15 mm)

  ③ 혈관허탈(의식소실)까지 발생 가능

  ④ methacholine skin test 음성

  ⑤ antihistamines에 반응 안 함

- 진단 : 대개 병력으로 가능, 필요시 운동유발검사 (위음성이 흔해 음성이어도 R/O은 못함)

- 치료 ; 운동 중단, anaphylaxis에 준한 응급치료 (e.g., epinephrine)

- EIAn 및 FDEIAn의 예후는 대개 양호하며 attack이 자주 발생하지는 않음, 사망은 드묾

- 예방 ; 운동 금지보다는 증상을 덜 유발하는 운동 종류/습관을 권장

  – co-triggers (e.g., β-blocker, ACEi, NSAIDs, 다습)도 가능하면 피함

  – $H_1$ antihistamines (일부에서 증상 감소), $β_2$-agonist (기관지수축 예방, EIB에서 choice),

    cromolyn sodium (mast cell-stabilizing agent), misoprostol, omalizumab (anti-IgE) 등

* **Food-dependent exercise-induced anaphylaxis (FDEIAn)**

  – EIAn에서 식품이나 전에 감작되었던 항원 등 제2의 유발인자가 있는 경우, IgE-mediated

  – 원인 식품을 먹고 30분~4시간 (보통 2시간) 이내에 운동을 하면 anaphylaxis가 발생

  – 식품 or 운동 단독으로는 증상이 발생 안 함 (c.f., 진행되면 밀가루는 과량 노출시 증상 발생 가능)

    → 운동을 하지 않을 때는 다른 부작용 없이 해당 식품을 섭취 가능

- 원인 식품에 대한 skin test *or* specific IgE (+), 보통 천식이나 다른 아토피 질환도 동반함
  ↳ 밀가루$^{m/c}$(e.g., 빵, 피자, 튀김), 새우, 조개, 과일, 셀러리, 우유, 생선, 알코올 등
    ↳ wheat : omega($\omega$)-5 gliadin이 주요 allergen protein
- 진단 : 원인 식품 섭취 후 운동유발검사(food/exercise challenges) (but, 위음성 흔함)
- 치료/예방 : 원인 식품의 회피, 식품 섭취 후 6시간 이내는 운동 제한, 식품 섭취 20분전
  oral cromolyn sodium, H$_1$ antihistamines, misoprostol, ketotifen 등

## 3. 한랭두드러기(cold urticaria)

- 젊은 성인에서 호발, 남녹여, 약 1/2은 atopy 동반, 약 1/4은 다른 형태의 physical urticaria 동반
- 추위/찬물에 노출 후 (수분 이내에) 노출 부위에 urticaria ± angioedema 발생
  - 노출 면적이 넓을수록 증상 심함 (e.g., 찬물에서 수영 시에는 anaphylaxis로 익사도 가능)
  - 추위에 노출 후 mast cells degranulation과 histamine 분비 (혈중 histamine도 상승 가능)
  - cold exposure 이후에 따뜻하게 하면 degranulation이 심해짐
- 기전 (정확히는 모름) ; mast cells 활성화(→ degranulation), IgE-mediated
  (기타 cryoglobulinemia, cryofibrinogen, cold agglutinins, cold hemolysin [PCH] 등도 관련)
- 진단 : cold stimulation test (CST)
  - 얼음조각(ice cube) 검사 : 피부에 ice cube를 5분간 놓았다가 제거하면 cube 모양으로
    하얗게 된 후 erythematous flare에 둘러싸인 edema/wheal 발생
  - threshold test ; TempTest® 장비로 두드러기를 일으키는 최고 온도를 파악
  - 기타 ; cold provocation test (cold packs, cold water baths, cold air), nural exposure test
- 급성 증상의 치료 ; 경미하면 H$_1$ antihistamine, 심하거나 전신증상 동반시 epinephrine
  (angioedema가 심한 경우에는 단기간의 oral glucocorticoids도 도움됨)
- 예방적 치료 ; cold exposure 회피가 m/i
  - H$_1$ antihistamine (DOC) ; chronic cold urticaria에는 2세대 H$_1$ antihistamine이 선호됨
    (e.g., loratadine, cetirizine, desloratadine, ebastine, rupatadine, bilastine)
  - refractory ⇨ anti-IgE (omalizumab) or cyclosporine
  - cold desensitization : 실제로 시행하기 어렵고, 위험할 수 있음
- 대개는 self-limited (50%에서 5~6년 이내에 관해 or 증상 호전), 관해 후 재발은 드묾

## 4. 일광두드러기(solar urticaria, sun allergy)

- 햇빛에 노출된 뒤 수분 이내에 피부에 가려움, 홍반, 팽진 발생 (24시간 이내에 호전)
- 드물, 주로 젊은 성인, 남<여, 환자마다 다양한 파장의 빛에 의해 발생 & 다양한 증상
- 기전 : 피부/혈청의 전구물질이 빛에 반응해 photoallergen으로 전환, 혈청을 주입해도 증상 발생
  (환자 고유의 photoallergen에 대한 IgE or 모든 사람의 정상 photoallergen에 대한 IgE Ab)
- 진단 : 대개 병력으로 가능, 필요시 phototesting (가시광선, UVA, UVB 등 → 원인 파장 파악)
- 치료 : 냉습포, oral/topical H$_1$ antihistamines → 효과 적으면 topical/oral glucocorticoids
  → 반응 없으면 omalizumab, desensitization, PUVA (psoralen + UVA), IVIG, cyclosporine,
  MMF, plasmapheresis, melanocyte-stimulating hormone 등
- 예방 : 햇빛에 노출을 최소화 (특히 10 am ~ 4 pm), 몸을 많이 가리는 의복 착용

## 진단/감별진단

- 대개는 임상양상(병력)으로 진단함, 진단이 애매할 때 각 원인에 따른 유발검사 고려
- allergic urticaria의 경우 allergen-specific IgE or skin test 등
- fever or systemic Sx & sign 있으면 further evaluation 필요
- 필요시 underlying dz.를 밝히기 위한 검사 ; CBC, U/A, ESR, LFT, ANA, RF, cryoglobulin, cryofibrinogen, cold agglutinin, C4, C1 esterase inhibitor 등
  - c.f.) hereditary angioedema ; 가족력, C1-INH 결핍, C1 정상, C4 & C2 감소

## Acute urticaria의 치료

- 원인이 있으면 원인 제거 (m/g)
- nonsedating (2세대) $H_1$ antihistamine : mild urticaria에는 단독으로 충분
  - 젊고 건강한 경우에는 밤에 sedating (1세대) $H_1$ antihistamine (e.g., hydroxyzine) 병용 가능
  - moderate~severe urticaria ⇨ $H_2$ antihistamines (e.g., nizatidine, famotidine, ranitidine, cimetidine)도 병용 고려
- oral glucocorticoid (단기간) : angioedema가 심하거나, antihistamine 치료에도 불구하고 증상이 며칠 지속되는 경우 투여 (antihistamine 치료도 계속 유지해야 됨)
- epinephrine : anaphylaxis 의심시

## 만성두드러기 (chronic urticaria, CU)

- 6주 이상 지속되는 urticaria
- 유병률 약 1%, 중년 여성에서 흔함, 전신 질환 잘 동반 (약 40%에서 자가면역성 피부질환 동반)
- 원인을 밝히기가 매우 어렵다!, IgE는 보통 정상, not atopic
- 원인/분류
  ① chronic spontaneous (idiopathic) urticaria[CSU] (55~70%) : 원인 모름
  ② chronic autoimmune urticaria (30~45%)
    - chronic urticaria 환자의 24%에서 anti-thyroid Ab (+)
    - 10%에서 IgG or IgM anti-IgE Ab (+), 30~40%에서 anti-IgE receptor Ab (+)
    - autologous serum skin test : 환자의 serum을 주사하면 wheal & flare 반응 발생
  ③ 기타 ; physical (cold, cholinergic 등), cryopyrinopathies, urticarial vasculitis, 감염, 약물, 식품
- 치료
  ① $H_1$ antihistamines (first choice) : 규칙적으로 매일 복용함, 부작용(sedation) 적은 2세대 권장
    (e.g., cetirizine, levocetirizine, fexofenadine, loratadine, desloratadine)

② 효과 부족하면

 - 2세대 H₁ antihistamine 용량↑, or 다른 2세대 H₁ antihistamine으로 교체
 - H₂ antihistamines (e.g., cimetidine, famotidine) 추가 (효과가 없으면 바로 중단)
 - 야간에 1세대 H₁ antihistamines (e.g., hydroxyzine, doxepin, cyproheptadine) 추가
   (더 효과적이나, sedation 부작용 큼)
 - leukotriene modifiers (e.g., montelukast, zafirlukast) 추가

③ oral glucocorticoid (단기간) : 위 치료에 효과 없으면

④ steroid에도 반응 없으면 (refractory CU) ; omalizumab (anti-IgE), calcineurin inhibitor (e.g.,
   cyclosporine, tacrolimus), MMF, dapsone, sulfasalazine, hydroxychloroquine 등 고려

 * ACEi, NSAIDs, narcotics 등은 피하는 것이 좋음

## c.f.) Latex allergy

• latex : 고무나무(*Hevea brasiliensis*) 즙의 성분, 복합단백으로 구성
• 다양한 의료용구에 포함되어 있는 고무 제품이 문제
   (예 ; 장갑, 탄력붕대, 카테터, 튜브, 백, 마스크 등)
• type I hypersensitivity ; 접촉 두드러기, 알레르기 비염, 천식, anaphylaxis
   (latex-specific IgE에 의해 발생)
• type IV hypersensitivity ; 간혹 알레르기성 접촉 피부염을 일으킬 수 있으나, latex보다는
   고무 제조 과정에 첨가된 여러 화학물질이 주원인
• 예방 ; latex가 함유되지 않은 제품 사용

# Hereditary angioedema^HAE,유전성혈관부종 (C1 inhibitor [C1-INH] deficiency)

## 1. 개요/임상양상

• 대부분 AD 유전 (가족력), 약 25%는 spontaneous mutation (가족력 無)
• C1-INH gene의 mutations, bradykinin과 C2 kinin이 angioedema를 일으킴
• 유병률 약 1명/6만, 대개 10대 이전에 증상 발생
• acute attack ⋯ 보통 2~5일 지속 뒤 자연 호전, 반복적으로 발생 (매주 1회 ~ 1년에 2-3회)
   ① 피부 국소 부종 ; 얼굴(입술, 눈), 팔다리, 생식기에 호발 (홍반, 가려움, 통증은 동반×)
     - 눌러지지 않음, 가만히 있을 때 발생, 특별한 치료 없이도 수일 내에 저절로 소실!
   ② 장관 부종 (장 폐쇄) ; 급성 복통, 구토, 심하면 hypotension & shock
   ③ 후두 부종 (가장 심한 Sx) → 호흡곤란, 기도폐쇄 (드물지만 사망 가능)
   ★ 두드러기와 가려움증은 동반 안 되는 것이 특징!
• 유발/악화인자 ; mild trauma (e.g., 발치), 스트레스, 불안, 감염, 생리, 임신 (출산은 아님),
   심한 운동, 고온, ACEi, estrogens, tamoxifen ... (but, 특별한 유발인자가 없는 경우가 흔함)

## 2. 진단/검사소견

① 증상 & 진찰 소견, 다른 urticaria & angioedema의 원인 R/O

② <u>screening test</u> : <u>C4↓</u> (complement activation marker), <u>C3</u> 정상, C2↓ (acute attack 동안)

    - <u>C1q : 정상!</u> (↔ acquired angioedema에서는 대개 감소)

    - CH50 : 별 도움 안 됨

      c.f.) serum sickness에서는 C3, C4, CH50 모두 감소

④ <u>C1 esterase inhibitor (C1-INH)</u> 정량검사 및 기능검사 … 확진!

    (1) type Ⅰ HAE (85%) : C1-INH level <30%

    (2) type Ⅱ HAE (15%) : C1-INH level은 정상, activity <30%

    (3) type Ⅲ HAE (매우 드묾) : C4, C1-INH level & activity <u>정상</u>, factor Ⅻ mutation 등이 원인

## 3. 치료

- 급성 angioedema attack의 치료 (e.g., 장폐쇄, 기도폐쇄)

  ① 1st line agents (매우 드문 병이라 희귀 약품이고, 매우 비쌈)

> Human plasma-derived C1-INH concentrate (pdC1-INH) [Cinryze®]
> Recombinant human C1-INH (rhC1-INH) [conestat alfa, Ruconest®]
> Bradykinin B2-receptor antagonist (icatibant [Firazyr®])
> Kallikrein inhibitor (ecallantide [Kalbitor®])

  ② 1st line agents가 없으면 plasma 투여 (∵ C1-INH를 함유)

    ; solvent/detergent (S/D)-treated plasma or 없으면 FFP

  ③ 후두부종(stridor, 호흡곤란) ⇨ 즉시 intubation (or 실패시 tracheostomy, cricothyroidotomy)

      (∵ 위의 약물 치료들은 효과 발생에 30분 이상 소요)

  ④ hypotension & shock → IV fluid, vasopressors

  * C1-INH disorder에 epinephrine, antihistamine, steroid 등은 효과가 없으므로 투여하면 안됨

- 만성/예방적 치료

  ① C1-INH concentrate (pdC1-INH) 정기적 투여 (3~4일마다 IV or 2주마다 SC)

  ② plama kallikrein inhibitor/mAb (lanadelumab [Takhzyro®]) : 2주마다 SC

  ③ oral plama kallikrein inhibitor (berotralstat) : 매일 1회 복용

  ④ attenuated androgen (e.g., danazol, stanozolol) : 간에서 C1-INH 합성↑

      (장기사용 금기 ; 소아, 임신/수유, 간질환, NS, hypercholesterolemia, HTN, 유방/전립선암)

  ⑤ antifibrinolytic agents (e.g., tranexamic acid, ε-aminocaproic acid) : ④보다 효과는 약하지만

      부작용이 적음 (thrombotic risk or ischemic events의 과거력이 있으면 금기)

  * ACEi는 급성발작을 유발/강화시킬 위험이 있으므로 절대 금기임

### ■ 후천성 혈관부종(acquired angioedema, AAE)

- 원인 ; lymphoproliferative dz. (e.g., lymphoma), MGUS, 기타 종양, 자가면역질환(e.g., SLE),

  AIHA, 알레르기질환 … (기전은 잘 모름 ; anti-C1-INH autoAb 등)

- 임상양상은 HAE와 비슷하지만 가족력이 없음!, HAE보다 더 드묾

- 유전성(HAE)과의 차이 ; 늦게 발병 (<u>30대 이후</u>), 약 70%에서 C1q 감소

**MEMO**

# 4
# 약물 알레르기

| 약물유해반응(Adverse drug reactions, ADR)의 분류 |
| --- |
| 1. Type A : 모든 사람에서 일어나는 **예측할 수 있는** 유해반응 |
|   ; 85~90%, dose-dependent |
|   ① 약물 중독(toxicity), 과용량(overdosage) ; AG의 신독성/이독성, AAP의 간독성 등 |
|   ② 부작용(side effects) - m/c ; 1세대 antihistamine의 sedation 등 |
|   ③ 간접 부작용, 이차영향(indirect or secondary effects) ; 항생제에 의한 위막대장염 등 |
|   ④ 약물 상호작용(drug interaction) ; cytochrome 대사 영향에 의한 약물 대사↑/↓ 등 |
| 2. Type B : 일부 소인이 있는 사람에서 일어나는 **예측할 수 없는** 유해반응 |
|   ; 약 10~15%, dose-independent |
|   ① 약물 불내성(intolerance) : 적은 용량의 비정상적으로 과장된 반응을 보이는 것, aspirin에 의한 귀울림 등 |
|   ② 약물 특이체질반응(idiosyncracy), 약물 유전적 반응(pharmacogenetics) ; G6PD 결핍 환자에서 용혈빈혈 등 |
|   ③ 약물 알레르기(drug allergy) ; 면역(IgE or T cells) 활성화에 의한 반응, β-lactam anaphylaxis, 피부발진 등 |
|   ④ 약물 위알레르기(pseudoallergic reaction) ; 면역기전처럼 보이지만 면역활성화에 의하지 않은 경우, 조영제 등 |

## 1. 면역반응 (drug allergy [allergic hypersensitivity])

- 대부분의 약물은 분자량이 작아 (<1000 dalton) 면역반응을 일으키기에 적합하지 않음
  - (c.f., effective immunogen : 분자량 >4000 dalton $or$ >7 aminoacid)
- 약물이 immunogen으로 작용하는 기전
  - ① proteins (complete allergen, macromolecules) : 항체 형성반응 (T cell response) 유발
    - 예) 재조합단백(e.g., mAb, cytokines), insulin 등의 호르몬, 효소, protamine, antisera, vaccine
  - ② haptens : 체내 단백질과 공유 결합해 새로운 allergen으로 작용 (hapten-protein complex)
    - → 면역반응(e.g., IgE, IgG, or T cells) 유발  예) β-lactams, penicillamine, gold, cisplatin
  - ③ prohaptens : 약물의 중간대사물이 단백질과 공유 결합해 allergen으로 작용
    - 예) sulfonamide 항생제 (TMP-SMX의 SMX → SMX-MHOH → SMX-NO [hapten]),
      - AAP, phenacetin, halothane, carbamazepine, lamotrigine

- 여성, 여러 번 노출된 사람에서 많음 (노출이 적은 소아, 면역기능이 떨어지는 노인에서는 적음)
- 가족력이 있는 경우도 발생 위험 높음
- 감작(sensitization) : <u>topical</u> > parenteral > oral
- allergic reaction : parenteral (m/c) ; IM/SC > IV (환자에 따라서는 심각한 증상도 가능)

| 면역기전에 따른 약물과민반응(hypersensitivity, allergy)의 분류 (Gell & Coombs) | | |
|---|---|---|
| Type Ⅰ :<br>IgE-mediated, immediate | Ag 노출에 의한 specific IgE-mediated<br>mast cells & basophils 활성화 | Anaphylaxis, Angioedema, Urticaria,<br>Bronchospasm, Hypotension |
| Type Ⅱ :<br>Ab-dependent cytotoxicity | 세포 표면에 결합된 Ag (or hapten)이<br>IgG와 연계해 complement 활성화 | Hemolytic anemia,<br>Thrombocytopenia |
| Type Ⅲ :<br>immune complex disease | Ag-Ab complex가 혈관/조직에 침착<br>complement 활성화 or neutrophil 모집 | Serum sickness, Vasculitis, Fever,<br>Drug-induced lupus |
| Type Ⅳ :<br>Cell-mediated, delayed | Ag에 노출된 T cells에 의한 조직 손상<br>T cells 종류에 따라 여러 아형이 있음 | Contact dermatitis, Morbilliform 홍반,<br>Severe exfoliative dz. (e.g., SJS/TEN*),<br>DRESS/DiHS**, Interstitial nephritis,<br>AGEP, Drug-induced hepatitis |

\* SJS/TEN : Stevens-Johnson syndrome/toxic epidermal necrolysis
\*\* DRESS/DiHS : drug reaction with eosinophilia and systemic symptoms/drug-induced hypersensitivity syndrome

| Type Ⅳ hypersensitivity의 아형 | | |
|---|---|---|
| Ⅳa | Th1 cells 매개반응 ; IFN-γ, TNF-α,<br>IL-18 등 → Macrophage 활성화 | Tuberculin skin test, Contact dermatitis (type Ⅳc도) |
| Ⅳb | Th2 cells 매개반응 ; IL-4, IL-5, IL-13<br>→ Eosinophils 활성화, IgE & IgG4↑ | Chronic asthma, Chronic allergic rhinitis, DRESS/DiHS,<br>Morbilliform or maculopapular exanthema with eosinophilia |
| Ⅳc | T cells이 cytotoxic T lymphocytes<br>(CTL)로 작용하는 염증반응 | Contact dermatitis, Maculopapular & bullous drug eruptions,<br>SJS/TEN, hepatitis, interstitial nephritis, pneumonitis |
| Ⅳd | Neutrophils 유입을 통한 염증반응 | AGEP (acute generalized exanthematous pustulosis), Behçet dz. |

## 2. Pharmacologic interaction with immune receptors (p-i reactions)

- 표적이 아닌 약물이 T cell receptors (TCR) or HLA proteins과 강력한 비공유 결합을 형성하여
  T cells을 자극함  (hapten 반응과 달리 T cell stimulations에만 국한됨!)
- drug-receptor 상호작용이므로 대개는 용량 의존적
- 예 ; abacavir, phenytoin, lidocaine, mepivacaine, allopurinol, dapsone, 일부 조영제(iomeprol)
  - hapten 기전과 중복 ; flucloxacillin
  - prohapten 기전과 중복 ; sulfamethoxazole, carbamazepine, lamotrigine
- 임상양상 ; maculopapular eruption, SJS/TEN, DRESS, hepatitis 등

## 3. Nonallergic (nonimmune) hypersensitivity (과거 pseudoallergic reaction) ★

- 면역반응(e.g., drug-specific-IgE, IgG, T cells)은 개입 안하면서 "allergy 유사한 ADR"을 일으킴
  - 전에 감작되지 않고 처음 노출되는 환자에서도 발생 가능
  - IgE-mediated anaphylaxis의 임상양상처럼 심할 수도 있음
- 발생기전 및 예 (아직 모르는 부분이 많음, 왜 일부에서만 발생하는지? 등)
  ① mast cells, or basophils를 직접 자극하여 histamine 등의 preformed mediators 분비
     예) 아편제제(e.g., meperidine, codeine), 방사선조영제(삼투압/이온 농도 변화와 관련, 일부는 IgE
     매개 기전도 관여), MRGPRX2 receptor를 통해 (vancomycin, quinolones, 신경근차단제 등)

② complement 직접 활성화   예) cremophor (paclitaxel 등의 용매), 방사선조영제
③ arachidonic acid 대사 변화 (COX-1 inhibition) : PG 합성↓, leukotrienes 합성↑
   예) aspirin (= acetylsalicylate) 및 NSAIDs ··· cross-reactivity
④ kallikrein-kinin contact system 활성화 (→ complement 활성화) ; 방사선조영제 등
⑤ 기타/모름 ; 국소마취제(vasovagal reflex : syncope), ACEi (bradykinin-mediated),
   INH (hepatitis), choline (urticaria) ...

## 임상양상

• urticaria, cutaneous exanthem, contact dermatitis, drug fever, eosinophilia 등이 m/c
• drug hypersensitivity (drug fever)에서 가장 흔한 증상은 피부발진 임
  - 홍반성 반점(macule) 및 구진(papule)이 m/c (→ virus에 의한 피부발진과 감별에 주의)
  - urticaria/angioedema는 aspirin, penicillin, 혈액제제 등에서 흔히 발생
* drug allergy 발생위험이 증가되는 경우 ; 여성, 장기간/반복 투여, 여러 약물 병용, 동반질환
  (e.g., collagen vascular dz., BM graft recipients, EBV [amoxicillin], HIV [sulfonamides]),
  drug allergy의 과거력(m/i), 가족력, atopy (IgE-매개 반응), HLA class I (B, A) allele 등

## Drug allergy의 진단

• criteria
  ① 최초 약물 사용 후 충분한 시간(보통 4일~2주)이 지나야 함
     (보다 빠른 경우에는 nonallergic reaction, prior sensitization, cross reaction 의심)
  ② 약물의 pharmacologic or toxic effect가 아니어야 함
  ③ 용량에 비례하지 않아야 하며, 약물상호작용이나 흡수/배설장애에 의한 것이 아니어야 함
  ④ hypersensitivity reaction의 특징을 보임 (e.g., rash, fever, eosinophilia)
  ⑤ 약물을 끊으면 즉시 (대개 2~3일 이내) 증상이 호전됨
• 아직 안전하고 확실한 검사는 없으며, 임상양상 및 병력에 의한 진단이 가장 중요!

## 1. 즉시반응(IgE-mediated, type Ⅰ)의 검사

• 피부반응검사(allergic skin tests) : 피부단자시험(prick test), 피내검사(intradermal test)
  - histamine과 diluent solution (N/S)을 사용한 controls과의 비교, antihistamine은 끊고 시행
  - 결과가 음성이라도 R/O은 못함 (∵ 약물의 대사물이나 약물-단백 복합체가 allergen인 경우)
  - 유용한 경우 ; penicillin & β-lactams, heterologous antisera, peptide hormone (insulin),
    vaccine, 전신마취제(e.g., thiopental sodium, alcuronium), heparin, latex ...
  - 도움 되지 않는 경우 ; aspirin, NSAIDs, 항경련제, opiate ... (조영제는 일부 도움됨!)

c.f.) 국소마취제 : 대개 nonallergic reaction이며, 일부 IgE-mediated reaction도 유발 가능

- serum specific IgE (e.g., immunoCAP) ; penicillin과 insulin에 대한 것 뿐
  - skin test 결과의 보완, 비슷한 약물의 cross-reactivity 평가 등에 유용
- anaphylaxis marker (e.g., tryptase, histamine) ; 반감기 짧아 일부만 도움 (정상이라도 R/O 못함)
- drug-induced basophil activation test : flowcytometry로 CD63, CD203c 등 측정

## 2. 지연반응(T cells-mediated, type IV)의 검사

- 첩포검사(patch test), 피부반응검사의 지연반응 관찰(delayed skin tests : 24~48시간 뒤 판독)
- lymphocyte transformation/activation test : 시험관에서 환자의 혈액을 약물과 반응시킨 뒤
  T cells에서 분비하는 cytokines (e.g., IL-2, IL-5, IFN-γ) 측정 or flowcytometry로
  T cells activation markers (e.g., CD69) 측정
- IgG, IgM, or IgA 등의 측정은 임상적 유용성 (allergy와 관련성) 부족함

## 3. 약물 유발검사 (graded challenge)

- 가장 확실, 주로 특정 약물 allergy가 아닐 것 같을 때에 R/O을 위해 시행 고려
- 다른 allergy 검사(e.g., skin test)에서 (+)면 시행할 필요 없음
- C/Ix : anaphylaxis, ITP, SJS, TEN, DRESS, AGEP 등 심한 반응을 일으킬 위험이 있을 때
- 반응이 없을 것 같은 매우 낮은 농도부터 시작
- 경구(기관지) 유발검사의 이용 ; aspirin, NSAIDs, sulfite ...

## ■치료

- 원인 약물의 중단 (m/g)
- antihistamine : pruritus 및 duration 감소
- steroid : most severe or prolonged reactions에만 사용
- delayed onset urticaria, exanthem, fever 등 가벼운 유해반응 때는 보존적 치료를 하면서
  약물은 계속 사용할 수 있음!

## ■예방

- careful Hx & 불필요한 투약 삼가, 다른 약물로 변경
- heterologous antisera 투여시 반드시 skin test 시행
- parenteral medication 주사 후에는 20~30분간 관찰
- 전처치(premedication) : 보통은 권장× (∵ mild Sx를 숨겨 추후 severe Sx이 나타날 수 있음)
  (c.f., 방사선조영제의 nonallergic reaction은 전처치가 도움)

- 탈감작(desensitization) : 주로 IgE-mediated reaction에만 시행하지만, 다른 기전도 일부 가능
  - desensitization 가능한 drug ; $\beta$-lactam antibiotics, TMP-SMX, vancomycin, allopurinol, tetanus toxid, acyclovir, sulfasalazine, insulin, aspirin, heterologous antisera 등
  - 매우 낮은 농도부터(e.g., 1/10~100만) 투여 (skin test가 시작 농도를 정하는 데 도움)
  - temporary tolerance만 획득 가능함, 매우 위험할 수 있으므로 환자의 동의를 얻어야 됨
  - C/Ix ; SJS/TEN, DRESS/DiHS, AGEP, diffuse desquamation, serum sickness 등

# 특정 약물에 의한 과민반응

## 1. Penicillin & $\beta$-lactam 항생제

- 약 3~10%에서 볼 수 있음 (anaphylaxis는 0.004~0.02% → 이중 약 10% 사망)

| 분류 | 기전 | 발생시간 | 증상 |
|---|---|---|---|
| Immediate 반응 | IgE, mast cells | 1~6시간 이내 | Anaphylaxis, urticaria, angioedema, bronchospasm |
| Non-mmediate (Delayed) 반응 | 다양, T cells | 1~6시간 이후 | Rash (반점구진발진)[m/c], fever, delayed urticaria & angioedema, serum sickness, exfoliative dermatitis, SJS, TEN, DRESS, DiHS, nephritis, hemolytic anemia, thrombocytopenia, neuritis ... |

c.f.) anti-penicillin Ab (IgG, IgM) → immune hemolytic anemia 유발

- $\beta$-lactam ring 자체는 면역원성이 없고, 체내에서 대사되어 운반단백과 결합되어야 항원으로 작용
  - major antigenic determinant (95%) : penicilloyl-polylysine (PPL) → allergy의 주된 원인
  - minor antigenic determinant (5%) : penicilloate, penilloate, benzylpenicillin (penicillin G) 등
    → 드물지만 severe anaphylaxis의 원인이므로 중요
- 심해지는 경우 ; IV 투여, IM 투여, 고용량 투여, 지속적 투여, 과거 penicillin allergy 병력
- 상세한 병력이 필수 : 과거에 penicillin allergy 병력이 있었던 사람은 발생위험 4~6배 증가
  - but, 실제 penicillin allergy 병력자의 80~90%는 나중에 penicillin 투여시 별 문제 없음
    (∵ hypersensitivity가 발생하는 경향은 시간이 지날수록 약해짐)
  - 모든 연령에서 발생 가능하지만, 20~50세에 호발
- immediate reactions : IgE-mediated (type I hypersensitivity), 대부분 1시간 이내 (일부 ~6시간)
- penicillin skin tests
  ① PPL + MDM (minor determinant mixture) : NPV 99% (but, MDM 시약이 현재 無)
  ② PPL + penicillin G : NPV 97%
  - prick test (15~20분 뒤 판정) 음성이면 → intradermal test (or amoxicillin 경구유발검사) 시행
  - cephalosporin과 carbapenem allery 평가 시에도 penicillin skin test를 시행함
- in vitro tests (e.g., penicillin[PPL]-specific IgE, basophil activation test)는 skin tests보다 부정확함
- 치료 : epinephrine IV/IM
  - antihistamine이나 steroid는 효과 없음
  - 전처치(미리 antihistamine을 투여)로도 예방 불가능

- immediate hypersensitivity reactions 병력 or skin test (+) ⇨ 가능하면 다른 계열의 항생제 사용
  or 대체할 항생제가 없으면 부득이하게 사용
  - 예전에 immediate hypersensitivity 병력이 있고 skin test (penicilloyl + penicillin) 음성이면
    → $\beta$-lactam agents 조심스럽게 투여 가능
  - skin test (+) or 최근의 anaphylaxis 병력 → <u>desensitization</u> 후 투여
    ; 용량을 서서히 증가시킴 (안전도 : oral > parenteral), 효과는 일시적임
- non-immediate reactions (더 흔함) ; rash가 m/c, 검사를 통한 진단은 immediate보다 어려움
  - 약물유발시험이 비교적 정확함 (but, 치명적 반응 위험시에는 금기), 병력이 중요
  - mild skin rash의 경우는 재노출시에도 더 큰 위험은 없으므로, 검사 없이 그냥 사용 가능
- penicillin과의 교차반응성(cross-reactivity) (∵ $\beta$-lactam ring)
  ⌈ cephalosporins : 1~3% (주로 penicillin과 구조가 비슷한 1세대에서), 대부분은 경미함
  ⌊ carbapenems (e.g., imipenem) : 약 1%에서 cross-reactivity, 대부분은 안전한 편
  ⇨ penicillin anaphylaxis 병력 or skin test (+)시 사용× or graded challenge (or desensitization)
  c.f.) monobactams (e.g., aztreonam) : 구조가 많이 달라 cross-reactivity 거의 없음
    → 안전하게 사용 가능 (but, ceftazidime과는 교차반응 가능)
- aminopenicillins (amoxicillin, ampicillin)은 R-group side chain에 의해서도 IgE 반응 유발 가능
  - 드물고, 임상적으로는 immediate 반응으로 나타남, penicillin 과의 교차반응은 거의 없음
    → skin test에서 aminopenicillin (+) / PPL, MDM, penicillin G는 (-)
  - 일부 cephalosporins은 동일한 R-group side chain을 가짐 (→ 교차반응 가능성 높음)
    ⌈ <u>amoxicillin</u> ; cefadroxil, cefprozil, cefatrizine
    ⌊ ampicillin ; cefaclor, cephalexin, cephradine, cephaloglycin, loracarbef
    → aminopenicillin allergy 병력 (penicillin allergy 환자의 0.5% 미만) or
      aminopenicillin skin test (+) 환자에는 사용× or graded challenge (or desensitization)
- cephalosporins ; $\beta$-lactam ring보다 R-group side chain에 의한 allergy 반응이 더 많음
  - 면역원성을 나타내는 구조물은 penicillin에 비해 다양하고 아직 정확히 모름
  - skin test 용 시약이 개발되지 못했기 때문에 대부분 원약제로 skin test를 시행하고 있음
    (NPV는 97%지만, penicillin에 비해 allergy 발생률이 1/10 정도로 낮아 실제 가치는 낮음)
  - 일부 cephalosporins 간에 교차반응도 가능, carbapenems과의 교차반응은 드묾

## 2. Insulin & insulin analogues

- 과거 정제되지 않은 insulin을 사용할 때는 흔했으나(10~56%), recombinant human insulin 도입 후
  현저히 감소하여 현재는 매우 드묾(0.1~2%)
- insulin 자체가 원인 경우는 1/3, 첨가제나 부형제(excipient)에 의한 것이 더 많음 (2/3)
- immediate reactions (주사 후 <1시간) ; 보통 특정 insulin 제제 사용 수개월~수년 뒤에 발생
  - insulin or 첨가제(e.g., protamine)에 대한 IgE-mediated (type I) reaction이 대부분
  - 국소 피부 반응 ~ 전신 반응까지 다양함 (urticaria, angioedema, 드물게 anaphylaxis도 가능)
  - Dx ; 임상양상/병력, skin tests (insulin + additives), serum specific IgE (ImmunoCAP) 등
  - Tx ; 중단 가능하면 중단 or 다른 insulin (analogue) 제제로 변경, desensitization 후 계속 사용

- delayed reactions (주사 후 1시간, 대개는 6시간 이후)
  - 대부분 주사 부위 피부에 발생, 계속 사용해도 수주 이내에 자연 회복 → 대증 치료
  - induration & subcutaneous nodules (type Ⅲ), eczematous changes or exanthema (type Ⅳ)

## 3. Aspirin 및 NSAIDs

\* penicillin 다음으로 m/c drug allergy, <u>nonallergic (pseudoallergic, nonimmunologic)</u> 반응이 흔함

### Aspirin 및 NSAIDs의 과민반응 분류

| | |
|---|---|
| **Nonallergic**<br>(pseudoallergic) | Type 1: NSAID-induced asthma & rhinosinusitis (AERD 포함) |
| | Type 2: Chronic urticaria 환자에서 발생한 NSAID-induced urticaria/angioedema (AECD) |
| | Type 3: 기저질환 없는 사람에서 발생한 NSAID-induced urticaria/angioedema |
| | Type 4: 기저질환 없는 사람에서 발생한 혼합된 반응(mixed respiratory and/or cutaneous) |
| **Allergic**<br>(immune) | Type 5: Single NSAID (or aspirin)에 의한 urticaria/angioedema |
| | Type 6: Single NSAID에 의한 anaphylaxis (aspirin은 아님) |

| | 임상양상 | 발생시간 | 기저질환 | 교차반응 |
|---|---|---|---|---|
| **Nonallergic reactions** ; 감수성 있는 환자에서 multiple NSAIDs (aspirin 포함)에 의해 발생, COX-1 억제 때문 | | | | |
| Type 1 | Bronchospasm (wheezing) 및 rhinitis 악화 (콧물, 코막힘), 결막자극, 안면홍조 등 (AERD) | 30분~3시간 이내 (delayed) | Asthma (대부분) Vasomotor rhinitis Chronic rhinosinusitis with nasal polyposis | COX-2를 제외한 모든 NSAIDs & aspirin |
| Type 2 | Urticaria/angioedema (AECD) | 30~90분 이내 | Chronic urticaria | " |
| Type 3 | Urticaria/angioedema | 30~90분 이내 | – | " |
| Type 4 | 호흡기 및 피부 증상 | 다양 (30~90분 이내) | – or AERD | " |
| **Allergic reactions** ; 대개 single NSAIDs에 의해 발생 (COX-2 포함), IgE or T-cells 매개 면역반응 | | | | |
| Type 5 | Urticaria/angioedema | 다양 (수분~수시간 이내) | Atopy, drug allergy, food allergy or – | 없음 |
| Type 6 | Anaphylaxis (aspirin은 제외)\* | | | |
| Delayed -type | 피부발진, 발열, 다양한 장기 침범(e.g. 폐장염, 뇌수막염) | 24시간 이후 | – | 없음 |

┌ AERD (aspirin-exacerbated respiratory disease) = NERD (NSAID-exacerbated respiratory disease)
└ AECD (aspirin-exacerbated cutaneous disease) = NERD (NSAID-exacerbated cutaneous disease)

\* Aspirin 자체에 의한 anaphylaxis는 아직 보고된 예 없음 → 경구유발검사에 이용

### (1) Nonallergic (pseudoallergic) reactions

- 기전 ; ① cyclooxygenase (COX-1) 억제 & lipooxygenase 활성화 → leukotrienes 합성↑,
  ② leukotrienes에 대한 hyperresponsiveness
- type 1 ; asthma or chronic rhinosinusitis (nasal polyposis도 흔히 동반) 환자에서 aspirin or NSAIDs (COX-1) 복용 후 호흡기 및 비염 증상 악화 (AERD/NERD)
  → 호흡기내과 9장도 참조
- type 2 ; chronic urticaria 환자에서 aspirin/NSAIDs 복용 후 피부 증상 악화 (AECD/NECD)
- type 3 ; 기저질환이 없는 사람에서 aspirin/NSAIDs 복용 후 urticaria and/or angioedema 발생

- type 4 ; 기저질환이 없거나 일부 AERD 환자에서 aspirin/NSAIDs 복용 후 호흡기 증상 및
  피부 증상 발생 (e.g., bronchospasm, rhinitis, urticaria, angioedema)
- 진단 : 병력이 m/i, 면역학적 기전이 아니므로 skin test, specific IgE 등은 도움 안 됨!!
  → 경구 aspirin 유발검사, lysine-aspirin 흡입 유발검사 등 (NSAIDs를 꼭 사용해야 할 때만)
- 면역학적 기전이 아니므로 대부분의 NSAIDs은 처음 투여할 때부터 aspirin과 교차반응을 보임
  - cross-reactive hypersensitivity는 cyclooxygenase 억제력이 강할수록 비례
  - AAP 등은 COX-1 억제력이 약해 aspirin/NSAIDs 과민 환자에서 안전하게 사용할 수 있음

| Nonselective COX inhibitors<br>: aspirin과 교차반응 ⇨ 금기! | 교차반응 없거나 적음 ⇨ 사용해도 안전 ★<br>(but, 일부는 고농도에서 COX-1 억제 가능) |
|---|---|
| ■ NSAIDs ; Diclofenac, Etodolac,<br>Fenoprofen, Floctafenine,<br>Flurbiprofen, Ibuprofen,<br>Indomethacin, Ketoprofen,<br>Ketorolac, Meclofenamate,<br>Mefenamic acid, Naproxen,<br>Oxaprozin, Piroxicam,<br>Sulindac, Tolmetin 등<br>■ Tartrazine과 색소도 약 10%의<br>환자에서 cross-reactivity 가짐 | ■ Highly Selective COX-2 inhibitors<br>; Celecoxib, Etoricoxib, Lumiracoxib, Parecoxib, Rofecoxib 등<br>■ Partial Selective COX-2 inhibitors<br>; Etodolac, Meloxicam, Nabumetone, Nimesulide 등<br>(→ 고농도에서는 교차반응 가능)<br>■ Nonopioid analgesics & nonacetylated salicylates<br>; Acetaminophen (paracetamol), Diflunisal, Propoxyphene, Salsalate,<br>Choline magnesium trisalicylate, Sodium salicylate, Salicylamide 등<br>(→ 고농도에서는 교차반응 가능)<br>■ Narcotics (e.g., codeine, meperidine) |

\* 안전한 약제라도 드물게 과민반응을 나타낼 수 있으므로 주의 깊게 사용

- 대책
  ① 교차반응이 없는 안전한 약제로 대체 투여 (e.g., AAP는 1회당 ~650 mg까지는 안전)
  ② 꼭 사용해야 하는 경우에는 탈감작요법(desensitization)
      ↳ 심혈관질환 예방 목적의 aspirin, 관절염 치료 목적의 NSAIDs 등
  - 저용량부터 용량을 늘려가며 temporary tolerance 유도, 유지를 위해서는 지속적 복용 필요!
  - aspirin에 탈감작 되면 다른 NSAIDs에도 탈감작됨
  - AERD/NERD 환자에서는 효과적이나, AECD/NECD에서의 효과는 아직 근거가 부족함
  ③ leukotriene-modifying agents : 심한 AERD 환자에서 필요
  - cys-LT$_1$-receptor antagonists$^{LTRA}$ (e.g., montelukast)
  - LTRA 효과 없으면 → 5-lipoxygenase (LO) synthesis inhibitor (e.g., zileuton) 추가/병용

## (2) Allergic reactions

- 기전 : SNIUAA (single NSAIDs-induced urticaria/angioedema or anaphylaxis)
  - COX 억제 작용이 아닌, 특정 NSAID 약물에 대한 specific IgE-mediated 면역반응
  (약물 대사물이 carrier protein에 결합한 뒤 allergen으로 작용)
  - 다른 aspirin/NSAIDs에 대해서는 교차반응 없음! (구조적으로 유사한 약물만 드물게 가능)
  - 과거에 동일 약물에 대한 노출(sensitization) 병력이 있어야 됨
- 임상양상 : 복용 후 수분~수시간 이내에 allergy 증상 발생
  - severity에 따라 type 5 (urticaria and/or angioedema) ~ type 6 (anaphylaxis)
  - NSAIDs (e.g., ibuprofen, diclofenac)가 흔한 원인, aspirin은 anaphylaxis까지는 안 일으킴
  c.f.) acetaminophen은 anaphylaxis를 일으킨 보고가 있음
- 진단 ; 병력, skin test, specific IgE 등
- 대책 ; 원인 약물 중단, 다른 약물로 대치, 대체 약물이 많으므로 desensitization은 필요 없음!

## 4. 조영제(contrast media)

• iodinated 조영제에 의한 급성 위해반응 ; 0.15~0.7%, 대부분은(>98%) mild & self-limited,
　사망률 2~9명/100만, nonionic low~iso-osmolar contrast가 훨씬 안전 (현재 대부분 사용중)
　c.f.) gadolinium contrast (MRI) ; 0.02~0.09%, 대부분 mild, 치명적인 경우는 매우 드물

• 기전 ; 물리화학적 특성(e.g., 삼투압, 이온 농도 변화)에 의한 생리적 반응 (금방 소실됨),
　pseudoallergy (직접 mast cells 자극, complement 활성화 등), IgE-mediated allergy 등

• 임상양상 (acute reactions) : 대개 IV 20분 이내 발생 (보통 1~3분 이내)
　- 생리적 반응(vasomotor reactions) ; N/V, 홍조, 두통, 흉통, 고혈압, 부정맥, 경련, 발작 ...
　- allergy-like reactions ; urticaria, pruritus, angioedema, 전신 홍반, 기침, 후두부종(stridor),
　　기관지수축(wheezing, dyspnea), anaphylactic shock (저혈압, 빈맥) ...
　- IgE-mediated true allergy 반응도 있지만 임상양상으로 pseudoallergy와 구별하기는 어려움

• 이전에 과민반응 경험했던 환자는 재노출시 15~30% 정도에서 재발 위험

| 조영제 과민반응의 위험인자 |
| --- |
| 고령(>50세), 여성, 심혈관계 질환 (e.g., 심부전)<br>β-blocker 사용중, 천식, 알레르기의 병력, 방사선조영제에 대한 과민반응의 병력 |
| 신부전, 신혈관 장애의 위험(e.g., DM, multiple myeloma, HTN, dehydration, hyperuricemia)<br>→ 주로 contrast-induced nephropathy 형태로 나타남 |

• 조영제 사용 전에 유해반응을 예측하거나 완전히 예방할 수 있는 방법은 없음
　- 과민반응이 없었던 사람에서는 skin test의 NPV가 매우 낮아 (예측 못함) 시행 안함
　- 과민반응이 있었던 사람은 skin test로 어느 정도 위해반응 예측 가능하므로 시행 (intradermal로)
　　→ 조영제간 교차반응률은 낮으므로 안전한 조영제를 선택하는데 도움

• 치료 ; 즉시 조영제 투여 중단, 진단이 애매할 때는 allergy-like reactions에 준해 치료
　- 심하면(e.g., diffuse urticaria/edema/erythema, dyspnea, anaphylactoid shock) epinephrine IM
　- 생리적 반응(vasomotor reactions)은 각 증상별로 대증치료

• 예방 대책
　① 검사 전 충분한 hydration (normal saline)
　② 고위험군(e.g., 과거력)은 skin test 및 조영제 사용 12~24시간 전부터 steroid (prednisone)와
　　antihistamine (diphenhydramine) 등으로 전처치(premedication)
　③ nonionic^(적용성) iso- (e.g., iodixanol) or low-osmolar (e.g., ioversol, iopamidol) 조영제 사용

* delayed reactions
　- 약 0.5~10% 정도에서 발생하며 (급성보다 흔함), 조영제의 물리적 성질의 영향은 덜 받음
　- 대부분 skin rash, pruritus, urticaria, angioedema, fever 등의 mild Sx.
　- intradermal test + patch test로 어느 정도 예측 가능
　- 치료 안 해도 자연 호전 흔함 → 심하거나 지속되면 antihistamine, steroid, 해열제 등
　- 전처치(premedication)는 효과가 불확실하고 합의된 방법이 없음

c.f.)

## DRESS (Drug Rash, Eosinophilia, Systemic Symptoms) syndrome

- 약물에 의한 드물지만 심한 allergy 반응, 대개 약물 복용 후 1~8주 (대부분 2~6주) 사이에 발생
  - drug-induced hypersensitivity syndrome (DiHS)이라고도 부름, 특히 일본쪽
  - 항경련제에서 처음 발견되어 anticonvulsant hypersensitivity syndrome (AHS)으로도 불렸음
- 원인 ; 거의 모든 aromatic anticonvulsants<sup>항경련제</sup> (e.g., carbamazepine, lamotrigine, phenytoin, phenobarbital, primidone → 서로 교차반응 가능) 및 allopurinol이 m/c
  - sulfonamides, dapsone, minocycline, vancomycin, cephalosporin, 항결핵제 등도 가능
  - 일부는(~25%) 교차반응이 없는 약물에 의해서도 재발 가능
  - HLA allele과 관련 가능 (e.g., allopurinol → B*58:01, carbamazepine → HLA-A*31:01)
- 용량과 관계없이 발생 가능한 allergy 반응임 (과거력이나 가족력이 있으면 발생 위험↑)
  - drug-specific 강력한 면역반응 ; T cell activation↑ (type Ⅳ reaction)
  - 일부 herpesvirus (e.g., HHV-6, HHV-7, EBV, CMV)의 재활성화도 유발함 (30~60%에서)
    → virus-specific T cell activation에 의해 DRESS의 증상 더 악화/지속
- 임상양상 ; 발열(38~40℃), 권태감, lymphadenopathy, skin eruption 등이 흔한 증상
  - 피부 병변 ; morbilliform eruption으로 시작하여 빠르고 광범위하게 진행, 1/2에서 facial edema
  - 내부장기 침범 흔함 ; 간(hepatitis, 60~80%)<sup>m/c</sup>, 신장(acute interstitial nephritis, 10~30%), 폐(interstitial pneumonitis and/or pleural effusion), 심장, GI, 췌장, 신경계 등
  - Lab ; leukocytosis with eosinophilia, atypical lymphocytosis, anemia, thrombocytopenia, AST-ALT↑, sCr↑, mild proteinuria, viral markers (+)
- 진단 ; 임상양상, patch test, lymphocyte transformation/activation test, viral markers 등
- 약물을 중단해도 대개 수주~수개월 뒤에나 회복됨, 일부에서 자가면역질환 후유증 발생 가능
- 치료 ; 약물 중단, 수액 공급, local (심하면 systemic) steroid, cyclosporine, IVIG, 항바이러스제 등
- 사망률 2~10%
  ↳ 사인 ; acute liver failure, multiorgan failure, fulminant myocarditis, hemophagocytosis

## Stevens-Johnson syndrome<sup>SJS</sup> (toxic epidermal necrolysis<sup>TEN</sup>)

- 대표적인 지연성 약물이상반응, 약물 투여 1~3주 후 피부 이상 발생, 매우 드묾
- 약물에 의한 피부 반응 중 가장 심함, 약 10~30%가 사망!
- 피부박리(탈락) 범위가 ≤10%면 SJS, 10~30%면 SJS/TEN overlap, >30%면 TEN으로 분류함
- 원인 ; 약 1/3 이상에서는 원인을 모름
  - 약물 (m/c) ; sulfonamides 항생제, nevirapine, allopurinol, aromatic anticonvulsants (e.g., phenytoin, carbamazepine, lamotrigine), oxicam계 NSAIDs (piroxicam, tenoxicam), 일부 COX-2 inhibitors (e.g., etoricoxib), amoxicillin/ampicillin, nevirapine, fumigants ...
  - 기타 ; *Mycoplasma pneumoniae* 감염이 2<sup>nd</sup> m/c (특히 소아에서)

- 임상양상 ; 고열(>39℃), 점막의 수포/궤양, 통증성 피부 병변, 인후통, 결막염 및 기타 눈 병변, 괴사성 피부박리(epidermal necrosis, 체표면의 30% 이상, 심한 피부염증은 없음) ...
  - fever, mucositis, skin tenderness, blistering 등이 SJS/TEN을 시사하는 소견
  - Nikolsky sign : 침범 안한 피부를 손가락으로 약간 압력을 주어 밀면 표피가 박리됨
  - Asboe-Hansen or bulla spread sign : 수포에 압력을 가하면 옆으로 퍼짐
- poor Px ; 고령, 피부박리 면적↑, 위장 및 폐 침범
- 치료 : 확실한 치료법이 없으므로, 빠른 진단 및 원인 약물 중단이 매우 중요함
  ① 보존적 치료 ; 수분/전해질 교정, 진통제, 2차 세균감염 방지(e.g., topical antiseptics), dressing
      octenidine, polyhexanide, chlorhexidine, silver nitrate 등 ↵
    - sepsis가 m/c 사인이므로 감염 예방이 m/i
    - 예방적 항생제는 일반적으로 사용× (but, 감염이 징후가 있으면 즉시 항생제 투여)
  ② 기타 확립된 치료법은 없지만 면역억제치료가 일부 도움 될 수 있음
    - cyclosporine : SJS/TEN의 진행 지연 효과 (∵ T cell activation 억제)
    - steroid : 초기에는 일부 효과적일 수 있으나, 피부 병변이 광범위한 경우 오히려 감염 위험↑
    - IVIG ; 생존율 향상 근거가 없음, severe Cx (e.g., 신장, 혈액, 혈전) 위험으로 권장×

# ■ 혈청병(serum sickness, immune complex disease)

- 항원과 이에 대한 항체가 결합하여 형성된 immune complex (IC)에 의해 tissue injury가 발생하는 질환 (type III hypersensitivity)
- 원인 ; heterogeneous (nonhuman) proteins

> ① Classic serum sickness
> 1. 동물 혈청에서 분리된 antitoxins or antivenins
> 2. 동물 혈청에서 제조된 항체 ; ATG, OKT-3
> 3. 기타 heterogeneous proteins ; streptokinase, hormones
> 4. 곤충 독 ; Hymenoptera order (e.g., 벌, 모기)
>
> ② Serum sickness-like syndrome
> 1. 여러 약물들 (e.g., penicillin, sulfa)
> 2. Circulating IC를 동반한 심감병 (e.g., B형 간염, 감염성 심내막염)

- 보통 처음 노출 후 5~10일 뒤, 두번째 노출 후 2~4일 뒤 발생
- 증상 ; 발열, 피부발진(urticaria가 m/c), 관절통/관절염, lymphadenopathy, nephritis (AKI는 드묾)
- 검사소견 ; specific IgG Ab., circulating IC, $C_3/C_4/CH_{50}$↓, ESR↑, WBC는 다양
- 치료 : 대개 conservative (∵ self-limited)
  - arthralgia → aspirin, NSAIDs 등
  - dermatitis → antihistamine, topical steroid
  - 증상이 심하거나 여러 장기의 침범시 → 단기간의 oral steroid

# 5
## 식품 알레르기 (Food allergy)

## 정의

- 식품의 유해작용
  ① food allergy : 특정 식품에 대한 비정상적인 면역(allergy) 반응 (e.g., IgE-mediated)
    - 소량으로도 발생할 수 있고, 예측 불가능함, anaphylaxis 같은 심각한 상태로 진행 가능
  ② food intolerance<sup>불내성</sup> : 특정 식품에 대한 비면역학적인 생리/약리 반응
    - toxic contaminants, pharmacologic property, idiosyncracy, metabolic disorder 등 때문
      (e.g., lactase deficiency, aldehyde dehydrogenase deficiency)
    - 대개 GI의 문제 때문이고, 증상은 섭취량과 관련 있고, 매번 섭취시마다 비슷한 증상을 유발함
  ③ food aversion<sup>혐오</sup> : 행동장애(psychologic), 특정 식품 섭취에 대한 심리적 반응
- 식품 성분 중 수용성 당단백(glycoprotein)이 주요 allergy 유발 물질로 작용함
  - 분자량 1만~6만 dalton, 열/산/효소 등에 의해 잘 파괴되지 않음
  - GI를 통과하며 계속 변하고, 오랫동안 장 점막에 노출, 접촉 면적이 넓음
    → IgE-mediated 급성 반응 뿐아니라, non-IgE-mediated 지연형 반응도 잘 일으킴
  c.f.) 위산은 상당수 allergen 파괴, 땅콩은 고열로 볶으면 항원성↑, 우유/계란은 고열에서 항원성↓

## 역학 및 경과

- 유병률 : 소아에서 흔함 (소아의 5~10%, 성인의 1~2%)
  - allergic dz.의 가족력/과거력 있으면 발생↑ (e.g., 천식 환아의 10%, 아토피피부염 환아의 35%)
- food allergy는 출생 후 몇 년간 흔하다가 나이가 들수록 감소함 (자연소실)
  - 대부분의 아이들은 결국 food hypersensitivity에 tolerance가 생김
  - allergen 회피 후 1~2년이면 1/3에서 clinical reactivity 사라짐
    ┌ 우유, 계란, 대두, 밀 등은 학동기 전에 호전되는 경우 많음
    └ 땅콩, 견과류, 생선, 조개/갑각류 등은 학동기 이후에도 지속되는 경우 많음
  - 성인에서 발생한 food allergy는 자연소실이 드묾 (거의 평생 지속)
- immediate IgE-mediated reaction : 모든 연령에서 가능하지만 소아에 많고, allergic skin test (+)
- non-IgE-mediated (Th2 cell-mediated) reaction : 대개 GI Sx, allergic skin test는 대개 음성
- mixed : eosinophilic esophagitis, FPIES, atopic dermatitis 등

# 원인

| 연령별 흔한 원인 |
| --- |
| **영유아**　우유, 계란, 땅콩, 콩 |
| **소아**　우유, 계란, 땅콩, 콩, 밀, 견과류, 생선(e.g., 고등어), 갑각류, 조개류 |
| **성인**　**갑각류**(게, 가재, 새우 등)$^{m/c}$, 과일, 밀, 생선, 조개류　(외국은 땅콩이 m/c이지만, 우리나라는 많지 않음) |

- 이외에도 많은 식품들이 가능 ; 번데기, 돼지고기, 소고기, 대두, 복숭아, 토마토, 도라지, 들깨, 홍삼, 인삼 ...
- 일부 식품 항원은 흡입에 의해서도 allergy 유발 가능 ; 밀가루, 메밀/대두/갑각류 등의 분말, 연기, 냄새 등
- 옻나무(옻닭)는 allergic contact dermatitis (type IV hypersensitivity)임 → 8장 참조

- 우유 : 주로 영유아~소아에서 문제
  - casein, $\beta$-lactoglobulin 등의 단백이 skin tests나 유발검사에서 m/c (+) (62~100%)
  - 우유에 과민한 영유아/소아의 대부분은 그 과민성이 4~5년 지나면 없어짐
  - 젖소, 염소, 양 등의 milk proteins은 서로 교차반응 가능 (특히 산양유), 낙타유는 아님
- 계란 : 환자가 노른자보다 more allergenic (ovalbumin이 환자의 m/c protein)
- 땅콩 : fatal anaphylaxis의 흔한 원인, 자연 소실은 드묾, 다른 콩과 사이의 교차반응은 드묾
- 밀/메밀 : 우리나라에서 흔한 원인, anaphylaxis도 흔함 (특히 밀가루는 FDEIAn의 m/c 원인)
- 패류(갑각류/조개류) : tropomyosin 등이 주요 allergen, 갑각류/조개류들 사이의 교차반응 흔함
- 식품 첨가물에 의한 allergy도 발생 가능 (매우 드묾) ; sulfate (산화방지제, 보존제), 합성색소
  (황색5호, tartrazine), monosodium L-glutamate (MSG; 조미료), 아스파탐(aspartame; 감미료),
  안식향산나트륨(sodium benzoate; 방부제), 각종 향료 ...

# 임상양상

## 1. Immediate reactions (IgE-mediated)

- 식품 섭취 후 약 30분 (대개 몇분) 이내에 발생, 피부 및 호흡기 증상이 흔함
- <u>urticaria</u> (m/c), <u>lips/face swelling</u>, pruritus, rash, angioedema, rhinitis, wheezing,
  GI Sx (복통, N/V/D), anaphylactic shock 등 (fever/chilling은 동반 안함)
  - oral allergy syndrome (OAS) → 뒷부분 참조
  - food-dependent exercise-induced anaphylaxis (FDEIAn) → 3장 참조
- skin test (+), 일부는 allergen-specific IgE Ab로 확인 가능

---

■ 육고기 알레르기(red meat allergy) = Alpha-gal syndrome (AGS)
- α-gal (α-1,3-galactose)가 원인인 드문 형태의 IgE-mediated food allergy
  ↳ 진드기 침에도 존재, <u>cetuximab</u> (anti-EGFR mAb)의 Fab에는 mouse의 α-gal 존재
- risk factors ; 참진드기 교상 (우리나라 흔함), cetuximab 치료, 중년~노인, atopic dz.
- 원인 식품 ; 소, 돼지, 개, 염소, 노루, 햄 등 (닭과 오리는 아님!!)
- 섭취 3~6시간 후에 증상 발생 (<u>delayed reaction</u>) ; urticaria, angioedema, anaphylaxis, GI Sx 등
- 진단 ; 신선한 육류를 이용한 prick-to-prick test, specific IgE (ImmunoCAP), MAST는 대부분 음성

## 2. Non-IgE-mediated (대개 delayed Th2 cell-mediated) 및 Mixed reactions

- eosinophilic esophagitis/gastroenteritis ; 10~30대 atopic 남성에서 호발, IgE-mediated도 관여
  ↳ GERD와 비슷한 증상, 우유/대두/밀가루/땅콩/계란 등이 원인 (→ 소화기내과 I-4장 참조)
- food-protein induced enterocolitis syndrome (FPIES) ; 주로 영아에서 발생, 3~5세에 호전
- atopic dermatitis ; 소아에서 흔함 (성인은 관련성 미미), IgE-mediated (or mixed)도 관여

## 진단

(1) 자세한 병력 (m/i) ⇨ 식사 일기 작성
(2) **skin prick test** : 땅콩, 견과류, 우유, 달걀, 생선, 갑각류 allergy 및 교차반응 진단에 유용
    (but, 흡입 항원보다 sensitivity & specificity 낮으므로 해석에 주의)
(3) serum **specific IgE Ab test** (e.g., MAST) : skin test를 시행하지 못하는 경우 유용하지만,
    skin test보다 진단적 가치가 더 높지는 않음
(4) basophil histamine release test : 주로 연구용
(5) elimination diet : 증상이 거의 매일 있는 경우 유용
(6) 이중맹검 유발검사(double-blind placebo-controlled food challenge, DBPCFC) … 표준 확진법!
    - 환자와 검사자 모두 시행하는 Ag의 종류를 모르고 검사
    - 단점 ; 복잡, 적절한 placebo 선택 어려움, 조제과정에서 식품 변질 가능성, 캡슐로 섭취시
        다량의 캡슐 섭취해야 하는 불편함, 자연 식품 섭취에 비해 반응이 적을 수 있음 → false(-)
    - 병력, skin test, specific IgE 검사 등으로 진단이 불확실할 때에만 시행
    - 위험한 반응이 발생할 수 있으므로 반드시 병원에서 의사의 관찰 하에 시행
(7) 개방 유발검사(open oral challenge, OOC) ; Ag 알고 시행, DBPCFC보다 간단하고 쉬움
    - DBPCFC에서 음성이면 반드시 OOC 시행
    - oral allergy syndrome (OAS)의 진단에 특히 유용
    - 환자/검사자의 편견 작용 가능 (→ 위양성), 결과가 음성이면 실제 음성일 가능성이 매우 큼

## 치료/예방

### (1) 원인 식품 회피 (m/g)
- 완전한 회피는 쉽지 않음, 교차항원성도 고려 / malnutrition, eating disorder 주의
- 6~12개월마다 F/U하다가 충분히 안전한 수준으로 specific IgE가 감소되면 재섭취 가능
  (but, anaphylaxis의 원인 식품은 영구히 회피하는 것이 좋음)

> c.f.) 영유아 food allergy 예방을 위한 수유 및 이유식
> - 임산/수유부에서 식이 제한은 필요 없음 (임신/수유 중 allergy 원인이 되는 식품들을 제한해도 예방 효과 없음)
> - 모유 수유는 allergy 예방 효과 有, 불가능하면 고위험군은 4개월 이전은 가수분해분유, 4개월 이후는 일반분유
> - 이유식 : 고위험군 여부와 관계없이 4~6개월 사이에 시작 (늦게 시작해도 allergy 예방 효과 없음!)
> - 우유/계란/땅콩/생선 등 흔한 allergen도 특별히 제한하거나 늦출 필요 없음 / Probiotics는 예방 효과 없음

**(2) 대증요법 (약물치료)**

- epinephrine : 심한 증상, anaphylaxis시 가장 먼저 투여 (병력자는 자가사용 epinephrine 보유!)
- antihistamines : OAS 및 IgE-mediated 피부 증상에는 효과적이지만, 전신 증상에는 효과 적음
- glucocorticoids : 만성 IgE dz. (천식, 아토피피부염), eosinophilic esophagitis/gastroenteritis

**(3) 면역요법**

- 대부분 부분적 탈감작(desensitization)은 되지만, 영구적 tolerance 획득은 드물, 부작용 흔함
- 회피요법만 하는 환자에 비해 anaphylaxis 발생 위험은 오히려 높음 → 아직 권장 안됨!
- \* 기타 ; anti-IgE (효과 불확실), anti-IL4/IL-13 (eosinophilic esophagitis에서 연구 중)

# 구강알레르기증후군(oral allergy syndrome, OAS)

## (= Pollen-food allergy syndrome [PFAS or PFS])이 용어를 더 선호

- 식품(과일, 채소) allergen에 의한 contact urticaria의 일종, 성인 food allergy의 ~50% 차지 (m/c)
- 환자의 대부분이 화분(꽃가루, pollen) 알레르기를 동반하고 있음 (∵ 화분과 식품의 교차항원성)
  - 자작나무(birch), 쑥, 두드러기쑥, 목초화분 등이 흔한 원인 (birch-fruit-vegetable syndrome)
  - 화분증(pollinosis) 환자의 23~47%도 OAS를 동반, 소아보다 성인에서 많음
    ↳ 성인 allergic rhinitis 환자의 30~70%에서 (소아 ~40%) OAS 동반
- 위험인자 ; 화분에 감작(특히 자작나무), 여러 종류의 화분에 감작, 화분 밀집 지역에 거주,
  증상이 있는 화분증(e.g., allergic rhinitis), pollen-specific IgE↑↑ 등
- 증상을 일으키는 항원은 열이나 소화에 의해서 빨리 파괴됨 → 증상이 구강 및 인두에 국한
  (→ 화분증 등 다른 알레르기 환자들은 과일이나 야채를 조리해 먹는 것이 권장됨)
- 과일(e.g., 복숭아, 사과, 키위) or 야채 섭취시 입술, 구강, 인두 부위에 부종과 가려움증 발생
  - 대부분 노출 5분 이내 증상 발생 (약 7%는 30분 뒤에 발생)
  - 심하면 urticaria/angioedema, anaphylaxis도 발생 가능 (화분이 많은 계절에 증상 더 심함)
- 진단 ; 병력(m/i), 피부단자검사, prick-to-prick 검사, 혈청 specific IgE 등
  - prick-to-prick 검사 (m/g) : 바늘로 생과일/채소를 먼저 찌른 뒤 환자의 피부를 찌름
    (견과류 같은 딱딱한 식품은 식염수에 갈아서 사용)
  - 이중맹검 유발검사 (or 개방 유발검사) : 확진 가능하지만, 불편해서 많이 사용하지는 않음
- 치료 ; 원인 식품의 회피, 증상 발생시 약물치료
  (꽃가루에 대한 면역요법은 OAS에 대해 거의 효과 없고, allergic rhinitis에는 효과적)

c.f.) 식품 항원의 흔한 교차반응
  - 자작나무 → 사과, 배, 복숭아, 체리, 살구, 당근, 개암, 셀러리, 감자, 헤이즐넛, 인삼 등
    ↳ Bet v 1 (pathogenesis-related protein 10, PRP10)이 major allergenic protein
      : 다른 OAS를 일으키는 식물들과 유사 부분을 가짐으로써 교차반응을 나타냄
  - 오리나무, 개암나무 → 콩과 메밀
  - 먼지 및 진드기군 → 새우, 게, 가재 같은 갑각류

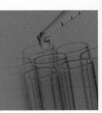

# 6
# 곤충독 알레르기

## 개요/원인

- 벌목/막시류목(*Hymenoptera* order)의 family
  ① 꿀벌과(family Apidae) ; 꿀벌(honey bee, Apis species), 뒤영벌(호박벌, bumblebee)
    - 꿀벌은 비교적 온순함 (자극 or 도발을 받을 때만 공격)
    - 봉침(꿀벌 독을 사용함) 치료 흔한 원인임
  ② 말벌과(family Vespidae) ; 땅벌(yellow jacket), 말벌(hornet), 쌍살벌(wasp) ··· 주원인
    - 매우 공격적이라 별다른 자극 없이 공격하기도 하고, 여러 번 공격도 잘 함
    - 꿀벌보다 독의 양이 훨씬 많고, 독성도 더 강함
  ③ 개미과(family Formicidae) ; 우리나라는 왕침개미(*Brachyponera chinensis*)
- 벌독에는 allergen, toxins, vasoactive amines, acetylcholine, kinin, enzymes 등이 포함되어 있음
- allergen ┌ 꿀벌과 ; phospholipase A2 (Api m 1), hyaluronidase, melittin (국소 독성)[m/c] 등
           └ 말벌과 ; phospholipase A1, hyaluronidase, antigen 5, carbohydrate determinants 등
  - phospholipid A : major allergen (type I hypersensitivity : IgE-mediated)
  - carbohydrate determinants : 벌독 간 교차반응의 주요 원인
    (말벌 간에는 강한 교차반응을 보이나, 말벌과 꿀벌 간의 교차반응성은 낮음)
- 미국 ; 전체 인구의 9~28%에서 벌독 skin test (+) or serum specific IgE (+),
  anaphylaxis 발생률 0.3~3%, 사망률 0.4명/100만 (매년 약 40명 사망)
- 야외에서의 활동이 많은 아이들(but, 우리나라 아이들은 학원에) 및 성인 남성에서 호발
- 주로 여름~가을철에 많이 쏘임 (8~9월에 m/c, 벌들의 번식기라 공격성이 강해지고 독성도 강해짐)

## 임상양상

: 곤충독에 의한 반응은 보통 local reactions과 systemic allergic reactions으로 구분함

### 1. 국소반응(local reactions)

- 자상 부위에만 국소적으로 나타나는 증상 ; 통증, 부종(1~5 cm), 가려움 등
- 대부분 자상 수분 이내에 발생, 수시간 이내에 호전됨 (때때로 1~2일 지속될 수도 있음)

- large local reactions (LLRs, 광역형 반응) : 약 10%에서, IgE-mediated
  - 자상 팔/다리 대부분에 걸쳐 발적과 부종(induration)이 나타남 (>10 cm)
  - 1~2일 동안 서서히 커짐, 약 2일 째 peak, 이후 5~10일에 걸쳐 서서히 호전됨
- LLRs 이후 다음 자상시 대부분은 더 심한 LLRs을 나타냄, anaphylaxis 발생 위험은 7~16%
  (심한 경우는 드묾 → VIT는 권장×, epinephrine autoinjectors는 휴대하는 것이 좋음)

## 2. 전신반응(systemic allergic reaction)

### (1) 즉시형 반응 : <u>anaphylaxis</u>

| 임상양상 | 빈도 |
|---|---|
| 피부증상 - m/c | 약 80% |
| (피부증상만 나타난 경우) | (약 15%, 소아는 60%) |
| 호흡기증상 | 38~50% |
| 저혈압/현기증 | 40~60% (소아는 드묾) |
| 의식소실 | 약 30% |

- severe anaphylaxis는 자상 후 평균 11분에 발생 (보통 2~3분 이내)
- 피부증상(m/c) ; generalized urticaria, flushing, angioedema (소아의 60%는 피부증상만 발생)
- 호흡기증상 ; hoarseness, wheezing, dyspnea
- 심혈관증상 ; 현기증, 저혈압, shock, circulatory collapse
- allergic sting reaction은 한번 쏘일 때마다 심해지지는 않음
  (처음 쏘였을 때 증상이 심했던 경우가 재차 쏘였을 때도 심한 경향을 보임)
- sensitization은 시간이 지나며 감소하거나 사라짐
- ACEi or β-blocker 사용 중인 사람은 사망률 증가

### (2) 지연형 반응
- 드묾(~5%), 자상 4시간 이후에 발생, 24시간 이상 지속, non-IgE-mediated
- serum sickness, Guillian-Barré syndrome, glomerulonephritis, myocarditis, vasculitis ...

## ■ 진단

- 대부분 벌에 쏘인 병력 및 임상양상으로 쉽게 진단 가능
- 전신반응이 있었던 경우 or 인과관계가 불확실한 경우에는 진단검사 시행
  ⇨ 확진 및 추후 벌독면역요법(VIT)에 사용할 벌독의 종류를 결정하기 위해
  (1) skin test (intradermal) : 우선 권장, 상품화된 벌독 추출물 이용, sensitivity 70~90%
  (2) serum specific IgE (e.g., immunoCAP) ; skin test보다는 sensitivity 떨어짐
    - skin test 음성인 경우 시행 → skin test + specific IgE로 95% 확인 가능
  (3) baseline serum tryptase : skin test & specific IgE 음성인 경우 시행
    → 증가되어 있으면 systemic mastocytosis 의심, >20 ng/mL면 BM study 등 검사 고려
- 추후 anaphylaxis 발생 위험성 <10%면 (LLR만 있었던 경우, 피부에만 국한된 전신반응 등)
  진단검사 및 VIT 반드시 시행할 필요는 없음

## ■ 치료/예방

### 1. Local reactions의 치료

- uncomplicated local reactions ; 치료 안 해도 됨, cold compress면 충분
- LLRs ; 대증요법
  - cold compress (얼음찜질 or 차가운 물병/캔), 물린 부위가 팔다리면 위로 올림
    → 통증↓, 독 흡수 속도↓, 부은 부위 가라앉음
  - 통증 심하면 ⇨ 진통제(e.g., NSAIDs) / 가려움 ⇨ oral antihistamines, topical steroid
  - 부종이 심하면 oral steroid single-dose (or 단기간)
- * 벌침 제거 : 꿀벌은 벌침에서 독이 계속 나와 증상을 악화시킬 수 있으므로 빨리 빼야 좋음!
    (말벌은 벌침을 여러 번 사용하므로 쏘인 부위에 벌침이 없음)
  - 소독된 칼 가장자리나 신용카드 같은 것을 이용하여 피부와 평행하게 조심스럽게 긁어서 제거
  - 핀셋/집게/손톱으로 벌침의 끝 부분을 집어서 제거하면 독주머니를 짜는 행위가 되어 위험함

### 2. Systemic allergic reaction (anaphylaxis)의 치료

- 다른 원인에 의한 anaphylaxis의 치료와 동일함 → 다음 장 참조
- epinephrine IM (TOC), antihistamine 등
  (glucocorticoid : anaphylaxis에는 효과 없음, LLRs에는 증상 감소에 도움)
- immunotherapy를 하지 않은 사람은 epinephrine autoinjectors[자가주사기]를 항상 휴대하도록 함

### 3. 회피요법

- 야외에서 음료수나 식사를 삼감, 헐렁한 옷을 입지 않음, 야외에서는 신발을 신음
- 단 식품, 화려한 색상의 밝은 옷, 향수/화장품 사용을 피할 것

### 4. 벌독면역요법(venom immunotherapy, VIT)

- 벌독 allergy 예방에 m/g : 안전하고, 대부분 성공적임 (약 95%에서 예방 효과)
  - 전신 증상 발생위험 <5% & 증상도 mild (VIT 시행 안 하면 다음 자상시 30~60%에서 발생)
  - 효과 : 말벌독+꿀벌독 > 말벌독 > 꿀벌독 (꿀벌은 효과가 떨어짐)
- 적응증
  ① systemic (여러 장기 침범) anaphylaxis의 병력
    (LLR, 피부에만 국한된 전신반응[cutaneous systemic reactions]은 적응 아님)
  ② 피부에만 국한된 전신반응이라도 자주 발생(e.g., 벌이 많은 환경), 기저질환 동반, 환자가 원하면
- skin test and/or specific IgE 검사에서 양성인 모든 벌독 종류에 대해 시행하는 것이 안전함
- skin test & specific IgE 음성일 때는 시행× (매우 드물게 non-IgE-mediated 기전도 있음)
- 치료 기간은 보통 3~5년 이상 (꿀벌이면 5년 이상)
  - venom-specific IgG4 항체가 생겨서 효과를 나타냄
  - IgE는 초반에는 약간 증가하나 1년 이후에는 감소

# 7
# 아나필락시스(Anaphylaxis)

## 개요

- 원인 물질에 노출된 후 즉시 발생하는 (생명을 위협하는) 중증의 전신 알레르기 반응
  - 대개 저혈압/심혈관허탈 or 기관지/후두 수축발작이 발생한 경우를 anaphylaxis라고 함!
  - 증상 발생이 빠르고 치명적일 수 있으므로 medical emergency 임
- parenteral allergen이 inhaled or ingested allergen보다 더 잘 일으킴
- anaphylaxis 환자의 약 53%는 아토피질환의 병력이 있음
  (e.g., allergic rhinitis, asthma, atopic dermatitis)

| Anaphylaxis의 진단기준 (다음 중 하나 이상) |
| --- |
| 1. 급성 발병 (수분~수시간), 피부 및 점막을 침범 (두드러기, 가려움, 홍조, 입술-허-구강부종), 다음 중 한 가지 이상<br>• 호흡장애 (e.g., dyspnea, wheeze/bronchospasm, stridor, peak expiratory flow↓, hypoxemia) *OR*<br>• 저혈압 또는 저혈압으로 인한 end-organ malperfusion (e.g., hypotonia [collapse], syncope, incontinence) |
| 2. 의심되는 allergen에 노출된 수분~수시간 이내에 다음 중 두 가지 이상 발생<br>• 피부 및 점막 침범 (e.g., 전신적 두드러기, 가려움, 홍조, 입술-허-구강부종)<br>• 호흡장애 (e.g., dyspnea, wheeze/bronchospasm, stridor, peak expiratory flow↓, hypoxemia)<br>• 저혈압 또는 저혈압으로 인한 end-organ malperfusion (e.g., hypotonia [collapse], syncope, incontinence)<br>• 지속적인 소화기 증상/징후 (e.g., crampy abdominal pain, vomiting) |
| 3. 알려진 allergen에 노출된 뒤 수분~수시간 이내에 혈압 감소<br> ┌ 성인 : systolic BP <90 mmHg or 30% 이상 감소<br> └ 영아/소아 : systolic BP <70 (1개월~1세), [70 + 2×age], 90 (11~17세) mmHg or 30% 이상 감소 |

### Anaphylaxis의 발병기전에 따른 분류

| 1. Immunologic anaphylaxis | 2. Nonimmunologic anaphylaxis |
| --- | --- |
| **IgE-dependent**<br>약물(e.g., β-lactams, 일부 저삼투압조영제)<br>곤충독, 식품 (식품의존-운동유발 포함)<br><br>**IgE-independent**<br>Immune complex (→ complement 활성화)<br> ; 수혈반응, Protamine<br>Cytotoxic reaction (→ complement 활성화)<br> ; 용혈수혈반응<br>Anti-IgE IgG (e.g., Omalizumab) | Mast cells & basophils 직접 자극<br> 약물 ; Opioid (e.g., meperidine, codeine), Vancomycin, 조영제<br> 물리적 인자 ; Cold, Sunlight<br>직접 complement 활성화 (immune complex 없이) ; Cremophor<br>Arachidonic acid 대사 변화 ; Aspirin, NSAIDs<br>Kallikrein-kinin contact system 활성화 (→ complement 활성화)<br> ; 수혈반응, 혈액투석막, 조영제<br>기타 ; 운동, c-kit Mutation (D816V) |
| | **3. Idiopathic anaphylaxis** |

## 1. Immunologic anaphylaxis

- 면역기전(e.g., IgE, IgG, immune complex, complement)이 관여하는 anaphylaxis
- IgE-mediated anaphylaxis (classic anaphylaxis) ; allergen 노출 후 allergen-specific IgE 생산
  → 혈류를 통해 전신으로 전파 → tissue mast cells과 circulating basophils 표면의 high-affinity
  IgE receptors (Fc ε RI, Fc-epsilon-RI)에 결합 → inflammatory mediators & cytokines 분비
  (e.g., histamine, PAF) ··· type I hypersensitivity
- IgG-mediated (주로 동물에서) ; allergen-specific IgG가 macrophages와 basophils 표면의
  IgG receptors (Fc-gamma-RIII)에 결합 → histamine 대신 PAF를 주로 분비
  (PAF도 mast cells을 자극할 수 있음)
  c.f.) anti-IgE IgG (omalizumab) : IgE가 Fc ε RI에 결합하는 것을 방해, IgG-mediated 반응

| 종류 | 흔한 원인 | 드문 원인 |
|---|---|---|
| Proteins | **곤충독 (꿀벌, 말벌, 왕침개미 등)**<br>화분 (ragweed, grass, etc.)<br>**식품 (갑각류/조개류, 밀가루, 땅콩, 견과류**<br>**계란, 우유, 생선 등)**<br>Horse & rabbit serum<br>(antilymphocyte globulin)<br>Latex (수술용 장갑, 의료인의 약 3~10%) | Hormones (insulin, ACTH,<br>vasopressin, parathormone)<br>Enzymes (trypsin, penicillinase)<br>Human proteins (serum proteins,<br>seminal fluid) |
| Haptens 등의<br>저분자물질 | 항생제 (penicillins-m/c, sulfonamides,<br>cephalosporins, tetracyclines,<br>amphotericin B, nitrofurantoin,<br>aminoglycosides)<br>Local anesthetics (lidocaine, procaine 등) | Vitamins (thiamine, folic acid) |
| Polysaccharides | | Dextrans, iron-dextran |

- 약물 (성인에서 m/c), 식품 (소아에서 m/c), 곤충독, 혈청제제 등이 흔한 원인임
- 약물은 주로 hapten으로 작용함
  ( ㄴ 작아서 면역반응을 직접 유발하지는 못하고, 혈청 단백과 결합하여 IgE 생성을 유도)

## 2. Nonimmunologic anaphylaxis (과거 anaphylactoid reaction)

- immunologic anaphylaxis와 임상양상은 같으나 면역학적 기전이 아닌 경우
  (mast cells이나 조직 or complement 등에 직접 작용)
- 면역 반응이 아니므로, 감작 없이 첫 노출 시에도 발생 가능!
- aspirin, NSAIDs, 방사선 조영제 등이 대표적인 예
  (일부는 IgE-mediated anaphylaxis의 특징을 보이기도 함)
  c.f.) cremophor : paclitaxel, cyclosporine, propofol 등의 용매로 쓰임, 직접 complement 활성화

## 3. Idiopathic anaphylaxis

: 밝혀진 유발 원인 없이 반복적으로 anaphylaxis 발생

# 임상양상

- 대개 노출 후 수초 ~ 2시간 이내에 발생, 심한 반응은 5~10분에 발생
- 전신적 or 여러 장기의 급성 중증 과민반응
  - 피부 (~90%)$^{m/c}$ ; flushing, pruritus → urticaria (m/c) ± angioedema (e.g., 구강부종)
    → generalized rash
  - 호흡기 (~85%) ; 콧물, 코막힘, 재채기, 목소리 변화, 후두부종(hoarseness, stridor → 질식),
    기침, 기관지수축(wheezing), 호흡곤란
  - 심혈관계 (~45%) ; hypotonia (collapse), syncope, incontinence, dizziness, hypotension, shock,
    tachycardia (∵ 혈관내 용적 감소에 대한 보상)
  - GI (~45%) ; 복통(crampy abdominal pain), N/V/D ...
- 시간에 따른 경과 (초기 증상으로는 예측 불가능함), 대부분은 uniphasic
  - biphasic anaphylaxis (약 5%) ; 증상이 호전되고 1시간 이상 (평균 11시간) 지난 뒤 다시 재발
    ↳ risk factor ; 심한 증상(e.g., 저혈압), epinephrine 1 dose 이상 필요 → 24시간 이상 입원
    (c.f., antihistamines 및 glucocorticoids 치료는 증상 재발 예방 효과 없음)
  - protracted anaphylaxis (매우 드뭄) ; 증상이 수시간~수일 이상 지속되는 것
- 주로 임상양상으로 진단함 (→ 앞 표 참조)
- Lab (biomarkers) ; 진단에 도움은 되지만 정상인 경우도 있으므로 D/Dx가 필요할 때만 고려
  - serum/plasma tryptase : 60~90분 뒤 peak, ~5시간까지도 측정 가능
  - plasma histamine : 반감기 매우 짧음, 빨리 상승했다가 30~60분 이내에 정상화 → 비실용적
  - urine histamine metabolites : 몇 시간 이후까지 측정 가능
  - 기타 ; N-methylhistamine, 11-$\beta$-PGF$_{2-\alpha}$, LTE$_4$ 등
- 원인을 찾기 위한 skin test 등은 anaphylaxis 3~4주 이후에 시행

## ■ 예후
- 사망률이 높지는 않음 (~2%), 대부분은 적절한 치료로 조절 가능
- 사망률↑ ; 10대, 노인, 동반질환(e.g., 천식, 심혈관질환), 진단/치료 지연
- 사인 ; 질식(2/3), 순환기 증상(1/3)
- 사망 원인 allergen ; 약물 (m/c, ~50%), 식품(대부분 땅콩, 견과류), 곤충독
- cardiac arrest까지의 평균 시간 ; IV 약물(조영제 포함) 5분, 곤충독 15분, 식품 30분

## ■ D/Dx - Vasovagal collapse (syncope)
- 심한 통증이나 주사를 맞은 직후에 발생
- pallor, sweating, nausea, bradycardia, hypotension, 의식상실 등의 증상이 나타남
- but, 피부 증상(urticaria)이나 호흡기 증상은 없음!
- 안정과 수액요법으로 대부분 회복

# 치료

┌ 수분이내에 사망할 수 있으므로 빨리 치료해야 됨 (medical emergency)
└ 목표 : 기도의 유지와 순환의 유지

## (1) Epinephrine (m/i)

- 치료의 핵심!, 빨리 투여하면 대부분의 증상 호전 가능 / 응급 상황에서 금기는 없음!
- 1:1000 희석액을 0.01 mL/kg로 최대 0.5 mL까지 IM (허벅지 중간 바깥쪽)
- 필요한 경우 5~15분마다 2~3회 반복, 반응 없으면 IV 정주 고려

## (2) Rapid IV fluid infusion

- 저혈압시 사용 ; N/S, lactated Ringer's solution 등
- 혈관내액 누출로 심한 저혈압 발생시엔 colloid fluid가 더 효과적

## (3) Vasopressor drugs

- fluid, epinephrine IV에 반응 없는 저혈압시에 사용
- dopamine, norepinephrine, phenylephrine 등
- glucagon : $\beta$-blocker 사용 환자에서 epinephrine에 반응 없는 경우 고려
  - intracellular cAMP를 증가시켜 adrenergic receptors에 관계없이 혈압을 유지하는데 도움
  - 빨리 주입하면 vomiting을 유발할 수 있으므로 기도 보호에 주의

## (4) Respiratory care

- 산소 공급
- laryngeal & epiglottic edema → 기도유지(airway maintenance)
  ; endotracheal intubation 또는 emergency tracheostomy
- bronchospasm → epinephrine에 반응 없으면 inhaled $\beta_2$-agonists (e.g., albuterol, salbutamol)!
- refractory bronchospasm 시에는 atropine IV도 사용 가능

## (5) Antihistamines

- $H_1$-blocker (e.g., diphenhydramine, cetirizine) & $H_2$-blocker (e.g., famotidine) 병합요법
- 증상이 epinephrine 만으로 좋아지지 않을 때 투여, 생명유지 역할은 없음
  (urticaria, angioedema, pruritus, GI & 자궁 평활근 연축 등에 도움)

## (6) Glucocorticoid

- 급성 증상에는 효과 없음 (∵ 작용에 몇 시간 필요) / biphasic or protracted reactions 예방
  효과는 있을 것으로 생각되었으나, 최근의 연구 결과로는 효과 없음!
- epinephrine 및 다른 약제들에 잘 반응하면 투여 안 해도 됨
- 심한 증상으로 입원이 필요하거나, 천식 환자에서 심한 bronchospasm이 지속되는 경우 투여

## (7) 기타

- 팔, 다리에 주사제 or sting에 의해 anaphylaxis가 유발된 경우
  → 약물/항원 흡수를 제한하기 위해 근위부를 tourniquet으로 묶음
- 벌에 쏘인 경우는 벌침 제거 (꿀벌), cold compress, topical steroid 등

# 8
## 기타 알레르기 질환

## 기관지 천식

- 알레르기성 천식은 모든 천식의 20~25% 정도
- 대개 소아 천식력을 갖고 있다
- 직업성 천식 ; 어부, 제빵사, 사료제조인, 방앗간, 양계장, 세제 등

→ 호흡기내과 참조

## 아토피성 피부염 (atopic dermatitis)

- 소아의 약 10%에서 발생, 이후 점차 감소
- 심한 소양증, 홍반, 부종, 딱지와 인설 등이 특징
- 목, 사지의 접히는 부위에 습진을 동반하는 피부염을 일으킴
- 대부분 건조증도 나타남, 피부감염 빈도도 증가 (특히 S. aureus)
- 호전과 악화가 반복되는 만성 재발성 경과
- 아토피의 과거력/가족력 존재 (e.g., asthma, allergic rhinitis, food allergy)
- 혈청 IgE 증가, monocytes와 B cells의 CD23 (low-affinity IgE receptor) 발현 증가, delayed hypersensitivity reaction 장애 ...
- 치료
  (1) 회피요법
    - 너무 춥거나 더운 것은 피함 (c.f., 땀 → 소양증 유발)
    - 커피, 차, 콜라, 초콜릿과 기타 자극제 등을 피함
    - 피부 건조 (겨울) → 비누, 친수 연고, 로션 등의 사용 피함 (가습기가 도움)
    - 손톱은 짧게 깎고, 손이 얼굴에 가지 않도록 함
    - 옷 : 면제품이 좋고 (∵ 자극↓, 땀흡수↑), 모직물은 피함
  (2) 국소 치료
    - 급성기엔 cold wet dressing습습포 (Burow solution, KMnO4, N/S) → 항소염, 항염증 효과
    - topical steroid : dressing을 바꾸는 사이에 적용

(3) 가려움 → 1세대 antihistamines (e.g., diphenhydramine, hydroxyzine, promethazine)
- urticaria 때와 달리 2세대 antihistamines이나 $H_2$-blocker는 효과 없음
- c.f., promethazine은 2세 이하 소아에서는 금기 (∵ 호흡장애 유발)
(4) 2차 감염 → 국소 및 전신 항생제
(5) 난치성 → systemic steroid, phototherapy, cyclosporin, IFN-γ, thymopentin, tacrolimus, FK-506 등 (but, 치료를 중단하면 재발하는 경우가 많음)
(6) 면역요법은 효과가 입증되지 않았음

# 알레르기성 접촉피부염 (allergic contact dermatitis$^{ACD}$)

• 전체 접촉피부염의 20% 차지 (원발성 접촉피부염이 80%)
• type IV hypersensitivity (cell-mediated hypersensitivity)
  : 먼저 감작이 일어난 뒤, 재 노출되면 피부염이 유발됨
  ⇨ 첩포/부착포검사(patch test)로 진단
• 이물질에 접촉된 지 24~72시간 후에 피부염 발생 (홍반, 부종, 습진)
• 원인 ; 금속(니켈, 코발트, 크롬, 수은 뿐), 보석 장신구, 옻나무(옻닭), 북나무, 참나무, 은행열매,
  고무, 석유, 가죽, $p$-phenylenediamine (PPD) 등의 염색약, 샴푸, 화장품, 방부제 등
  - 니켈 : 귀금속과 장신구에 불순물로 함유, 스테인리스 스틸의 주성분
    (시계, 귀걸이, 목걸이, 안경 등 주변에 흔함)
  - 스마트폰, 이어폰 등 전자기기에도 니켈, 크롬이 많이 쓰임
  - 옻나무 : 우리나라에서는 옻을 닭과 함께 삶아먹는 뒤 혈행성으로 전신적 피부염 발생 흔함
• 치료 ; 원인 물질과 접촉 피함, 냉습포, 보습제, topical steroid (전신적으로 심하면 oral steroid)

c.f.) 자극접촉피부염(irritant contact dermatitis) : 이물질이 누구에게나 자극을 일으키는 경우

# 과민성 폐렴, ABPA 등

→ 호흡기내과 참조

# 독성학, 기타

# 1
# 독성학

## 개요

## 1. 역학 (우리나라)

- 중독 환자 : 전체 응급실 내원 환자의 0.66~1.3%, 전체 사망의 0.5% 차지
- 중독 원인
  ① 의약품 (약 45%) ; 수면진정제, 항정신병제, 진통제 등
  ② 가스 (약 20%) ; 일산화탄소 등
  ③ 농약 (약 15%, 감소추세) ; 유기인계, 제초제(e.g., glyphosate, glufosinate) 등
     (과거에 흔했던 paraquat는 2012년 판매 중단)
  ④ 기타 ; 가정용품(e.g., 세척제), 독성 식물/동물, 화학물질 ...
  c.f.) 6세 미만 소아 ; 화학물질(가정용품, 니코틴원액), 의약품, 독액성 독물(곤충) 등
- 사망률 : 전체적인 중독으로 인한 사망률은 약 3% (농약이 m/c 원인), 고령일수록 높음
- 사망원인 ; 다발성 장기부전, 호흡부전, 순환부전, 신부전


  c.f.) 약물 또는 독소의 향기
    - 아세톤향 ; alcoholic ketoacidosis, isopropyl alcohol
    - 배향 ; paraldehyde, chloral hydrate
    - 쓴 아몬드향 ; cyanide
    - 소독제향 ; phenol
    - 마늘향 ; 비소 살충제, 유기인계 살충제, selenium, thallium, phosphorus
    - 좀약향 ; 장뇌(camphor), 나프탈렌, paradichlorobenzene
    - 용매/접착제향 ; toluene, xylene, trichloroethane, tetrachloroethylene
    - 연기(smoke) ; 일산화탄소, cyanide, clomethiazole
    - 노루발풀(맨소래담, 안티프라민)향 ; methyl salicylates
    - 썩은 달걀향 ; 황화수소(hydrogen sulfide)

## 2. 임상양상

### 약물에 따른 중독의 증상

| 약품 (물질) | 증상 |
|---|---|
| Acetaminophen | 오심, 구토, 발한, 권태감, 간증상 : SGOT, SGPT 상승, 황달, 간부전증 |
| Amphetamine 및 Sympathomimetic (cocaine, caffeine 등) | 빈맥, 고혈압, 과체온, 안면 홍조, 정신증, 경련, 동공산대(mydriasis), 발한 |
| Anticholinergic (amitriptyline, atropine, belladonna, chlorpheniramine, diphenhydramine, doxylamine, imipramine, scopolamine 등) | 열, 붉고 건조한 피부, 구강 점막 건조, 빈맥, 동공 산대, 요 정체, 혼돈, 운동 실조, 혼수, 경련 |
| Barbiturate (pentobarbital, phenobarbital, secobarbital, amobarbital 등) | 혼돈, 동공 축소 후에는 확대, 안구 진탕, 저혈압, 저체온, 혼수 |
| Carbon monoxide (연탄 가스) | 전 두통, 현기증, 운동시 호흡 곤란, 오심, 구토, 빈맥, 혼미, 허탈, 혼수, 경련 |
| Cyanide (일부 쥐약) | 혼수, 경련, 과호흡 |
| Digoxin | 식욕 부진, 오심, 구토, 부정맥, 두통, 기면, 경련 |
| Ethylene glycol (antifreeze) | 대사성 산증, hyperosmolality, hypocalcemia, oxalate crystalluria |
| Iron | 오심, 구토, 복통, 설사, 토혈, 하혈 |
| Isoniazid | 저혈압, 간 손상, 저혈당, 대사성 산증, 혼수, 경련 |
| Narcotics (propoxyphen, heroin, talwin, demerol, codeine) | 혼수, 호흡 억제, 인두 분비물, 천명, 저혈압, 동공 축소, 반사 저하 |
| Organophosphate (농약) | 동공 축소, 침 흘림, 복통, 구토, 설사, 요 실금, 변 실금, 기관지 수축, 눈물 흘림 |
| Paraquat (제초제: gramoxone 등) | 혼수, 서맥, 간신의 손상, 폐 손상(간질성 폐렴, 폐 섬유증) |
| Phenothiazine (chlorphromazine, prochlorperazine 등) | 빈맥, 기립성 저혈압, 저체온, 근육 경직, 혼수, 운동 실조, 동공 축소, tremor, Q-T 간격 증가 |
| Salicylate (aspirin) | 빈맥, 열, 빈호흡, 발한, 혼수, Anion gap 증가, 처음에 alkalosis → 후에 acidosis |
| Theophylline | 소화기 장애, 경련, 저혈압, 빈맥, 저 K혈증 |
| Tricyclic antidepressant (amitriptyline, imipramine 등) | 빈맥, 동공 산대, 구강 점막 건조, 요 정체, 혼수, 경련, 부정맥, QRS 시간 연장, Q-T 간격 연장 |

# 증상에 따른 중독 물질

| 눈 증상 | 중독 물질 |
|---|---|
| 축소된 동공(miosis) | 마약, organophosphate, 버섯, clonidine, phenothiazine, chloral hydrate, barbiturate |
| 산대된 동공(mydriasis) | atropine, alcohol, cocaine, amphetamine, antihistamine, tricyclic antidepressant, carbon monoxide |
| 안구 진탕 | phenytoin, barbiturate, ethanol, carbon monoxide |
| 눈물 | organophosphate, 자극성 가스 |
| 망막 충혈 | methanol |
| 시력 장애 | methanol, botulism, carbon monoxide |

| 피부 증상 | 중독 물질 |
|---|---|
| 수포 | heroin, phencyclidine (PCP), amphetamine, barbiturate |
| 건조하고 더운 피부 | anticholinergic agents, botulism |
| 땀 | organophosphate, nitrates, 버섯, aspirin, cocaine |
| 탈모 | thallium, arsenic, 납, 수은 |

| 구강 증상 | 중독 물질 |
|---|---|
| 침 흘림(salivation) | organophosphate, salicylate, 부식제, strychnine |
| 구강 건조 | amphetamine, anticholinergic, antihistamine |
| 화상 | 부식제 |
| 잇몸의 선 | 납, 수은, 붕산 |
| 잘 삼키지 못함 | 부식제, botulism |

| 위장 증상 | 중독 물질 |
|---|---|
| 산통 | arsenic, 납, thallium, organophosphate |
| 설사 | arsenic, 철, 붕산 |
| 변비 | 납, 마약, botulism |
| 토혈 | aminophylline, 부식제, 철, salicylate |

| 심혈관 증상 | 중독 물질 |
|---|---|
| 빈맥 | atropine, aspirin, amphetamine, cocaine, tricyclic antidepressant, theophylline |
| 서맥 | digitalis, 마약, 버섯, clonidine, organophosphate |
| 고혈압 | amphetamine, LSD, cocaine |
| 저혈압 | phenothiazine, barbiturate, TCA, imipramine |
| QRS 시간 연장 | diphenhydramine (대량), encanide, flecainide, hyperkalemia, hypothermia, phenothiazine (대량), tricyclic antidepressant |
| Q-T 간격 연장 | phenothiazine |
| 부정맥 | amphetamine, arsenic, caffeine, carbon monoxide, chloral hydrate, cocaine, cyanide, digitalis, freon, phenothiazine, propranolol, quinidine, theophylline, TCA |

| 호흡 증상 | 중독 물질 |
|---|---|
| 호흡 억제 | alcohol, 마약 |
| 호흡 증가 | amphetamine, aspirin |
| 폐 부종 | hydrocarbons, heroin, organophosphate, aspirin |

| 중추 신경 증세 | 중독 물질 |
|---|---|
| 실조(ataxia) | alcohol, antidepressant, barbiturate, anticholinergic, phenytoin, 마약 |
| 혼수(coma) | sedative, 마약, barbiturate, PCP, organophosphate, salicylate, cyanide, CO |
| 과체온 | anticholinergic, quinine, salicylate, LSD, phenothiazine, amhetamine, PCP |
| 근육 연축(fasciculation) | organophosphate, theophylline |
| 근육 경직(rigidity) | tricyclic antidepressant, PCP, phenothiazine |
| 경련 | amphetamine, antihistamine, caffeine, camphor, cocaine, carbon monoxide, lindane, organophosphate, isoniazid, phenol, phenothiazine, tricyclic antidepressant |
| 이상 감각(parasthesia) | cocaine, camphor, PCP |
| 행동 이상 | LSD, PCP, amphetamine, cocaine, camphor, anticholinergic |

| 검사 이상 | 중독 물질 |
|---|---|
| Methemoglobinemia 청색증 (호흡 곤란 없음) | aniline 색소, DDS, nitrate |
| Osmolar gap 증가 | acetone, ethanol, ethylene glycol, ispropyl alcohol, methanol, propylene glycol |
| Anion gap 증가된 metabolic acidosis | carbon monoxide, cyanide, ethylene glycol, 철, isoniazid, methanol, salicylate |

## 3. 치료

| 보존적 치료 | |
|---|---|
| 기도 보호 | 경련의 치료 |
| 산소/인공호흡기 | 체온 이상의 교정 |
| 부정맥의 치료 | 대사 이상의 교정 |
| 혈역학적 보조 | 이차 합병증의 예방 |

| 독성 물질의 추가 흡수 방지 | |
|---|---|
| GI decontamination | 다른 부위의 decontamination |
|   활성탄(activated charcoal) |   Eye irrigation ; saline |
|   위세척(gastric lavage) |   Skin ; triple wash (물, 비누, 물) |
|   Ipecac 시럽 (→ emesis) |   Body cavity evacuation |
|   Whole bowel irrigation | |
|   Cathartics (sorbitol) | |
|   Dilution ; 부식제(산, 염기) 섭취시에만 | |
|   Endoscopic/surgical removal | |

| 독성 물질의 제거 촉진 | |
|---|---|
| Multiple-dose activated charcoal | Extracorporeal removal ; PD, HD, hemoperfusion, |
| Forced diuresis |   hemofiltration, plasmapheresis, 교환수혈 |
| Alteration of urinary pH | Hyperbaric oxygenation |
| Chelation | |

| 해독제 투여 |
|---|
| Neutralization by antibodies |
| Neutralization by chemical binding |
| Metabolic antagonism |
| Physiologic antagonism |

| 독성 물질의 재노출 방지 |
|---|
| Adult education |
| Child-proofing |
| Notification of regulatory agencies |
| Psychiatrc referral |

## ■ 위장관 오염제거(decontamination)

| | 활성탄<br>(Activated charcoal) | 위세척<br>(Gastric lavage) | 구토제<br>(Ipecac 시럽) |
|---|---|---|---|
| 개요 | **장점**<br>1. 가장 효과 좋다!<br>2. 부작용/금기 적다<br>3. 가장 덜 혐오스럽고<br>　비침습적<br><br>**작용** : 장내에서 독성물질을<br>흡수한 뒤 복합체를 형성<br>대변으로 배설됨 | 수돗물을 사용<br>(영아는 N/S)<br><br>흡인을 방지하기 위해<br>Trendelenburg &<br>Lt. lateral decubitus<br>position 유지<br><br>* 1시간 이내에 시행! | 병력이 확실하고 독성이<br>적은 경우 가정에서<br>응급으로 사용 가능<br>(우리나라에는 없음)<br><br>투여후 약 20분 뒤<br>구토 발생<br><br>* 1시간 이내에 시행! |
| 용량 | 1 g/kg | 5 mL/kg | 성인 30 mL<br>(소아 15, 영아 10) |
| **독성물질의**<br>**흡수 방지 효과**<br>　5분 이내 시행<br>　30분에 시행<br>　60분에 시행 | <br><br>73%<br>51%<br>36% | <br><br>52%<br>26%<br>16% | <br><br>60%<br>32%<br>30% |
| 부작용 | 기도의 기계적 폐쇄<br>흡인, 구토<br>장 폐쇄/경색 | 흡인 (~10%)<br>식도/위 천공 (~1%) | 소아에서 기면 (12%)<br>지연성 구토 (8~17%)<br>흡인 (식도/위의 열상,<br>천공은 드물다)<br><br>* 장기간 사용시 ; 수분,<br>전해질 불균형, 심독성,<br>근육병증 |
| 금기 | 부식제(산, 염기)를 섭취한<br>환자에서는 권장 안됨<br>(∵ 내시경을 방해)<br>철, lithium, cyanide, alcohol<br>등의 섭취 | 부식제(산, 염기), 탄화<br>수소(석유제품) 섭취<br>기도 보호가 안되는<br>환자 (e.g., 의식저하)<br>식도/위의 질환 또는<br>최근의 수술로 출혈,<br>천공의 위험이 있는<br>환자 | 최근의 위장관 수술<br>CNS depression, 경련<br>부식제(산, 염기) 섭취<br>Rapidly-acting CNS<br>poison 섭취 ;<br>camphor, cyanide,<br>TCA, propoxyphene,<br>strychnine<br>6개월 미만 소아 |

* 병원 응급실에서는 위세척이나 활성탄이 1차적으로 이용됨

* 2~4시간 이후에도 위장관정화(위세척, 구토제)가 효과적일 수 있는 경우

　① 항콜린성 약물 (∵ GI motility↓)

　② 의식저하자 (∵ gastric motility↓)

　③ salicylate 섭취 (∵ pyloric spasm 유발)

　④ 활성탄에 흡착되지 않는 물질 (e.g., 철, lithium)

* 하제/설사제 (sorbitol이 m/g)
  ┌ 적응 : 흡수가 느린 약물 중독, 활성탄에 흡착되지 않는 약물
  └ 금기 : 6세 미만 (∵ 수분/전해질 이상), 신부전, 장음이 들리지 않을 때
  　　　　(e.g., 장폐쇄, 복부외상), 최근의 위장관 수술

* 활성탄에 흡착되지 않는 물질
  • 부식제, 석유류, 중금속, 분자량이 아주 작은 금속 등이 대표적
  • 전장관세척(or 하제), 기타 흡착제제, 제거촉진법(e.g., 혈액투석, 혈액관류) 등을 고려

| 활성탄에 잘 흡착되지 않는 약물 | |
| --- | --- |
| Alkali | Inorganic salts |
| Cyanide* | Iron |
| Ethanol & methanol | Lithium |
| Ethylene glycol | Mineral acids |
| Fluoride | Potassium |
| Heavy metals | |

* 흡착이 적게 되어도 치명적 용량 도달 방지위해 투여

### 기타 흡착제제

| 약물/독물 | 흡착제 |
| --- | --- |
| Calcium | Cellulose sodium phosphate |
| Chlorinated hydrocarbons | Cholestyramine resin |
| Digitoxin | Cholestyramine resin |
| Kepone, Lindane cream | Cholestyramine resin |
| Iron | Sodium bicarbonate |
| Lithium | Sodium polystyrene sulfonate (kayexalate) |
| Paraquat/diquat | Fuller's earth, bentonite |
| Potassium | Sodium polystyrene sulfonate (kayexalate) |
| Thallium | Prussian blue (potassium-ferricyanoferrate) |

## 응급 해독제 요법

| 중독 물질 | 해독제 | 용량 | 비고 |
|---|---|---|---|
| Acetaminophen (Tylenol) | N-Acetylcysteine | 처음 : 140 mg/kg, 경구<br>다음 : 70 mg/kg씩 4시간마다<br>17회 (5% 용액) | 16시간 내에 가장 효과적 |
| Atropine | Physostigmine | 초회량 : 0.01~0.1 mg/kg, IV | 경련, 서맥을 일으킬 수 있음 |
| Benzodiazepines | Flumazenil | 처음 : 10 μg/kg<br>다음 : 5 μg/kg/분, infusion (깨어<br>날 때까지, 최대량 1 mg) | 경련의 병력이 있는 환자에게<br>는 쓰지 않는다. |
| Beta-blocking agents | Atropine<br>Isoproterenol<br>Glucagon | 0.01~0.10 mg/kg, IV<br>0.05~5 μg/kg/분, IV<br>0.05 mg/kg, IV | |
| Carbon monoxide | Oxygen | 100% | COHb의 반감기는 room air<br>에서 4시간이나 100% O2<br>에서는 40~50분이다. |
| Cyanide | Amyl nitrite<br>다음<br>Sodium nitrite | 1~2 peral, 2분마다<br><br>0.03 mL (10 mg 3%액)/kg, IV | Methemoglobin-cyanide<br>complex<br>저혈압을 일으킨다. |
| | Sodium thiosulfate | 12.5 g IV | Cyanide → thiocyanide |
| Digoxin | Digoxin immune Fab (Digibind) | 용량은 혈청 Digoxin 농도와<br>체중에 따라 정한다. | 생명을 위협하는 복용으로서<br>용량과 혈청농도가 불명할<br>때에는 10 vial의 내용<br>(400 mg)을 준다. |
| Iron | Deferoxamine | 5~15 mg/kg/시간, infusion,<br>250 mg/kg/일, ÷3, IM | 배출성 ferrioxamine complex<br>를 형성 |
| Isoniazid | Pyridoxine | 먹은 INH와 같은 양의<br>Pyridoxine을 IV (먹은 양이<br>불명할 때는 5g 정주) | Pyridoxine hydrochloride로<br>주사 |
| Mercury, arsenic, gold | BAL (dimercaprol) | 3~5 mg/kg/회, 4시간마다<br>2일간, 그후 4~6시간마다<br>2일간, 그후 4~12시간마다<br>7일까지, IM | 근육내 깊이 주사한다. |
| Methyl alcohol (ethylene glycol) | Ethyl alcohol dialysis에 연계<br>하여 | 100% ethanol : 1 mL/kg 처음<br>glucose sol로, 혈청 농도를<br>100 mg/L로 유지 | Alcohol dehydrogenase에<br>대하여 compete한다. |
| Nitrite | Methylene blue | 1%액 0.1 mL/kg, IV 5분에<br>걸쳐서 | 심할 때는 교환 수혈 |
| Opiates, Darvon, Lomotil | Naloxone | 0.1 mg/kg, IV. 소아에서 2 mg<br>까지 | 호흡 억제를 일으키지 않는다<br>(0.4 mg/L 앰풀) |
| Organophosphates | Atropine | 초회량 : 0.05~0.1 mg/kg (최대<br>: 2~5 mg), IV 또는 IM | Acetylcholine를 차단한다. |
| | Pralidoxime (2PAM) | 초회량 : 25~50mg/kg, IV | Phosphate-cholinesterase<br>bond를 분리시킨다. |
| Sympathomimetics | Blocking agents:<br>phentolamine,<br>β-blockers,<br>기타 항고혈압제 | | Vital sign을 monitoring할 수<br>있는 데에서 사용 |

# 유기인(organophosphate)계, Carbamate계 살충제

## 1. 개요

- 독성기전 : acetylcholinesterase 억제
  - organophosphate : 비가역적
  - carbamate : 가역적
- 유기인산염(organophosphate)
  ① skin, lung, GI에서 흡수되어 간에서 대사
  ② 종류 ; parathion, malathion, dichlorvos, diazinon

## 2. 임상양상

- 노출 후 30분~2시간 이내에 발생
- muscarinic effect ; N/V, 복통, 동공축소(축동, miosis), salivation, lacrimation, 발한, 기관지분비↑, 기관지수축(wheezing), urinary & fecal incontinence ...
  (심한 발한은 탈수, 저혈압, shock 등을 초래 가능)
- nicotinic effect ; 근육연축(fasciculation), 진전, 근력약화, 호흡부전 ...
- 혈압/맥박수 : muscarinic에 의해 감소 or nicotinic에 의해 증가 (더 흔함) 가능
- carbamate : organophosphate보다 증상기간 짧고 덜 심함
- 대부분 24~48시간 내에 회복 (드물게 지연성 신경병증 발생 가능)

## 3. 진단

- cholinesterase activity가 <50%이면 confirm
  - plasma : pseudocholinesterase
  - RBC : AChE (acetylcholinesterase) ··· more specific
- RBC가 plasma보다 specific
- 검사에는 시간이 걸리므로 초기진단은 임상적으로
- 소변에서 insecticide 검출 가능

## 4. 치료

- 기도 및 호흡 유지
- 폭로장소에서 옮기고, 오염된 옷을 벗기고 피부를 비눗물로 닦음
- ingestion에 의한 경우 GI decontamination (activated charcoal)
- 유기인계의 중독시의 해독제는 atropine + 2-PAM !
- atropine ; muscarinic receptor antagonist
  - bronchial & other secretion 멈출 때까지 15분마다 0.5~2 mg 사용
  - pupil size & heart rate ; end point로 이용하지 못함

• pralidoxime (2-PAM) : cholinesterase를 재활성화
  - nicotinic symptom에 사용, 4~6시간마다 재투여 가능
  - carbamate 중독 시에는 controversial

# PARAQUAT

## 1. 개요

• 그라목손(paraquat dichloride), 잡초를 제거하기 위해 사용하는 제초제
• 고농도(>20%) 제제 섭취/접촉시 corrosive injury 유발 가능
• 위장관에서는 빠르게 흡수되어 2시간 이내에 최고 혈중 농도에 도달함
• 수일에 거쳐 폐포 상피세포에 선택적으로 농축,
  산소와 결합하여 oxygen free radical 생성 → 폐섬유화 초래
• 20% 용액 10~20 mL (2~4 g) 정도의 소량만 섭취해도 사망 가능

## 2. 임상양상

• 국소적인 corrosive injury ; 구강/인후부 작열통, 점막 부종/궤양
• N/V, 복통도 흔함
• 신부전, 간손상 (2~8일)
• 농축 용액 60 mL 이상 섭취시 ; 심한 위장관염, 부식성 식도 손상, 폐부종, 심장성 쇼크 발생 가능
  (대량 섭취시에는 급성 순환부전으로 조기에 사망)
• 진행성/비가역적 폐섬유화 (10~15일) → 사망

## 3. 치료

• 특별한 치료제나 해독제가 없으므로 치료의 근간은 보존적 치료임
• 오염제거 (흡수방지)
  - 흡착제 : 백토/표토(Fuller's earth), bentonite 등
  - 활성탄 : 매 2~4시간마다 반복 투여
  - 하제(e.g., sorbitol) : 초기에만 투여 가능
  - 위세척 : 음독 1시간 이후에는 금기 (∵ 부식성 → 식도/위 천공 위험)
• 산소 : 과량 투여시 폐포에서 lipid peroxidation을 악화시킬 수 있으므로, $pO_2$ 60 mmHg 유지하는
  최소한의 농도만을 사용
• hemoperfusion : 효과에 논란이 있으며 현재는 적응 안됨 (HD나 forced diuresis도 효과 없다)

# 부식제 (산, 알칼리)

## 1. 개요

- 알칼리(alkali) : 액화괴사(liquefactive nerosis) 유발
  - → 산(acid)보다 rapidly penetrate & more perforation
- 산(acid) : 응고성괴사(coagulative necrosis) 유발
- 구강 손상이 없다고 식도 또는 위 손상을 R/O 할 수는 없음
- liquid : superficial & large surface wound
- solid, tablet : localized & deeper wound
- severity에 영향을 주는 인자들 ; contact time, amount, pH (특히 <2 or >12)

## 2. 임상양상

### (1) mouth

- excessive salivation, pain, dysphonia, dysphagia
- erythema, edema, ulceration, necrosis

### (2) esophagus

- drooling, painful swallowing, retrosternal pain, neck tenderness
- perforation : increased severity of chest pain
- aspiration : fulminant tracheitis, bronchial pnemonia
- fibrosis with stricture ; esophagus (alkali), gastric outlet (acids)

## 3. 진단

- Sx, Hx, physical finding ...
- endoscopy (12~24시간 이내에 시행해야 안전) : 진단, 예후평가, F/U
- chest & abd. X-rays & CT : perforation, organ dysfunction 등을 평가

## 4. 치료

### (1) 오염제거/희석/중화

- 1~2잔의 물/우유로 희석 : 심한 증상이 없고 섭취 초기의 경우에만
  (c.f., 우유는 내시경 시야를 방해하므로 주의)
- 산 : 섭취 30분 이내의 초기에는 가는 비위관으로 남아있는 산 제거 가능
- 약산/약염기 중화제는 절대 금기! (∵ 중화반응의 열로 tissue injury)
- 활성탄도 금기 (∵ 내시경 방해, 부식제는 활성탄에 흡착 안됨)

### (2) 유착 예방 : 내시경상 <u>grade IIb</u> 이상인 경우
(원주형 점막하 손상, 궤양, 삼출물)
* corticosteroid + 광범위항생제 투여
* stent or NG tube 위치
* 내시경적 확장술 : 4주 이후에 고려
* collagen 합성 억제제 ; BAPN, penicillamine, NAC, colchicine

## ACETAMINOPHEN

### 1. 개요
* therapeutic dose에서는 대부분 sulfate와 glucuronide conjugates로 대사
* 140 mg/kg 이상 복용시 sulfate & glucuronide pathway가 포화되어 mercapturic acid로 대사 됨
* hepatic glutathione이 mercapturic acid에 결합하지만 고갈되면 reactive metabolite가 생겨서 hepatocyte에 결합하여 hepatocyte의 necrosis 유발
  (대개 10~15 g 이상 복용시 간손상 발생, dose-dependent)
* volume of distribution 1 L/kg, half-life : 2~4시간

### 2. 임상양상
* 섭취후 24시간까지는 증상이 거의 없다가 그 이후부터 N/V 나타나기 시작
  (증상이 가볍기 때문에 처치가 늦어져 예후가 불량한 경우가 종종 있다)
* hepatotoxicity (m/i)
  - RUQ tenderness, hepatomegaly
  - 12~36시간에 AST, ALT가 상승하기 시작, 3일째 최고치에 도달
  - mild hyperbilirubinemia, PT 증가
* 신기능도 손상 가능, hypoglycemia를 보이는 경우도 있음
* 회복 후 LFT는 1주 이내에, 조직소견은 3개월 이내에 정상화

### 3. 치료
* 4시간 이내면 활성탄을 투여하여 GI decontamination 시행
  (위세척, 장세척 등의 적극적인 형태의 제독은 필요 없음)
* NAC (N-acetylcysteine) : glutathione의 전구물질
  - 8시간 이내에 투여해야 가장 효과적 (oral), 4시간마다 투여 가능
  - 활성탄에 방해 안 받음 / 부작용 ; N/V, diarrhea, rash ...
* 신기능 손상을 방지하기 위하여 hydration 실시

# NSAIDs

## 1. 개요

- NSAID : cyclooxygenase를 block해서 prostaglandin 합성을 억제
- 복용후 1~2시간 이면 혈중농도가 peak에 이르고 plasma protein에 강하게 결합
- 대사는 conjugation, oxidation, hydroxylation에 의함

## 2. 임상양상

- 보통 mild ; N/V, 복통, drowsiness, headache, hematuria, proteinuria, glycosuria ...
- AKI나 hepatitis는 드물다
- ibuprofen : metabolic acidosis, coma, seizure 유발
- seizure : mefenamic acid, phenylbutazone에서 흔하고, ketoprofen, naproxen에서는 드물다
- metabolic acidosis : phenylbutazone에서 많고 naproxen에서는 드물다

## 3. 진단

- urine으로 comprehensive toxicology screen
- quantitative analysis : not useful

## 4. 치료

① GI decontamination & supportive care
② activated charcoal
   → indomethacin, phenylbutazone, piroxicam
③ diuresis : renal excretion 증가 안 함 (효과 없음)
④ hemodialysis : protein에 결합하므로 효과가 제한적이나
   AKI, hepatic and severe toxicity있을 때는 효과 있음

# SALICYLATES (Aspirin)

## 1. 개요

- NSAID와 비슷한 약리학적 특성을 가짐
- respiratory rate와 depth 증가 → "resp. alkalosis" (초기)
- metabolic rate 증가 → 산소, glucose 소비 & 열 생산 증가
  → "metabolic acidosis" (후기)
- Krebs cycle을 억제하여 탄수화물과 lipid 대사 억제 → ketoacidosis 발생
- platelet aggregation을 비가역적으로 억제 → BT↑

- 간에서 clotting factor 생산을 억제 → PT 연장
- 50~80%가 albumine에 결합
- acidosis는 unionized fraction을 증가시키고 간, 뇌 등으로의 분포를 증가시킴
- liver와 kidney에서 제거되며 반감기는 2~3시간
- urine alkalinization으로 renal excretion 증가

## 2. 임상양상

- 3~6시간 후 vomiting, sweating, tachycardia, hyperpnea, fever, tinnitus, lethargy, confusion, resp. alkalosis, alkaline urine 등이 발생
- increased anion gap metabolic acidosis with acidic urine 도 가능
- severe case ; convulsion, coma, resp. depression, cardiovascular collapse, cerebral & pul. edema, myocardial failure 가능
- acid-base disturbances (ABGA)

  ┌─ resp. alkalosis & metabolic acidosis (40~50%)
  │  resp. alkalosis (20%)
  │  metabolic acidosis (20%)
  └─ mild resp. & metabolic acidosis (5~10%)

## 3. 진단

- peak level

  ┌─ < 40 mg/dL : no Sx.
  │  40~100 mg/dL : mild~moderate Sx.
  └─ > 100 mg/dL : severe Sx.
- urine ferric chloride test : (+)
- delayed & prolonged absorption 가능하므로 혈중 level을 계속 F/U

## 4. 치료

① GI decontamination : 12~24시간까지 효과적 (∵ pyloric spasm 유발)
② serum level이 계속 상승하면 whole bowel irrigation or endoscopic bezoar (약물괴) 제거 고려
③ activated charcoal 반복으로 elimination 증가
④ electrolyte 교정, $O_2$, glucose, fluid
⑤ vitamin K (→ prolonged PT 교정)
⑥ seizure : benzodiazepine, barbiturate
⑦ saline diuresis & urine alkalinization : 증상있는 경우 꼭!
⑧ dextrose water with bicarbonate & potassium
⑨ cerebral or pul. edema때는 bicarbonate에 의한 alkalinization은 C/Ix.

⑩ hemodialysis의 indication
- 급성 중독 : 혈중농도가 1200 mg/dL 이상이거나 심한 acidosis와 중독의 다른 증세들을 보일 때
- 만성 중독 : 혈중농도가 600 mg/dL 이상인 환자에서 acidosis, confusion, lethargy 상태를
  보이며, 특히 환자가 노인이거나 정신상태가 불량한 경우

# DIGOXIN

## 1. 개요

- 원인 ┌ therapeutic or suicidal use
       └ plant (oleander) use
- Na-K ATPase inhibit → intracellular Na, Ca ↑ & K ↓
- 천천히 흡수, 분포되므로 8시간까지는 증상과 serum level이 맞지 않을 수
- 25~30%가 protein에 결합
- skeletal muscle, liver, heart에 분포
- 60%가 unchanged form으로 renal excretion되고 나머지가 간에서 대사
- 반감기는 36~45시간

## 2. 임상양상

- vomiting, confusion, delirium, hallucination, photophobia, disturbed color reception,
  blurred vision
- arrhythmia (거의 모든 부정맥 발생가능)
- suraventricular tachyarrhythmia + AV block → digitalis toxicity 시사
- chronic intoxication → bradyarrhythmia & hypokalemia 많다
- acute poisoning → tachyarrhythmia & hyperkalemia 많다
- digoxin level
  ┌ therapeutic level : 0.5~2.0 ng/ml
  └ toxicity : >3~5 ng/ml

## 3. 치료

① GI decontamination
- emesis와 gastric tube로 vagal stimulation되면 conduction block 악화 가능
- activated charcoal (흡수 억제 및 digoxin 제거도 촉진)
② K, Mg, Ca 교정
③ digoxin specific Fab-fragment antibody
- life-threatening 상황 때 사용
- 사용 후 free digoxin은 모두 사라지며 drug-Ab complex는 소변으로 배설

- digoxin 측정은 bound와 unbound form을 구별 못하므로 drug level과 toxicity가 맞지 않게 됨
- chronic intoxication : 1~2 vial 이면 충분
- acute poisoning : 5~10 vial 필요
④ diuresis, hemodialysis, hemoperfusion → 효과 없다
⑤ lidocaine, phenytoin (Dilantin), Mg-sulfate

# ANTICHOLINERGICS

## 1. 개요

- CNS & parasympathetic의 postganglionic muscarinic neuroreceptor에서 Ach.을 경쟁적으로 억제
- 종류 ; antihistamines, belladonna alkaloid (e.g., atropine), Parkinsonism 치료약, mydriatics, phenothiazine, 골격근 이완제, 평활근 이완제, TCA ...

## 2. 임상양상

┌ 급성 중독 : 1시간 내에 시작
└ 만성 중독 : 치료 시작 1~3일 후에 시작
- 동공 확대, 피부와 점막의 건조, 배뇨장애(urinary retention), 장음 감소(functional ileus), hyperthermia, flushing ...
- CNS Sx. ; 행동장애(choreoathetoid, picking), confusion, delirium, respiratory depression, coma
- EKG ; sinus tachycardia, QT prolongation, VT (Torsade)

## 3. 치료

- GI decontamination ; 활성탄, 위세척(복용 1시간 이내 권장)
- benzodiazepine → agitation, seizure 치료
- antidote : physostigmine salicylate
  - 금기 ; prolonged PR or QRS
  - 과다 투여시는 atropine으로 조절

# 납중독 (Lead poisoning)

## 1. 폭로원인

; 축전지, 케이블 제조, 자동차 배기가스, 납 함유 도료, 페인트, 환약, 총알 ...

## 2. 임상양상

### (1) 무기연

- 급성 중독 ; 복통, 변비, 두통, 착란, 혼수, 경련 ...
  - 신장애 (간질성 신염, 세뇨관장애 등), 간장애도 나타날 수
- 만성 폭로 ; 연창백, 연연(lead line), 불면, 기억력장애, 말초지각이상 ...

### (2) 알킬연

- 신경학적 증상이 주 ; 식욕부진, 쇠약, 두통, 우울, 기억장애, 착란 ...

### (3) 검사소견

- blood ; anemia (급성때는 hemolytic anemia, 만성때는 IDA), PBS에서 basophilic stippling, zinc protoporphyrin ↑, $\delta$-ALAD activity ↓
- urine ; coproporphyrin, $\delta$-ALA ↑
- X-ray
  - 납 함유 도료나 유약은 복부 X선에서 관찰될 수 있음
  - 골간단의 납띠 : 혈중 납 농도 50 $\mu$g/dL에서 보이지만, 급성 중독(4~8주 이내) 에서는 보기 어려움
- 혈중 lead 농도 측정 (진단) ; 여성보다 남성이, 소아보다 성인이 높다

## 3. 치료

- 혈중 납 농도가 50 $\mu$g/dL 이상이면 증상이 없어도 입원 관찰이 필요
- chelating agents ; CaNa_2EDTA, succimer, dimercaprol (BAL) 등
  (혈중 납 농도가 70 $\mu$g/dL 미만인 경우에는 CaNa_2EDTA만으로도 효과 있지만, 그 이상인 경우 재분배에 의한 뇌내 농도 상승 및 CNS 증상의 악화를 방지하기 위하여 BAL을 병용해야 됨)

#### c.f.) Chelating agents의 임상적 용도

| Chelating agents | Chelate되는 금속 |
|---|---|
| CaNa_2EDTA | 베릴륨, 카드뮴, 코발트, 구리, 철, 납, 망간, 니켈, 아연 |
| Deferoxamine | 철 |
| Dimercaprol (BAL) | 비소, 납, 수은 |
| Penicillamine | 구리, 납, 수은, 아연 |
| Succimer | 납 |

# 일산화탄소(carbon monoxide, CO)

## 1. 개요

- 폭로 원인 ; 화재시 연기 흡입, 자동차 배기가스, 배기가 잘못된 보일러/난로 등
- hemoglobin에 결합하여 carboxyhemoglobin 형성
- 산소보다 Hb.에 대한 affinity가 210배 강해서 oxygen transport와 tissue로의 release 감소 ($O_2$ dissociation curve가 left shifted)
- myoglobin에도 결합 → oxygen carrying capacity ↓
- mitochondrial cytochrome oxydase에도 결합 → cellular respiration 방해
- net effect ; tissue hypoxia, anaerobic metabolism, lactic acidosis
- half-life
  ① room air : 4~6시간
  ② 100% $O_2$ : 40~80분
  ③ hyperbaric $O_2$ therapy : 15~30분

## 2. 임상양상

- 혈액중의 CO-Hb fraction에 따른 증상
  - 10~20% (mild Sx) ; 호흡곤란, 두통, 피부혈관 확장
  - 20~40% (moderate Sx) ; 심한 두통, 피로, 현기, 민감, 판단력장애
  - 40~60% (severe Sx) ; 착란, 혼수, 경련, 호흡부전, 장기 노출시 사망
  - >80% : 즉시 사망 (대부분 심실성 부정맥으로 사망)
- ischemic chest pain, arrhythmia, hypotension, heart failure
- muscle necrosis and myoglobulinuria → renal failure
- ABGA ; $PaO_2$ 정상, $O_2$ saturation 감소, $PaCO_2$ 다양
- CK & LDH 증가 가능
- 의식 잃은 환자는 1~3주 후 neuropsychiatric sequelae 위험 (personality change ~ blindness, deafness, parkinsonism 위험까지)

## 3. 진단

① carboxyhemoglobin (CO-Hb) fraction 증가
② $PaO_2$에서 계산한 $O_2$ saturation과 실제 값의 차이 비교

## 4. 치료

① 100% 산소 공급 → CO의 제거 촉진
  - 밀착된 마스크 or 필요시 intubation & mechanical ventilation 통해 공급
  - CO level <10% & 모든 증상 소실될 때까지 투여
  - 영아와 산모는 몇 시간 더 필요 (∵ fetal Hb의 high affinity 때문)

② 고압산소요법(hyperbaric oxygen therapy, HBO) : 2.5~3기압으로 90분 100% 산소 공급
- 심한 CO 중독 증상시에 유용
- 효과 ; CO-Hb 감소 촉진, 뇌압과 뇌부종 감소, 산화 손상 감소
- 가능한 빨리(<6시간) 시행해야 효과적
  (12시간 이상 지났거나 경미한 증상시에도 효과적인지는 논란)

| CO 중독에서 고압산소요법(HBO)의 적응 | |
|---|---|
| 의식소실 | 산소치료 몇 시간 후에도 신경증상 지속 |
| 경련 | 임신 |
| 혼수 | 지속되는 심근허혈(e.g., EKG 변화, 흉통) |
| 의식변화 | CO-Hb >25% |
| 신경학적검사 비정상 | 심한 metabolic acidosis (pH <7.1) |

# 시안화물 (Cyanide)

## 1. 개요

- 시안화칼륨 (KCN, 청산가리), 시안화수소 가스 (HCN)
- 폭로 원인 ; 공업제품, 연소가스, 매실 등의 열매, 의약품 ...
- 독성 기전 : 세포 내의 cytochrome oxidase와 결합/억제
    → 산소의 aerobic utilization 정지

## 2. 임상양상

- 두통, 빈호흡, 빈맥, 어지러움, 운동실조, 혼미, 혼수, 경련
- 혈압과 맥박수 : 처음에는 상승하지만 나중에는 감소, 심하면 심폐정지
- 정맥혈의 색이 동맥혈처럼 되고, 점막은 적색을 나타냄
  (∵ 조직에서 산소를 이용하지 못하므로)
- 검사 소견 ; 동정맥혈의 산소 분압차 감소, lactic acid 축적 → anion gap 증가

## 3. 치료

- 기도와 호흡의 유지, 100% 산소 투여
- decontamination (의료진이 cyanide에 노출 안되도록 주의!)
- cyanide 해독제 키트
  - amyl & sodium nitrates : cyanide-scavenging methemoglobin 생성
  - sodium thiosulfate : cyanide → thiosulfate로의 전환을 촉진
- hydroxocobalamin : vitamin $B_{12}$ 전구체로 주로 유럽에서 사용됨

# 아편/아편유사제 (Opioids)

- 아편제(opiate) : 양귀비(opium poppy)에서 직접 추출한 알칼로이드
  ; morphine, codeine, thebaine, noscapine 등
- 아편유사제(opioid) : 아편 수용체에 결합하여 아편양 작용을 하는 물질
  - 반합성 제제 ; heroin, doxycodone, pentazocine 등
  - 합성 제제 ; methadone, meperidine, propoxyphene 등
- 중독증상 ; 의식저하, 축동(miosis), 호흡억제, 저혈압(∵ 혈관확장)
  - meperidine, propoxyphene, pentazocine은 축동 안 일으킴
  - meperidine, propoxyphene은 경련도 유발 가능 (다른 제제들도 hypoxia에 의해 경련 발생 가능)
- 치료 ; 호흡과 순환 보조, 해독제(naloxone)
  - naloxone에 반응이 없거나 심한 호흡부전 시에는 기관삽관 & 기계호흡
  - 경련이 발생한 경우엔 benzodiazepine

# 항응고제형 살서제(쥐약)

- warfarin 및 warfarin 유도체(coumarins, indandiones, superwarfarin [long-acting, 반감기 4달])
- 기전 : vitamin K 의존 응고인자(II, VII, IX, X)의 활성화 억제
- 중독증상 ; 코피, 잇몸 출혈, 혈뇨, 혈변, 광범위 출혈반 등
- 검사소견 ; PT↑, factor VII-X complex↓ (PT보다 빨리 감소)
- 치료
  ① 위장관 오염 제거 : 복용 1시간 이후 내원 시엔 활성탄만 투여
  ② 해독제 : vitamin K₁ (phytonadione)
    - 심하지 않으면 경구, 심하면 비경구 투여 (IM/subcut.로 주사)
    - IV 투여는 anaphylactoid reaction 부작용 위험이 있으므로 제한적인 경우에만
    - 간염/간경화 환자의 경우 vitamin K₁ 투여에 의해 prothrombin이 더욱 억제될 수도 있음
    - vitamin K₃ (menadione)와 vitamin K₄ (menadiol)는 해독제로 사용할 수 없음
  ③ FFP : 심한 출혈 증상일 때 투여하여 응고인자 보충, 일시적인 효과

# $\frac{2}{기타}$

## Medical Decision Making

### 1. Relative risk (비교위험도, 상대위험도)

: 위험인자를 가지지 않은 사람에 비해 위험인자를 가진 사람이 질병에 이환될 상대적인 위험도

|  | 위험인자 (+) | 위험인자 (−) |
|---|---|---|
| 질병 (+) | A | B |
| 질병 (−) | C | D |

$$Relative\ risk = \frac{\dfrac{A}{A + C}}{\dfrac{B}{B + D}}$$

### 2. 검사의 조건

- 정확도(accuracy) : 검사 결과가 참값(true value)에 근접하는 정도, 타당도(validity)
- 정밀도(precision) : 반복검사시 같은 결과가 나오는 정도, 재현성(reproducibility), 신뢰도(reliability)
- 민감도(sensitivity) : 검출민감도(검출할 수 있는 물질의 최저 농도),
  진단민감도(환자/질병을 얼마나 잘 찾아내나)
- 특이도(specificity) : 검출특이도(측정하려는 물질만 검출하는 능력),
  진단특이도(환자/질병이 아닌 경우를 얼마나 잘 R/O하나)

|  |  | Condition (disease) | |
|---|---|---|---|
|  |  | + | − |
| Test | + | TP | FP |
|  | − | FN | TN |

TP: true positive
TN: true negative
FP: false positive
FN: false negative

- sensitivity (TP rate) $= \dfrac{TP}{TP + FN}$ (× 100%)

: 질병이 있는 사람을 정확히 발견하는 능력 (질병이 있는데 검사 양성으로 나올 확률)

- specificity (TN rate) $= \dfrac{TN}{TN + FP}$ ($\times$ 100%)

  : 질병이 없는 사람을 정확히 발견하는 능력 (질병이 없는데 검사 음성으로 나올 확률)

- FN rate $= \dfrac{FN}{TP + FN}$ (위음성률)

  : 질병이 있는데도 불구하고 검사는 음성으로 나올 확률

- FP rate $= 1 - $ TN rate $= \dfrac{FP}{TN + FP}$ (위양성률)

  : 질병이 없는데도 불구하고 검사는 양성으로 나올 확률

- (+) predictive value $= \dfrac{TP}{TP + FP}$ (양성예측도)

  : 검사가 양성으로 나왔을 때 실제 질병이 있을 확률

- (-) predictive value $= \dfrac{TN}{TN + FN}$ (음성예측도)

  : 검사가 음성으로 나왔을 때 실제 질병이 없을 확률

- 검사효율(accuracy) $= \dfrac{TP + TN}{TP + FP + TN + FN}$ ($\times$ 100%)

- 우도비(LR, likelihood ratio) $= \dfrac{TP\ rate}{FP\ rate} = \dfrac{sensitivity}{1 - specificity}$

  : 질병이 없는 사람 대비 질병이 있는 사람에서 검사가 양성으로 나올 확률

- sensitivity와 specificity를 구하기 위해서는 cut-off value를 결정해야 함
- cut-off (cut-point) value : 양성과 음성을 나누는 검사의 기준 값

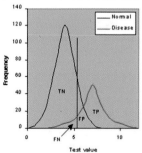

- 기준값(cut-off value)에 따라 민감도와 특이도는 서로 반대로 변화함("trade-off")

- ROC (receiver operating characteristic) curve
  - 여러 cut-off value에 대한 sensitivity와 specificity를 도시한 도표
    (→ 검사의 정확도를 판단하여 최적의 cut-off value를 결정하는데 이용)
  - ┌ x축 = FP rate = 1 - specificity
    └ y축 = TP rate = sensitivity
  - 검사들의 임상적 유용성을 area under curve (AUC)의 면적을 구하여 서로 비교함
    → 유병률 및 cut-off와 관련 없으므로 검사법간의 비교에 유리함
  - AUC가 1에 가까울수록 완벽한 검사임 (TP rate 100%, FP rate 0%)
    (대개 AUC가 0.7 미만이면 진단적 검사로 유용하지 않음)

## 3. Screening 검사의 유용성

- PPV (positive predictive value)가 중요함!
  : 검사의 sensitivity, specificity 및 질병의 유병률의 영향을 받음

$$PPV = \frac{sensitivity \times 유병률}{(sensitivity \times 유병률) + (1 - specificity)(1 - 유병률)}$$

★ 유병률이 낮아지면 PPV가 낮아짐!

- 유병률이 낮으면(e.g., HIV, COVID-19, 암) specificity가 PPV에 큰 영향을 미침
  → screening에 가치가 있으려면 sensitivity보다 specificity가 높아야 됨! (∵ 과도한 위양성 방지)
    예) 대부분의 serum tumor marker 검사는 PPV가 낮아 screening에 부적합
       현재 COVID-19 검사는 specificity가 가장 높은 PCR 검사만 시행함

c.f.) 심각한 질병에 대한 검사, 질병 대유행 상황에서는 NPV도 중요함
      예) 과거 신종플루 대유행 때는 빠른 진단 & 치료를 위해 신속항원검사도 많이 시행함
        (∵ specificity는 PCR보다 떨어지지만, sensitivity 높고 저렴 & 간편해서)

# ■ 노인의학(Geriatric medicine)

## 1. 노인 환자의 특성

(1) 증상이 없거나 비전형적, 개인차가 큼
(2) 보상능력의 감퇴 → 질병 초기에 증상이 발생, 치료약물의 부작용 증가
(3) 여러 기관이 동시에 손상되므로 치료해야 할 이상 증상이 많고,
    각 증상의 작은 호전도 전체적으로는 큰 효과를 가져옴
(4) 젊었을 땐 비정상적인 소견이 노인에선 상대적으로 흔함
    (e.g., bacteremia, VPB, bone density↓, glucose intolerance, 요실금)
(5) 어떤 증상이 훨씬 다양한 원인에 의해 발생하므로 감별의 폭을 넓혀야 함
(6) 질병의 합병증 및 후유증에 더 고생하므로 치료/예방의 효과가 젊은이보다 더 좋을 수 있음
(7) 의식과 정신 장애가 많음

(8) 질병다발성(multiple pathology) → 다약물복용(polypharmacy) 유발
    └ 노인 특유의 질환 + 다른 질환 + 과거 질환의 만성화/합병증/후유증

c.f.) 65세 이상 만성질환 유병률 : 근골격계 > 순환기 > 소화기 > 호흡기 > 신경계
     (전체인구보다 만성질환의 유병률은 약 2.5배, 급성질환의 유병률도 약 2배)

## 2. 노인의 생리적 변화

(1) General ; 체지방 비율↑, 총 수분함량↓

(2) 호흡기 ; 폐탄성(lung elasticity)↓, 흉벽 강직도(chest wall stiffness)↑

(3) 순환기 ; arterial compliance↓, 수축기 혈압↑, LVH, $\beta$-adrenergic responsiveness↓,
    baroreceptor sensitivity↓, SN node autonomy↓

(4) 소화기 ; 간기능↓, 침샘↓, 위산↓, 위장 운동성↓, 직장항문 기능↓,
    소장의 calcium 흡수↓ (∵ 융모↓, vitamin D에 대한 저항성↑)

(5) 혈액면역 ; BM reserve↓, T cell 기능↓, autoantibodies↑

(6) 신요로계 ; GFR↓, urine concentration/dilution↓, 전립선 비대, 질/요도 점막 위축

(7) 내분비계 ; glucose intolerance, thyroxine production & clearance↓, ADH↑,
    renin & aldosterone↓, testosterone↓, vitamin D의 흡수 및 활성화↓

(8) 근골격계 ; muscle mass↓, muscle quality↓, bone density↓, 결체조직의 elasticity↓

(9) 눈/귀 ; 노안, 백내장, 고주파 난청

■ 노인에서 검사 reference range의 변화 (정상적)
    ┌ ↑ ; K⁺, BUN, creatinine, ALP, ESR 등
    ├ ↓ ; albumin, WBC count 등
    └ 거의 변하지 않는 것 ; Na, AST-ALT, LD, amylase, CK, Hb, 응고검사 등

## 3. 노인 환자의 약물 요법

• 노화에 따른 약동학적/약력학적 변화

① 흡수 ; GI 흡수면적↓, 혈류↓, motility↓(→ 배출시간↑), 위산 분비↓(→ 위내 pH↑)
    ⇨ 약물의 흡수 속도는 느려질 수 있지만, 흡수 정도에는 영향 없음!
    c.f.) levodopa : GI mucosa에 존재하는 dopa decarboxylase의 감소로 약물 흡수↑

② 분포 ; lean body mass↓, total body water↓, 체지방↑, serum albumin↓, 단백결합 변화
    – 체내 수분량↓ ⇨ 수용성 약물의 분포용적(Vd)↓ → 투여 초기 혈장 농도 급격히 상승 위험
        예) digoxin, gentamicin, theophylline, antipyrine, cimetidine, ethanol
    – 체지방↑ ⇨ 지용성 약물의 분포용적↑ (혈장 농도↓, 조직내 농도↑, 반감기↑, 작용시간↑)
        예) amiodarone, diazepam, imipramine, nitrazepam
    – 혈장 단백↓ ⇨ free drug fraction↑ (but, 단백결합의 변화로 임상적으로 유의한 차이는 없음)
        예) 산성 약물 (∵ albumin에 친화성 큼) ; cimetidine, furosemide, naproxen, salicylate,
            phenytoin, diazepam, valproate, theophylline 등 (→ 일부는 감량이 필요할 수 있음)
        c.f.) 염기성 약물은 $\alpha_1$-acid glycoprotein에 친화성이 크지만 임상적 의미는 별로 없음

③ 대사 (hepatic clearance) ; 간 중량↓, 간 혈류↓, phase Ⅰ 효소(특히 CYP P450) activity↓

⇨ 간에서 대사되는 약물의 clearance↓ (혈중 농도↑), 특히 여러 약물 복용시 더 심해짐

예) labetalol, lorazepam, propranolol, verapamil, codeine, meperidine, theophylline

c.f.) 간의 phase Ⅱ 대사과정은 별로 변화 없음

④ 배설 (renal excretion) ; GFR↓, 신 혈류↓, 세뇨관 분비↓ ⇨ 신장으로 배설되는 약물 농도↑

– 노화에 따른 근육량↓로 sCr도 낮아짐 → 연령으로 보정된 eGFR (CKD-EPI 공식 등) 사용

– 많은 약물이 신기능에 따라 감량 필요 ; digoxin, AG, cefotaxime, cimetidine, vacomycin ...

→ 신장내과 5장 참조

⑤ receptors 반응성 감소 ; 숫자↓, 친화력↓, post-receptor signaling pathway activity↓

예) β-receptors에 대한 반응성 감소 → β-agonist와 β-blocker의 효과 감소

c.f.) α-receptors에 대한 반응성은 성인과 별 차이 없음

⑥ 체내 항상성 조절기능의 저하 → 약물에 대한 과민반응 가능

• 여러 만성질환 동반 → 동시 다약물복용(polypharmacy) → 약물 상호작용↑

• 약물 부작용↑ (젊은 성인보다 2~3배 높음)

c.f.) Beers criteria : 노인에서 주의해야 할 약물을 가이드라인으로 제정한 것 (미국노인병학회)

⇨ https://www.americangeriatrics.org (beers로 검색, 2019년이 최신판)

| 노인 약물처방의 일반 원칙 |
| --- |
| 일반의약품, 한약, 건강보조제 등을 포함한 환자의 모든 복용 약물을 파악 |
| 반드시 필요한 경우에만 약물을 사용 → 사용 약물 최소화 (필요 없는 약은 반드시 중단) |
| 처방하는 약에 대한 약리학적 특성 및 잠재적 유해반응/독성을 파악, 관련된 기능적 지표를 충분히 모니터링 |
| 저용량으로 시작 & 천천히 증량 (치료 목표를 달성하기에 충분한 용량까지 증량, 반응 정도를 보고 용량 조절) |
| 순응도를 높일 수 있도록 노력함 (복용 방법 단순화, 주기적 약물 복용 평가) |
| 새로운 약물을 사용할 때는 특별히 주의 |
| 약물 이외의 치료 방법도 고려해 봄 |

## 4. 노인증후군(geriatric syndrome)

• 정의 : chronic multifactorial health conditions

⇨ 2가지 이상의 여러 질병 및 유발인자들이 합쳐져 하나의 증상으로 나타나는 것

(e.g., 치매, 탈수, 감각기능 저하, 약물, 노화 등이 복합적으로 작용해 → 섬망으로 나타남)

• 증상 예 ; 노쇠(frailty), 섬망, 낙상, 골절, 욕창, 요실금, 수면장애, 어지러움, 실신, 만성통증 ...

• 기존의 원인(질병) 위주의 진단 방식으로는 접근하기 어렵고 치료에 한계가 있음

• 나이가 들수록 발생률 & 유병률 증가, 한 명의 노인에서 여러 개의 노인증후군 발생 가능

• 제대로 치료 및 관리가 되지 않으면 장애(disability) → 삶의 질 저하 → 사망으로 이어질 수 있음

• 증상완화 치료가 도움이 됨